CW00740750

# GOLD

## *a* learner's DICTIONARY/ PHRASEBOOK

*Compiled by*

LEXUS

*with*

*Steaphan MacRisnidh*

Published 2017 by Lexus Ltd
47 Broad Street, Glasgow G40 2QW

Translations by Steaphan MacRisnidh
Cover and page design by Elfreda Crehan
General editor: Peter Terrell

© Lexus Ltd, 2017

All rights reserved. No part of this publication may be reproduced or stored in any form without permission from Lexus Ltd, except for the use of short sections in reviews.

www.lexusforlanguages.co.uk

British Library Cataloguing in Publication Data
A catalogue record for this book is available from the British Library.
ISBN: 978-1-904737-469

Acknowledgement
Thanks to Alasdair MacCaluim

Chuidich Comhairle nan Leabhraichean am foillsichear le cosgaisean an leabhair seo.

Printed and bound in Europe by PULSIO SARL

# *A couple of basic notes on Gaelic*

*lenition*

A lot of languages make modifications to word endings. Gaelic also makes modifications to the start of some types of words. It does this in a process called lenition. Lenition involves a certain softening of the first letter of a word by the insertion of the letter h directly after it. Here are some examples of this.

**a label** bileag [beelak] **the label** a' bhileag [ə veelak]
**a dinghy** geòla [gawlə] **the dinghy** a' gheòla [ə yawlə]

Leniting the letter f makes the f silent.
**a ring** fàinne [fahnyə] **the ring** an fhàinne [ən ahnyə]

**the bar** am bàr
**in the bar** anns a' bhàr [ōwns ə vahr]

**a mother** màthair [mah-hər]
**my mother** mo mhàthair [moh vah-hər]

**a big house** *(house is a masculine noun in Gaelic)*
taigh mòr [tY mohr]

**a big country** *(country is a feminine noun in Gaelic*
dùthaich mhòr [doo-eeK vohr]

This leniting h cannot be inserted after words that start with: l, n, r, sg, sm, sp or st.

## *broad and slender vowels*

Gaelic spelling follows one simple rule that is unknown to English. There are two types of vowel: broad vowels (a, o, u) and slender vowels (e, i).

The rule is: when two vowels are separated by a consonant or two within a single word then a broad vowel must follow a broad vowel and slender must follow slender. For example, Gaelic cannot write its import of the Italian/English pizza without a modification required by this rule. Pitsa is illegal, because it contains a slender i followed by a broad a. **Piotsa** is correct.

The perceived complexity of many Gaelic words may lessen when this feature is borne in mind.

# *Using this book and explaining the abbreviations*

## *1 definite articles*

The translations of nouns are given together with their definite article (the Gaelic for 'the'). This definite article can take various forms (an, am, a' an t-). There are two main reasons for this approach. First, by being told the Gaelic definite article you are also at the same time told, in the great majority of instances, what the gender of the Gaelic noun is. The entry for 'the' on pages 276-278 goes into the details of this. Secondly, this approach makes it possible to show which nouns are lenited when used with their definite article.

The definite article is printed in italic and, if there is lenition, the h is also printed in italic, for example:

> *a'* m*h*ìle [ə veelə]
> (the mile)

The pronunciation of nouns which are lenited when used with their definite article includes both the pronunciation of that particular form of the definite article as well as the pronunciation of the lenition. If you don't want to use the Gaelic noun in its lenited form, just drop the h (in writing) and revert the pronunciation to that of the initial letter.

> mìle [meelə]
> (a mile)

## *2 (+len)*

This label indicates that the Gaelic word causes lenition in what follows it. For example:

**very** glè *(+len)*

So, if you want to say 'very happy' then the Gaelic for 'happy', which is **toilichte** [toleeKchə] has to become **thoilichte** [holeeKchə]

## *3 (+len adj)*

This label means that a Gaelic adjective used after this Gaelic noun has to be lenited. For example, you want to say 'a long list' in Gaelic.

**list** an liosta *(+len adj)*
**long** fada [fatə]

So, 'a long list' is **liosta** fhada [listə atə]

## *4 Gaelic verbs*

Gaelic verb translations are given in two forms. For example

**scan** sganaich (a' sganadh)

The first form is known as the root. The second is known as the verbal noun. These two forms are used to make different tenses in Gaelic and giving these two basic forms enables you to create other sentences in Gaelic. This is described at various headwords throughout the book, for instance under entries for future, past, imperative and others.

## *5 Gaelic verbs with an asterisk **

An asterisk after a Gaelic verb translation means that this verb is irregular. The irregular forms are given in tables on pages 344-345.

## *6 translations in blue italic*

Some translations are given in blue italic. This is done to help you identify the Gaelic word that corresponds to the English headword when there is no general translation of the headword and the Gaelic is given in a phrase.

## *7 English phrasal verbs*

For ease of reference English phrasal verbs (such as get off, get up, live up to, run out of etc) are treated as separate entries in this book. They are positioned directly after their simplex forms (get, live, run etc) and are identified with a lozenge ◊.

## *8 (+prep obj)*

This is an abbreviation for 'plus prepositional object'. This label is used to point up the fact that the Gaelic translation cannot be used without an object for its preposition – whereas the English can. For example

**overtake** beir air *(+prep obj)*

In English you can say both

don't overtake that car

and

don't overtake.

But the Gaelic *has* to have an object after 'air'. Likewise

**get on** *(to bus, bike)* rach* air

English does not need an object after the word 'on'. But Gaelic does need an object after the word 'air'.

The dictionary/phrasebook gives examples of how the two languages match up in this respect.

# *A guide to the pronunciation system*

If you read the pronunciations given in square brackets in this book as though they were English (southern English) you will be well on your way to pronouncing Gaelic (in one of its many accents). You should bear in mind the following special points about the pronunciation system used.

| | |
|---|---|
| a | as in c**a**t or s**a**t |
| ah | as in f**a**ther or (southern English) c**a**stle |
| aw | as in s**aw** |
| ay | as in d**ay** |
| e, eh | as in b**e**d or h**ea**d |
| ee | as in f**ee**t |
| i | as in **i**n or th**i**n |
| o | short as in h**o**p |
| oh | longer as in h**o**pe |
| ŏ | This is a short o as in h**o**p, the accent being given purely as a reminder of this fact. |
| oo | as in f**oo**l or p**oo**l |
| ōw | as in h**ow** or c**ow** |
| ur | This is a sound which can't be represented by a single letter in English: it is like the u sound as in f**ur** or the e sound as in h**er** or the i sound as in s**ir**. Remember though: the pronunciation is the southern English pronunciation in which the letter r is not sounded at all. If you know any German it is ö; if you know any French it is the œu as in cœur. |

ə This special character stands for the dull uh sound like the a in **a**bove, the e as in wat**e**r or the ough as in bor**ough**.

ch as in **ch**ur**ch**

g always hard as in **g**et or **g**o

G This is a g sound from the back of the throat, a little like a gargle or clearing the throat.

j as in **j**umper

K This is the sound in the Scottish way of saying lo**ch**.

Kk This is the ch as in lo**ch** followed by an ordinary k.

s s is always soft as in **s**uch or hi**ss**

Y as the igh in h**igh** or the y in wh**y**

y a yuh sound as in **y**our or as occurs after the first n in onion or after the ll in million

The Gaelic stràc (or grave accent) has the effect of lengthening a vowel.

When a pronunciation is given in quotes this means that the word is to be pronounced just as though it were English. Three dots in the pronunciation guide mean that the pronunciation of that word or those words is already given within the entry which you are looking at and so does not need to be repeated.

Hyphens are used in the pronunciation to make words easier to read; they do not represent Gaelic syllables.

## a, an

*1* Gaelic doesn't have (or need) a word for 'a' or 'an'. So if you want to say

**a train to Inverness**

you just say

**trèan gu Inbhir Nis** (train to Inverness)

*2* When 'a' means the same as 'per':

**£10 a day** £10 an latha
**£2 a kilo** £2 an cileagram

Aberdeen Obar Dheathain [ohpər ehn]

Aberfeldy Obar Pheallaidh [ohpər fyalee]

Aberfoyle Obar Phuill [ohpər foo-il]

about mu *(+len)* [moo]
**about 15** mu 15
**a film about Islay** film mu Ìle [filəm moo eelə]
**is he about?** a bheil e mun cuairt? [ə vel eh moon koo-ərsht]

above os cionn [os kyoon]
**above 50** os cionn 50

Aboyne Abèidh [əbay]

absent: **Jamie will be absent tomorrow** cha bhi Seumas an làthair a-màireach [Ka vee shayməs ən lah-hər ə-mahrəK]

accent *am* blas-cainnte [blas-kYn-chə]

**he/she has a Lewis accent** tha blas-cainnte Leòdhasach air/oirre [ha ... lyoh-əsəK ehr/orə]
**accept** gabh ris (a' gabhail ris) [gav rish (ə gahl ...)]
**access code** *an* còd-inntrigidh [kawd-eentrigee]
**accident** *(on the road etc) an* tubaist *(+len adj)* [toopisht]
**sorry, it was an accident** duilich, 's e tubaist a bh' ann [dooleeK, sheh ... ə vōwn]
**accordion** *am* bogsa-ciùil [boksə-kyool]
**according to: according to the rules** a rèir nan riaghailtean [ə rayr nən ree-əl-chən]
**acccording to him/her** dha/dhi rèir [Ga/yee rayr]
**accountant** *an* cunntasair [koontəsar]
**accurate** *(forecast)* cuimseach [koo-imshəK]
*(shot, kick)* cinnteach [keenchəK]
*(measurement, description)* ceart [kyarsht]
**or to be more accurate ...** no gus a bhith nas cuimsiche ... [noh goos ə vee nəs koo-im-sheeKə]
**across: don't run across the road** na ruith *thairis air* an rathad [nə roo-ee harish ehr ən rah-ət]
**they live across the street** tha iad a' fuireach *taobh thall* na sràide [ha ee-at ə foorəK turv hōwl nə strahjə]
**actor** *an* cleasaiche [kleseeKə]
**actress** *a'* b*h*ana-chleasaiche [ə vanə-KleseeKə]
**add** *(arithmetic)* cuir ris (a' cur ris) [koor rish (ə koor ...)]
**address** *an* seòladh [shaw-ləG]
**what's your address?** dè an seòladh agad? [jay ən ... akət]
**advanced class** *an* clas adhartach [klas ərtəK]
**Advanced Higher** *an* Àrd-ìre Adhartach [ahrt-eerə ərtəK]

**advert** *an* sanas-reic [sanəs-rehKk]

**advice** *a' ch*omhairle [ə Kohrlyə]

**aeroplane** *an t*-itealan [ən cheechələn]

**afford: I can't afford it** cha ruig mo sporan air [Ka rik moh sporan ehr]

**afraid: X is afraid of Y** tha eagal air X ro Y [ha ekəl ehr X rŏ Y]

**I'm afraid of spiders** tha eagal orm ro dhamhain-allaidh [ha ekəl orəm rŏ Gavan-alee]

**I'm afraid so** tha eagal orm gu bheil [... goo vel]

**I'm afraid not** tha eagal orm nach eil [... naK el]

**after** às dèidh [ahs jay]

*(afterwards)* às dèidh sin [... shin]

**after you** às do dhèidh [... doh yay]

**after me** às mo dhèidh

**afternoon** *am* feasgar [feskər]

**in the afternoon** anns an fheasgar [ōwns ən yeskər]

**this afternoon** feasgar an-diugh [... ən-joo]

**after-school club** *an* club dèidh-sgoile [... jay-skolə]

**again** a-rithist [ə-reesh-ch]

**can you say that again?** an can thu sin a-rithist? [ən kan oo shin ...]

**against: Scotland against England** Alba an aghaidh Sasainn [aləpə ən əGee saseen]

**I'm against the idea** tha mi an aghaidh a' bheachd [ha mee ... ə vyaKk]

**he was leaning against the bar** bha e *an taic ri* cunntair a' bhàir [va eh ən tYKk ree koontar ə vahr]

**age** *an* aois [ursh]

**under age** fon aois cheadaichte [fon ursh KeteeKchə]

**it takes ages** tha e a' toirt ùine nan ùineachan [ha eh ə torsht oon-yə nən oonyəKan]
**what age is he?** dè an aois a tha e? [jay ən ursh ə ha eh]

*you may hear*

*1*

**tha e còig bliadhna deug**
[ha eh koh-ik blee-ənə jee-əg]
he's 15

**bidh e dà bhliadhna dheug an t-seachdain seo tighinn**
[bee eh dah vlee-ənə yee-əg ən chyaKkin shŏ cheeyin]
he'll be 12 next week

**that's the same age as my daughter**
's e sin an aon aois rim nighean
[sheh shin ən urn ursh rim nee-ən]

*2*

**what age is your gran now?**
dè an aois a tha do sheanmhair a-nis?
[jay ən ursh ə ha doh henəvər ə-nish]

**tha i a' streap ri ceithir fichead 's a sia**
[ha ee ə strep ree keh-hir feeKet sə shee-ə]
she's coming up to 86

**ago: a week ago** *bho chionn* seachdain [voh Kyoon shaKkin]
**it wasn't long ago** cha b' fhada bho [Ka batə voh]
**how long ago was that?** dè cho fada air ais 's a bha sin? [jay Koh fatə ehr ash is ə va shin]
**agree: I agree** tha mi ag aontachadh [ha mee əg əntə-KəG]

**I don't agree** chan eil mi ag aontachadh [Kan yel mee ...]
air *an t-*àile [ən tahlə]
*(sky) an t-*adhar [ən tahr]
**I need some fresh air** feumaidh mi àile ùr [faymee mee ahlə oor]
**by air** *(travel)* air plèan [ehr playn]
**up into the air** suas dhan adhar [soo-əz Gan ahr]
Airdrie An t-Àrd-Ruigh [ən tahrtree]
airmail: **by airmail** le post-adhair [leh pohst-ahr]
airport *am* port-adhair [pohrst-ahr]
airport bus bus *(m)* a' phuirt-adhair ['bus' ə foorst-ahr]
alarm *(for security, in building, car) an* rabhadh [ravəG]
alarm clock *an* gleoc-dùsgaidh [gloKk-doosgee]
alcohol *an t-*alcol [ən talkol]
alive: **is he still alive?** a bheil e beò fhathast? [ə vel eh byaw hahst]
all uile [oolə]
**all the people** na daoine uile [nə dən-yə ...]
**all these people** na daoine seo uile [... shŏ ...]
**he ate all the pie** dh'ith e am pàidh air fad [yeeK eh əm pY ehr fat]
**all night** fad na h-oidhche [fat nə hə-iKə]
**all morning** fad na maidne [... majnə]
**all day** fad an latha [fat ən lah]
**that's all** sin e uile [shin eh ...]
**that's all wrong** tha sin tur ceàrr [ha shin toor kyahr]
**thank you – not at all** tapadh leat – 's e do bheatha [tapə let – sheh doh veh-hə]
**I don't have any at all** chan eil dad sam bith agam

[Kan yel dat sam bee akəm]
**I don't agree at all** chan eil mi ag aontachadh *idir* [Kan yel mee əg əntə-KəG eejir]
**he can't sing at all** chan aithne dha seinn idir [Kan anyə Ga sheh-in eejir]
**all I have** a h-uile rud a th' agam [ə hoolə root ə hakəm]

**all right** ceart gu leòr [kyarsht goo lyawr]
**it's all right** *(not a problem, quite good)* tha e ceart gu leòr [ha eh ...]
**I'm all right** *(not hurt)* tha mi ceart gu leòr [ha mee ...]
**more soup? – no, I'm all right thanks** tuilleadh brot? - chan eil, tapadh leat [toolyəG brot – Kan yel tapə let]

**allergic: I'm allergic to ...** tha 'allergy' agam ri ... [ha ... akəm ree ...]

**Alloway** Allmhaigh [aləvY]

**allowed: is it allowed?** a bheil e ceadaichte? [ə vel eh kehteeKchə]
**that's not allowed** chan eil sin ceadaichte [Kan yel shin ...]
**allow me** ceadaich dhomh [kehteeK Gŏ]

**almost** gus a bhith [goos ə vee]
**I'm almost ready** tha mi gus a bhith deiseil [ha mee ... jeh-shel]
**are you ready? – almost** a bheil thu deiseil? – cha mhòr nach eil [ə vel oo ... – Ka vohr naK el]
**I almost fell** theab mi tuiteam [hehp mee toocham]
**I almost believed you** theab mi do chreidsinn [... doh Krehjin]

**alone: he is alone now** tha e na aonar a-nis [ha eh nə urnər ə-nish]

**alphabet** *an* aibidil [apijil]

The Gaelic alphabet has 18 letters. The English letters J K Q V W X Y Z are not used (or are used only in the spelling of imported words like **vandalachd** for vandalism). If you want to say a Gaelic abbreviation like BPA (which is Gaelic for MSP) or if you want to spell out your own name when speaking Gaelic, then you should simply pronounce the individual letters exactly as you would in English. Gaelic does have its own names for the letters of the alphabet, names which are Gaelic words for the names of trees. For example **beithe** (birch) is B. But these letter-names are not in day-to-day use.

**already** mu thràth [moo hrah]
**also** cuideachd [koojəKk]
**although** ged a [get ə]
**altogether** uile gu lèir [oolə goo layr]
  **what does that make altogether?** dè na tha sin uile gu lèir? [jay nə ha shin ...]
**always** an-còmhnaidh [ən-kawnee]
**am**[1] *(in the morning)* m [sə vateen]
**am**[2] *go to* **be**
**ambulance** *an* carbad-eiridinn [karəpət-ehrijin]
**America** Ameireaga *(+len adj)* [amerəgə]
**American** *(adjective)* Ameireaganach [amerəgənəK]
  *(man) an t-*Ameireaganach [ən tamerəgənəK]
  *(woman) an* Ameireaganach
**among** am measg [əm mesk]
**anchor** *an* acair [aKkir]
**and** agus [agəs]

Another Gaelic word for 'and' is **is**, sometimes shortened to **'s**. This is often used when talking about pairs, for example:

**iasg is sliseagan** fish and chips
**hama is uighean** bacon and eggs

Two adjectives are generally separated by **is**, although Gaelic can also just omit the word for 'and' in such cases.

**when I was young and foolish** nuair a bha mi òg (is) amaideach

**angry** feargach [ferəgəK]

**ankle** *an t*-adhbrann [ən təbrən]

**anniversary: it's our (wedding) anniversary** seo an ceann-bliadhna (pòsaidh) againn [shŏ ən kyōwn-blee-ənə (pawsee) akin]

**annoy: it's very annoying** tha e glè leamh [ha eh glay lef]

**another: another biscuit?** briosgaid *eile*? [briskij ehlə]
**let's try another day** feuchamaid latha eile [fee-əKəmij lah ...]

**answer** *(noun) an fh*reagairt [ən rekarsht]
**what was his answer?** dè an fhreagairt a bh' aige? [jay ... ə vekə]
**there was no answer** *(on the phone)* cha robh freagairt ann [Ka roh frekarsht ōwn]

◊ **answer back: don't answer back!** cùm do theanga agad fhèin! [koom doh hengə akət hayn]

**antibiotics** *na h*-antibiotaigean [nə hantee-bYawtagən]

**antique** *(adjective)* àrsaidh [ahrsee]

**any: have you got any bananas/butter?** a bheil bananathan/ìm agad? [ə vel banana-ən/eem akət]
**we haven't got any money/tickets** chan eil airgead/tiogaidean againn [Kan yel erəket/tikijən akin]
**I haven't got any** chan eil gin agam [Kan yel gin akəm]

anybody duine [doon-yə]
**is anybody here?** a bheil duine an seo? [ə vel … ən shŏ]
**we don't know anybody here** chan aithne dhuinn duine an seo [Kan anyə Gə-in …]
**can anybody help?** an cuidich duine sam bith? [ən koojeeK … səm bee]
**anybody who …** duine sam bith a …

anything rud sam bith [root səm bee]
**anything will do** nì rud sam bith a' chùis [nee … ə-Koosh]
**have you got anything for …?** a bheil *dad* agad airson …? [ə vel dat akət ehrson …]
**I don't want anything** chan eil mi ag iarraidh dad [Kan yel mee əg ee-əree dat]

apology: **my apologies** gabhaibh mo leisgeul [gaviv moh lehshkel]

apparently a rèir coltais [ə rayr koltish]

appendicitis *an* grèim mionaich [graym mineeK]

appetite *a' ch*àil [ə Kahl]
**I've lost my appetite** chaill mi càil mo bhìdh [KYI mee kahl moh vee]

apple *an t*-ubhal [ən too-wəl]

apple pie *am* pàidh-ubhail [pY-oo-wəl]

◊ apply for *(job)* cuir a-steach airson (a' cur a-steach airson) [koor ə-shtyaK ehrson (ə koor …)]

apricot *an t*-apracot [ən taprakot]

April an Giblean [ən geeplən]

Gaelic names for the months use the definite article (**an**, **am** etc). Here are some examples.

| **April was very hot** | **in April** |
|---|---|
| bha an Giblean gu math teth | anns a' Ghiblean |
| [va ən geeplən goo ma cheh] | [ōwns ə yeeplən] |
| **next April** | **last April** |
| an ath-Ghiblean | an Giblean sa chaidh |
| [ən ah-yeeplən] | [ən geeplən sə KY] |

**Arbroath** Obar Bhrothaig [ohpər vrŏ-hehk]

**archaeology** àrc-eòlas [ahrk-yawlus]

**architect** *an t-*àrc-eòlaiche [ən tahrk-yawleeKə]

**are** *go to* **be**

**Ardrossan** Àird Rosain [ahrsht rosan]

**area** *(neighbourhood) an* nàbaidheachd *(+len adj)* [nahpee-yəKk]
*(space) an t-*àite [ən tah-chə]

**arm** *an* gàirdean [gahrjen]

**around: is she around?** a bheil i timcheall? [ə vel ee chiməKal]
**will you be around later?** am bi thu timcheall nas fhaide air adhart? [əm bee oo … nəs ajə ehr ərsht]
**I'll come around to your place** thig mi dhan taigh agadsa [hik mee Gan tY akətsə]
**around 15** timcheall (air) 15
**around 2 o'clock** timcheall (air) 2 uair [… Gah oo-ər]
**we sailed around the island** sheòl sinn *mun cuairt air* an eilean [hyawl sheen moon koo-ərsht ehr ən ehlen]

**Arran** Arainn [ar-een]

**arrival** *an* teachd [chaKk]

**arrive** ruig* (a' ruigsinn) [rik (ə rikshin)]
**they only arrived yesterday** cha do ràinig iad gus an-dè [Ka doh rahnik ee-at goos ən-jay]

**when we arrived at the harbour** nuair a ràinig sinn an cala [noo-ər ə … sheen ən kalə]

**arse** *an* tòn *(+len adj)* [tawn]

**art** *(also school subject) an* ealain [yalan]

**art gallery** *an* gailearaidh ealain [galəree yalan]

**arthritis** tinneas nan alt [cheen-yes nən alt]

**artificial** fuadan [foo-ədan]

**artist** *an* neach-ealain [nyaK-yalan]

**as: as quickly as you can** cho luath 's as urrainn dhut [Koh loo-ə səs oorin Goot]

**as much as you can** uiread 's as urrainn dhut [ooret …]

**as you like** mar a thogras tu [mar ə hohkrəs too]

**as a Gaelic speaker …** mar Ghàidheal … [mar Geh-yəl]

**ashore** air tìr [ehr cheer]

**we went ashore** chaidh sinn air tìr [KY sheen …]

**ashtray** *an* soitheach-luaithre [seh-yoK-loo-Y-rə]

**ask: can I ask you a question?** am faod mi ceist a chur ort? [əm furt mee kehsht ə Koor orsht]

**just ask the teacher** chan eil agad ach faighneachd dhan tidsear [Kan yel akət aK fYnəKk Gan teejər]

**I asked him if he was all right** dh'fhaighnich mi dha a bheil e ceart gu leòr [GYneeK mee Ga ə vel eh kyarsht goo lyawr]

**could you ask him to get in touch (with me)** an iarradh tu air fios a chur thugam? [ən ee-ərəG too ehr fis ə Koor hookəm]

**I asked him to be quiet** dh'iarr mi air a bhith sàmhach [yee-ar mee ehr ə vee sahvəK]

**don't ask me!** na faighnich dhìomsa! [nə fYneeK yeem-sə]

**that's asking a lot!** tha sin ag iarraidh mòran! [ha shin əg ee-əree mohran]

◊ **ask for: that's not what I asked for** cha b' e sin na dh'iarr mi [Ka beh shin nə yee-ər mee]

**you're asking for trouble** bidh ceannach agad air [bee kyannəK akət ehr]

**say I was asking for her** can rithe gun robh mi a' gabhail a naidheachd [kan ree-yə goon roh mee ə gahl ə neh-yəKk]

**asleep: he's still asleep** tha e na chadal fhathast [ha eh nə Katal hahst]

**asparagus** *an* aspàrag

**aspirin** *an* aspairin [asparin]

**assembly** *(at school) an* co-chruinneachadh [koh-Krə-een-yəKəG]

**assistant** *an* neach-cuideachaidh [nyaK-koojəKee]

*(in shop) an* cuidiche-bùtha [koojeeKə-boo-ə]

**asthma** *a' ch*uing [ə Kə-eeng]

**at: at the airport** aig a' phort-adhair [ek ə fohrst-ahr]

**at the café** aig a' chafaidh [ek ə Kafee]

**he's at school** tha e aig an sgoil [ha eh ek ən skol]

**at one o'clock** aig uair [ek oo-ər]

**at Hamish's** aig taigh Sheumais [ek tY haymish]

**athletics** lùth-chleasachd [loo-KlesəKk]

**Atlantic: the Atlantic** an Cuan Siar [ən koo-ən shee-ər]

**ATM** *an t-*inneal-banca [ən cheenyəl-bankə]

**at sign** *an* comharra "aig" [ko-wərə 'ek']

**attention: pay attention!** thoir an aire! [hor ən arə]

**attitude** *an* seasamh [shehsəv]

**attractive** tarraingeach [tareenyəK]

**August** an Lùnastal [ən loonastal]
*see* **April**
**auntie** *an* antaidh [antee]
**my auntie** m' antaidh [mantee]
**Australia** Astràilia [əstrahlee-ə]
**Australian** *(adjective)* Astràilianach [əstrahlee-ənəK]
*(man) an t-*Astràilianach [ən tastrahlee-ənəK]
*(woman) an* Astràilianach
**Austria** an Òstair [ən awstər]
**automatic** *(adjective)* fèin-obrachail [fayn-ohprəKal]
*(noun: car) an* càr fèin-obrachail
**autumn: in the autumn** as t-fhoghar [as təvar]
**Aviemore** An Aghaidh Mhòr [ən əGee vohr]
**away: is it far away?** a bheil e fad às? [ə vel eh fat ahs]
**go away!** thalla! [halə]
**they're away already** *(have left)* dh'fhalbh iad mar-thà [Galav ee-at mar-hah]
**och, away you go!** *Scots (don't be silly)* och, a-mach leat! [oK, ə-maK let]
**away game** *an* gèam air falbh bhon taigh [gehm ehr falav von tY]
**awesome** sgoinneil [skən-yel]
**awful** uabhasach [oo-əvəsəK]
**awkward** *(tricky, situation)* croiseil [kroshel]
**I feel awkward** tha mi a' faireachdainn *leibideach* [ha mee ə farəKkin lepijəK]
**aye** *Scots go to note at* **yes** seadh [shəG]
**Ayr** Inbhir Àir [in-yər ahr]

# B *b*

**baby** *an* leanabh [lyenəv]

**baby-sitter** *am* gocaman-cloinne [goKkəmən-kloyn-yə]

**back** *(of body) an* druim *(+len adj)* [drə-eem]
*(back part of something) an* cùl [kool]
**I've got a bad back** tha mo dhruim goirt [ha moh Grə-im gorsht]
**at the back** aig a' chùl [ek ə Kool]
**I'll be right back** tillidh mi an ceartair [cheel-yee mee ən kyarstar]
**is he back?** an do thill e? [ən doh heel yeh]
**can you bring the kids back?** an toir thu a' chlann *air ais* leat? [ən tor oo ə Klōwn ehr ash let]
**I go back tomorrow** bidh mi a' dol air ais a-màireach [bee mee ə dol ehr ash ə-mahrəK]

◊ **back up** *(support)* cùm taic ri (a' cumail taic ri) [koom tYKk ree (ə koomal ...)]
*(files)* dèan* copaidh-dìon air *(+prep obj)* (a' dèanamh copaidh-dìon air) [jee-an kopee-jee-ən ehr (ə jee-anəv ...)]
**you should back up your files** bu chòir dhut copaidh-dìon a dhèanamh air na faidhlichean agad [boo Kawr Goot ... ə yee-anəv ehr nə fYleeKən akət]

**back door** *an* doras-cùil [dorəs-kool]

**back seat** *an* suidheachan-cùil [sooyəKan-kool]

**bacon** *an* hama *(+len adj)* [hamə]
**bacon and eggs** hama is uighean [... oo-yən]

**bad** dona [donə] (**worse/worst** nas/as miosa [nəs/əs misə])

You can also use the word **droch**. But remember that **droch** is one of the few adjectives that are only used before a noun and not after it; and **droch** also lenites its following noun.

**droch shìde** bad weather
**'s e droch bhalach a th' ann** he's a bad boy

**it's not bad** chan eil e dona [Kan yel eh ...]
**too bad!** dragh a' choin! [drəG ə Kon]
**sorry, my bad** duilich, 's mis' as coireach dha [dooleeK, smish əs kərəK Ga]

**badge** *a'* b*h*aidse [ə vaj-shə]

**badger** *am* broc [broKk]

**bag** *am* baga [bakə]
*(suitcase) a'* m*h*àileid-turais [ə vahlej-toorish]
*(handbag) am* baga-làimhe [bakə-lYvə]
*(plastic, paper) am* poca [poKkə]

**baggage** *an* trealaich-turais *(+len adj)* [tr-yaleeK-toorish]

**bagpipes** *a'* p*h*ìob [ə feep]

**bairn** *SCOTS am* pàiste [pahsh-chə]
**the bairns** na pàistean [nə pahsh-chən]

**baked beans** *na* pònairean bacalta [pohnarən bakaltə]

**baked potato** *am* buntàta bacalta [boontahtə bakaltə]

**baker's** bùth *(m)* a' bhèiceir [boo ə vayKkər]

**bald** maol [məl]

**ball** *am* bàlla [bahlə]

**Ballater** Bealadair [byalətar]

**Balloch** *(Inverness)* Baile an Loch [balə ən loK]
*(on Loch Lomond)* Am Bealach [əm byaloK]

**ball-point (pen)** *an* ceann-bàla [kyōwn-bahlə]

**Balmoral** Baile Mhoireil [balə vorel]

**bampot** *Scots an* duine craicte [doon-yə kraKk-chə]
**you great bampot!** tha thu craicte! [ha oo ...]
**banana** *am* banana
**Banchory** Beanncharaidh [byōwnə-Kəree]
**band** *(musical) an* còmhlan-ciùil [kawlan-kyool]
*(rock) an* còmhlan-ròc [kawlan-rawKk]
**bandage** *an* stail *(+len adj)* [stal]
**bank** *(for money) am* banca
**bank clerk** *an* clèireach banca [klayrəK ...]
**bank holiday** *an* saor-là banca [sur-lah ...]
**bar** *am* bàr
**in the bar** anns a' bhàr [ōwns ə vahr]
**barber's** *am* bùth-borbair [boo-borəbar]
**bargain: it's a real bargain** is e fìor bhargan a th' ann [sheh feer varəgan ə hōwn]
**barley** *an t-*eòrna [ən chawrnə]
**barmaid** tè *(f)* a' chunntair [chay ə Koontar]
**barman** fear *(m)* a' chunntair [fehr ə Koontar]
**barn** *an* sabhal [soh-wal]
**Barra** Barraigh [barY]
**baseball cap** *a' bh*onaid bhileach [ə vonij viləK]
**basis: on the basis of ...** stèidhichte air ... [stay-eeK-chə ehr ...]
**basket** *a' bh*asgaid [ə vaskij]
**bass** *(music)* beus [bays]
**bath** *an* tuba [toopə]
**bathroom** *an* seòmar-ionnlaid [shawmar-yoonlij]
**can I use your bathroom?** am faod mi an toilet agad ùisneachadh? [əm furt mee ən 'toilet' akət ooshnəKəG]

**battery** *am* bataraidh [bataree]
**bay** *am* bàgh [bahG]
**be**

There are two ways of expressing forms of 'to be' in Gaelic.

*1*

*a* If you want to say something like

I am happy
she is disappointed
they are in the playground

you use the word **tha** [ha]. This stays the same for all persons.

**I am** tha mi
**you are** (familiar) tha thu
**he/she is** tha e/i
**it is** tha e/i
**we are** tha sinn
**you are** (singular polite or plural) tha sibh
**they are** tha iad

**tha mi toilichte** I'm happy
**tha iad brònach** they are sad

*b* To ask a question you use **a bheil** [a vel].

**am I?** a bheil mi?
**are you?** (familiar) a bheil thu?
**is he/she?** a bheil e/i?
**is it?** a bheil e/i?
**are we?** a bheil sinn?
**are you?** (singular polite or plural) a bheil sibh?
**are they?** a bheil iad?

**a bheil i toilichte?** is she happy?
**a bheil e brònach?** is he sad?

*c* In the negative you use **chan eil** [Kan yel].

**I am not** chan eil mi
**you are not** *(familiar)* chan eil thu
**he/she is not** chan eil e/i
**it is not** chan eil e/i
**we are not** chan eil sinn
**you are not** *(singular polite or plural)* chan eil sibh
**they are not** chan eil iad

**chan eil iad toilichte** they aren't happy
**chan eil sinn brònach** we aren't sad

*d* To ask a negative question you use **nach eil** [nahK el].

**aren't I?** nach eil mi?
**aren't you?** *(familiar)* nach eil thu
**isn't he/she?** nach eil e/i?
**isn't it?** nach eil e/i?
**aren't we?** nach eil sinn?
**aren't you?** (singular polite or plural) nach eil sibh?
**aren't they?** nach eil iad?

**nach eil thu toilichte?** aren't you happy?
**nach eil sibh brònach?** aren't you sad?

*2*

*a* If you want to say something like

he's a teacher
it's a fantastic beach
it's a beautiful day

you use **'s e … a th' ann** [sheh … ə hōwn]. The **ann** changes like this.

| | | |
|---|---|---|
| **I am** | 's e … a th' annam | [ə hənəm] |
| **you are** *(familiar)* | 's e … a th' annad | [ə hənət] |
| **he/it is** | 's e … a th' ann | [ə hōwn] |
| **she/it is** | 's e … a th' innte | [ə heenchə] |
| **we are** | 's e … a th' annain | [ə hənin] |
| **you are** *(singular polite or plural)* | 's e … a th' annaibh | [ə hənəv] |
| **they are** | 's e … a th' annta | [ə həntə] |

**'s e tidsear a th' innte** she's a teacher
**'s e prògram math a th' ann** it's a good progamme

*b* To ask a question **'s e** becomes **an e** [ən yeh]. The rest stays the same.

**an e tidsear a th' innte?** is she a teacher?
**an e prògram math a th' ann?** is it a good programme?

*c* To make this negative **'s e** becomes **chan e** [Kan yeh]. The rest stays the same.

**chan e tidsear a th' innte** she's not a teacher
**chan e prògram math a th' ann** it's not a good programme

*d* To make this a negative question **'s e** become **nach e** [naK eh]. The rest stays the same.

**nach e tidsear a th' innte?** isn't she a teacher?
**nach e prògram math a th' ann?** is it not a good programme?

*3* As well as using the structure as shown in 2. you can, especially if you are talking about someone's job or nationality, use the following.

**tha i na dotair** she's a doctor
**tha mi nam Albannach** I am Scottish

*4* The imperative is **bi.**

**be reasonable** bi reusanta
**don't be late!** na bi fadalach

*5* Using **a bhith** [ə vee] 'to be.'

**I'll try to be there** feuchaidh mi ri a bhith ann
**I asked him to be quiet** dh'iarr mi air a bhith sàmhach
**she wants to be a doctor** tha i ag iarraidh a bhith na dotair
**to be or not to be** a bhith beò no gun a bhith beò

◊ **be in for: he's in for a surprise** bidh sin na shùileachan dha [bee shin nə hooləKan Ga]

**beach** *an* tràigh *(+len adj)* [trY]

**on the beach** air an tràigh [ehr ən trY]

**beans** *na* pònairean [pohnarən]

**beans on toast** pònairean air tòst [... ehr tawst]

**beard** *an* f*h*eusag [ən ee-əsak]

**beautiful** brèagha [bree-yə]

**that was a beautiful meal** 's e biadh *fìor bhlasta* a bha siud [sheh bee-əG feer vlastə ə va shit]

**because** air sgàth 's gu bheil [ehr skah is goo vel]

**because it is too late** air sgàth 's gu bheil e ro anmoch [... eh roh anəmoK]

**because it was too late** air sgàth 's gun robh e ro anmoch [... goon roh eh ...]

**because it wasn't too late** air sgàth 's nach robh e ro anmoch [... naK ...]

**because of the weather** air sgàth na sìde [... nə sheejə]

**become** fàs (a' fàs) [fahs]

**it's becoming clearer** tha e a' fàs nas soilleire [ha eh ə fahs nəs səl-yərə]

**what became of them?** dè a dh'èirich dhaibh? [jay ə yay-reeK GYv]

**bed** *an* leabaidh *(+len adj)* [lyeh-pee] *(plural:* leapannan [lyepənən])

**a single bed** leabaidh shingilte [... hingil-chə]

**a double bed** leabaidh dhùbailte [... Goopal-chə]

**I'm off to bed** tha mi a' dol a laighe [ha mee ə dol ə lY-yə]

**bed and breakfast** leabaidh *(f)* is lite [lyeh-pee is leechə]

bedroom *an* seòmar-cadail [shawmar-katəl]
bee *an* seillean [shehl-yen]
beef *a'* m*h*airtfheoil [ə varst-yol]
beer *an* leann [lyōwn]
before ro *(+len)* [roh]
**before breakfast** ron bhracaist [rohn vraKkisht]
**before we leave** mus fhalbh sinn [moos alav sheen]
**I haven't been here before** cha robh mi an seo a-riamh *roimhe* [Ka roh mee ən shŏ ə ree-əv roy-ə]
begin: **when does it begin?** cuin a thòisicheas e? [koon-yə hawsheeKes eh]
beginner *an* neach-tòiseachaidh [nyaK-tawshəKee]
beginner's class *an* clas tòiseachaidh [klas tawshəKee]
behalf: **on behalf of the whole class** às leth a' chlas air fad [ahs leh ə Klas ehr fat]
behave giùlain (a' giùlan) [gyoolan]
**behave yourself!** bi modhail! [bee moh-Gal]
behind air cùlaibh [ehr kooliv]
**the car behind me** an càr air mo chùlaibh [ən kahr ehr moh Kooliv]
**I'm getting behind with my work** tha m' obair a' dol air dheireadh orm [ha mohpər ə dol ehr yehrəG orəm]
Belfast Beul Feirste [behl fehrschə]
Belgium a' Bheilg [ə vehleg]
believe: **I believe you** tha mi gad chreidsinn [ha mee gat Krehj-shin]
**I don't believe you** chan eil mi gad chreidsinn [Kan yel …]
**I don't believe it!** chan eil mi ga chreidsinn!

**bell** *an* clag [klak]
**that's the bell!** sin an clag! [shin ...]
**belong: that belongs to me/them** is leamsa/leothasan sin [is ləmsə/loh-əsən shin]

*dialogue*

**who does this belong to?**
cò leis a bheil seo?
[koh ləsh ə vel shŏ]

**chan ann leamsa e**
[Kan ōwn ləmsə eh]
it's not mine

**is it Kayleigh's?**
an ann le Kayleigh a tha e?
[ən ōwn leh 'kayleigh' ə ha eh]

**cha chreid mi gur ann**
[Ka Krehj mee goor ōwn]
I don't think so

**chan ann, 's le Jack e**
[Kan ōwn, sleh 'Jack' eh]
no, it's Jack's

**le Jack?, ceart ma-thà, càit a bheil e?**
[leh 'Jack'? kyarsht mə-hah, kahch ə vel eh]
Jack's?, right then, where is he?

**below** fo *(+len)* [foh]
**just below the top of the mountain** dìreach fo mhullach na beinne [jeerəK foh vooləK nə beh-in-yə]
**belt** *an* crios [kris]
**Benbecula** Beinn na Faoghla [beh-in nə vələ]

**bend** *(in road) an* lùb *(+len adj)* [loop]
**Ben Nevis** Beinn Nibheis [beh-in nivehsh]
**Berwick-upon-Tweed** Bearaig [berehk]
**beside** ri taobh [ree turv]
**besides: what else is there to do besides that?** dè eile a tha ri dhèanamh *seach* sin? [jay ehlə ə ha ree yee-anəv shaK shin]
**best** as fheàrr [əs shahr]
**best-before date** *an* ceann-latha 'as fheàrr roimhe' [kyōwn lah əs shahr roy-ə]
**best man** fleasgach *(m)* fear na bainnse [fleskəK fehr nə bYnshə]
*(colloquial) an* gille-pòsaidh [geel-yə-pawsee]
**who's the best man?** cò am fleasgach? [koh əm fleskoK]
**better** nas fheàrr [nəs shahr]
**something better than that** rudeigin nas fheàrr na sin [rootehgin … nə shin]
**are you feeling better?** a bheil thu a' faireachdainn nas fheàrr? [ə vel oo ə farəKkin …]
**I'm feeling a lot better** tha mi a' faireachdainn fada nas fheàrr [ha mee …]
**between** eadar [ehtar]
**bevvy: how about a wee bevvy?** *Scots* an gabh thu streòdag bheag? [ən gav oo str-yawtak vehk]
**beyond** seachad [shaKət]
**beyond that mountain** seachad air a' bheinn ud [… ehr ə veh-in ət]
**Bible** *am* Bìoball [beepal]
**bicycle** *am* baidhsagal ['bicycle']

**big** mòr [mohr] (**bigger/biggest** nas/as motha [nəs/əs maw])
  **that's too big** tha sin ro mhòr [ha shin roh vohr]
**bike** *am* baidhg ['bike']
**bilingual** dà-chànanach [dah-KahnənəK]
**bill** *an* cunntas [koontəs]
  **could I have the bill?** am faigh mi an cunntas? [əm fY mee ən …]
**bin** *am* biona [binə]
**bin liner** *am* poca-biona [poKkə-binə]
**biology** bith-eòlas [bee-yawləs]
**birch tree** *a' ch*raobh-bheithe [ə Krurv-veh-hə]
**bird** *an t-*eun [ən chee-ən]
**birthday** *an* co-là-breith [koh-lah-breh]
  **it's my birthday** 's e an-diugh mo cho-là-breith [sheh ən-joo moh …]
  **happy birthday!** meal do naidheachd an-diugh [myal doh neh-yəKk ən-joo]

The Gaelic for 'happy birthday' means literally: enjoy your news today.

**birthday card** *a' ch*airt co-là-breith [ə Karsht koh-lah-breh]
**biscuit** *a' bh*riosgaid [ə vriskij]
**bit: just a little bit for me** dìreach rud beag dhomhsa [jeerəK root behk Gŏ-sə]
  **do you know any Gaelic? – a little bit** a bheil Gàidhlig agad? – beagan [ə vel gahlik akət – behkən]
  **that's a bit too expensive** tha sin beagan ro dhaor [ha shin … roh Gur]

**a bit of that cake** criomag dhen chèic sin [krimak yen KayKk shin]
**a big bit** pìos mòr [pees mohr]
**a bit of Gaelic** rud beag Gàidhlig [root behk gahlik]

**bite** *(verb)* bìd (a' bìdeadh) [beej (ə beejəG)]

**bitter** *(taste)* searbh [sherəv]

**black** dubh [doo]

**blackbird** *an* lon-dubh [lon-doo]

**blackboard** *am* bòrd-dubh [bawrsht-doo]

**black house** *an* taigh-dubh [tY-doo]

**black pudding** *a'* m*h*arag dhubh [ə varak Goo]

**blanket** *a'* p*h*laide [ə flah-jə]

**bleach** *(for cleaning)* *an* stuth-gealachaidh [stoo-gyaləKee]

**bleed** sil fuil (a' sileadh fala) [sheel fool (ə sheeləG falə)]
**your nose is bleeding!** tha leum-sròine agad! [ha laym-stronyə akət]

**bless you!** *(after sneeze)* Dia leat! [jee-ə let]

The Gaelic means literally: God with you

**blether: she's such a wee blether** *Scots* 's e cabag a th' innte [sheh kapak ə heenchə]
**we had a good blether** *Scots* thug sinn greis a' cabadaich [hook sheen grehsh ə kapə-teeK]

**blind** *(cannot see)* dall [dōwl]

**blocked** *(pipe)* stopte [stopchə]
**the road is blocked** tha bacadh san rathad [ha baKkəG sən rah-ət]

**blog** *am* bloga [blokə]

**blonde** bàn [bahn]

**blood** *an* f*h*uil [ən ool]

**bloody: that's bloody good!** tha siud cianail fhèin math! [ha shit kee-ənal hayn mah]
**bloody hell!** *(annoyed)* daingead! [danget]
*(amazed)* mo chreach! [moh Kr-yeK]

**blouse** *a' bhlobhsa* [ə vlōw-sə]

**blow** *(of wind)* sèid (a' sèideadh) [shayj (ə shayjəG)]
**blow your nose** sèid do shròn [... doh hrawn]

**blue** gorm [gorəm]

> The Gaelic word **gorm** is also used to describe the colour of grass and greenery.

**blush** *(noun) an* rudhadh gruaidhe [roo-əG groo-Y-yə]
**she was blushing** bha rudhadh innte [va roo-əG eenchə]

**boat** *am* bàta [bahtə]
**when is the next boat to ...?** cuin a dh'fhalbhas an ath bhàta gu ...? [koon-yə Galas ən ah vahtə goo ...]

**body** *a' bhodhaig* [ə voh-ik]
*(corpse) an* corp

**boiled egg** *an t-*ugh bruich [ən too broo-iK]

**bolt** *am* bolta

**bone** *an* cnàimh [knev]

**bonnet** *(hat, of car) a' bhonaid* [ə vonij]

**bonnie: she's a bonnie wee thing** *SCOTS* 's e tè bheag, bhòidheach a th' innte [sheh chay vehk, voy-əK ə heenchə]

**Bonnie Prince Charlie** am Prionnsa Teàrlach [əm pr-yoonsə chahr-ləK]

**book** *an* leabhar [lyaw-ər]
**can I book a seat for ...?** an urrainn dhomh àite a bhucadh airson ...? [ən oorin Gŏ ah-chə ə vooKkəG ehrson]

**bookshop** *am* bùth-leabhraichean [boo-lyawreeKən]

**boot** *a'* b*h*ròg [ə vrawg]
*(hiking) a'* b*h*ròg coiseachd [... koshəKk]
*(Wellington) am* bòtann [bawtan]
*(of car) am* bùt [boot]

**border** *a'* c*h*rìoch [ə Kree-əK]
**The Borders** Na Crìochan [nə Kree-əKən]

**bored: I'm bored** tha fadal orm [ha fatəl orəm]

**boring** ràsanach [rahsənəK]

**born: I was born in ...** rugadh mi ann an ... [roogəG mee ōwn ən]
*see* **date**

**borrow: can I borrow ...?** am faigh mi ... air iasad? [əm fY mee ... ehr ee-əsat]

**boss** *an* gafair [gafar]

◊ **boss around: she bosses him around** bidh i a' cumail ceann a' mhaide ris [bee ee ə koomal kyōwn ə vajə rish]

**bossy** smachdail [smaKkal]

**both** an dà [ən dah]
**I'll take both of them** gabhaidh mi an dà dhiubh [gavee mee ən dah yoo]

**bothie** *Scots a'* b*h*othag [ə vŏ-hak]

**bottle** *am* botal ['bottle']

**bottle bank** *am* banca bhotal [... votəl]

**bottle-opener** *am* fosglair bhotal [fosglar votəl]

**bottom** *(of person) am* màs [mahs]
**at the bottom** aig a' bhonn [ek ə və-oon]
**at the bottom of the hill** aig bonn na beinne [ek bə-oon nə beh-in-yə]

**bowl** *(for soup etc) am* bobhla [bōwlə]

**box** *am* bogsa [boksə]
**boy** *am* balach [baləK] (*plural:* balaich [baleeK])
**boyfriend** *am* bràmair [brah-mər]

> **Bràmair** can mean girlfriend too. Context will often make things clear. Girls often use **leannan** [l-yanan] for boyfriend.

**bra** *am* bra
**bracelet** *am* bann-làimhe [bōwn-lYvə]
**Braemar** Bràigh Mhàrr [brY vahr]
**brake** *a'* b*h*rèig [ə vrayg]
**branch** *(of tree) a'* g*h*eug [ə yayg]
**brandy** *a'* b*h*ranndaidh [ə vrōwndee]
**brave** treun [trayn]
**bread** *an t*-aran [ən tarən]
**break** *(verb)* bris (a' briseadh) [breesh (ə breeshəG)]
*(noun: at school, work etc) an* stad [stat]
**at break** aig àm-stad [ek ōwm-stat]
**I've broken my arm** bhris mi mo ghàirdean [vreesh mee moh Gahrjen]
**you've broken it** bhris thu e [vreesh oo eh]
◊ **break down** *(of car)* bris sìos (a' briseadh sìos) [breesh shee-əz, (ə breeshəG ...)]
◊ **break off: they've broken off the talks** sguir iad dhe na còmhraidhean [skoor ee-at yeh nə kawree-yən]
**he broke off their relationship** sguir e dhe an leannanachd [skoor eh yeh ən lyan-ənoKk]
**breakfast** *a'* b*h*racaist [ə vraKkisht]
**break-in: there was a break-in last night** chaidh briseadh a-steach dha taigh a-raoir [KY breeshəG ə-shtyaK Ga tY ə-rər]

**breast** *am* broilleach [brol-yəK]
**Brechin** Breichin [breKin]
**breeks** *Scots a'* b*h*riogais [ə vrikish]
**breeze** *an* oiteag [ochek]
**bride** bean *(f)* na bainnse [ben nə bYnshə]
**bridegroom** fear *(m)* na bainnse [fehr nə bYnshə]
**bridesmaid** *a'* m*h*aighdeann-phòsaidh [ə vYjan fawsee]
**bridge** *an* drochaid *(+len adj)* [droKij]
**briefcase** *a'* m*h*àileid-oifis [ə vahlej-ofish]
**bright** *(light)* soilleir [səl-yər]
**brilliant** *(person, idea)* air leth glic [ehr leh gleeKk]
*(swimmer etc)* ealanta [yalantə]
**what a brilliant idea!** abair beachd sgoinneil! [apar byaKk skən-yel]
**brilliant!** sgoinneil!
**bring** thoir* le (a' toirt le) [hor leh (ə torsht leh)]
**I'll bring him home** bheir mi leam dhachaigh e [vehr mee ləm GaKee eh]
◊ **bring back** *(return)* thoir* air ais (a' toirt air ais) [hor ehr ash (ə torsht ...)]
**remember to bring it back!** cuimhnich gun toir thu air ais e! [kə-in-eeK goon tor oo ehr ash eh]
**it brings back memories** tha e a' toirt na cuimhneachain a-steach orm [ha eh ə torsht nə kə-in-yəKan ə-shtyaK orəm]
**Britain** Breatainn [breh-tin]
**British** Breatannach [breh-tanəK]
**broad** leathann [leh-han]
*(education)* farsaing [farseeng]
**broccoli** *am* 'broccoli'

**brochure** *an* leabhran-shanas [lyawran-hanəs]
**broke: I'm broke** chan eil sgillinn ruadh agam [Kan yel sgilin roo-əG akəm]
**broken** briste [breesh-chə]
**it's broken** tha e briste [ha eh ...]
**brooch** *a' bh*ràiste [ə vrahsh-chə]
**brother** *am* bràthair [brah-hər] (*plural:* bràithrean [brYren])
**my brother** mo bhràthair [moh vrah-hər]
**brother-in-law** *am* bràthair-cèile [brah-hər-kaylə]
**brown** donn [də-oon]
*(tanned)* dubh aig a' ghrian [doo ek ə Gree-an]
**brunette** *(noun) an* tè dhonn *(+len adj)* [chay Gə-oon]
**brush** *(noun) a' bh*ruis [ə vroosh]
**Brussels sprouts** *na* buinneagan Bruisealach [boon-yəgən brooshələK]
**bubble** *(soap) am* builgean [booləgen]
*(on water) a' gh*ucag [ə Gookak]
**bucket** *a' bh*ucaid [ə vooKkij]
**budgie** *am* buidsidh [bəjshee]
**build** tog (a' togail) [tohk (ə tohkal)]
**builder** *an* neach-togail [nyaK-tohkal]
**building** *an* togalach [tokələK]
**bulb** *(for plant) am* meacan [meKkan]
*(for light) am* bolgan [bolǝgən]
**bully: he's a bully** tha e na bhurraidh [ha eh nə vooree]
◊ **bump into** *(table etc)* buail air (a' bualadh air) [boo-al ehr (ə boo-ələG ehr)]
**I bumped into her/him in town** thachair mi rithe/ris sa bhaile [haKar mee ree-yə/rish sə valə]

**bunch of flowers** *am* bad fhlùraichean [bat looreeKən]
**bunk** *(on ship) am* bunc
**bunk beds** *na* leapannan bunc [lyepənən …]
**burger** *am* burgar
**burn[1]: I can smell burning** tha mi a' faighinn fàileadh losgaidh [ha mee ə fY-yin fahləG loskee]
**burn[2]** *SCOTS (stream) an t-*allt [ən talt]
**Burns night** *an* Oidhche Burns [ə-iKə Burns]
**Burns supper** *an t-*Suipear Burns [ən too-ipər Burns]
**bus** *am* 'bus'
  **which bus is it for …?** cò am bus airson …? [koh əm … ehrson …]
**bus driver** *an* dràibhear 'bus' [drYvər …]
**bush** *am* preas [pres]
**business: he's away on business** tha e air falbh air ceann-turais [ha eh ehr falav ehr kyōwn-toorish]
  **none of your business!** chan e do ghnothach e! [Kan yeh doh Grŏ-əK eh]
**businessman** *am* fear-gnothaich [fehr-grŏ-eeK]
**businesswoman** *an* tè-ghnothaich *(+len adj)* [chay-Grŏ-eeK]
**bus station** stèisean *(m)* nam busaichean [stay-shen nəm 'bus'-eeKən]
**bus stop** *an* stad-bus [stat-'bus']
**bust** *(measurements) am* broilleach [brol-yəK]
**busy** *(person, streets, bars, phone etc)* trang
  **are you busy?** a bheil thu trang? [ə vel oo …]
  **it's very busy here** tha e glè thrang an seo [ha eh glay hrang ən shŏ]

**but** ach [aK]
**butcher's** bùth *(m)* an fheòladair [boo ən yawlətər]
**butter** *an t-*ìm [ən cheem]
**butterfly** *an* dealan-dè [jalən-jay]
**button** *am* putan [pootən]
**buy: where can I buy ...?** càit an tèid agam air ... a cheannach? [kahch ən chayj akəm ehr ... ə KyanoK]
**I bought ...** cheannaich mi ... [KyaneeK mee ...]
**I'll buy it** ceannaichidh mi e [kyaneeKee mee eh]
**by: I'm here by myself** tha mi an seo nam aonar [ha mee ən shŏ nəm urnər]
**are you by yourself?** a bheil thu nad aonar? [ə vel oo nat ...]
**can you do it by tomorrow?** an urrainn dhut a dhèanamh *ron* làrna-mhàireach? [ən oorin Goot ə yee-anəv ron lahrnə-vahrəK]
**by train/car/plane** air an trèan/anns a' chàr/air a' phlèan [ehr ən trayn/ōwns ə Kahr/ehr ə flayn]
**by the trees** ri taobh nan craobh [ree turv nən krurv]
**who's it made by?** cò leis a bheil e dèanta? [koh lehsh ə vel eh jee-əntə]
**a book by ...** leabhar le ... [lyaw-ər leh]
**by Sorley MacLean** le Somhairle MacGill-Eain [leh sorlyə maKkeel-yen]
**bypass** *(road) an* seach-rathad [shaK-rah-ət]

# C *c*

**cabbage** *an* càl [kahl]
**cabin** *(on ship) an* ceabain [keban]
**cable** *(electric) an* càball [kahbəl]
**café** *an* cafaidh [kafee]
**cagoule** *an* 'cagoule'
**cairn** *SCOTS an* càrn
**cake** *a' chèic* [ə KayKk]
**calculator** *an t-*àireamhair [ən tahrəvar]
**calendar** *am* mìosachan [mee-ə-səKən]
**calf** *(animal) an* laogh [lurG]
*(of leg) an* calpa [kaləpə]
**call: what's this called?** dè a theirear ri seo? [jay ə hehrər ree shŏ]
**what's he/she called?** dè an t-ainm a th' air/oirre? [jay ən tenəm ə hehr/horə]
**his name's James but we call him Buster** 's e Seumas a th' air ach canaidh sinne Buster ris [sheh shayməs ə hehr aK kanee sheenyə Buster rish]
**did you call me earlier?** *(phone)* an do dh'fhòn thu thugam na bu tràithe? [ən doh Gohn oo hookəm nə boo trY-yə]
◊ **call back** *(on phone)* cuir fòn air ais (a' cur fòn air ais) [koor fohn ehr ash (ə koor ...)]
**I'll call back later** cuiridh mi fòn air ais nas fhaide air adhart [kooree mee fohn ehr ash nas ajə ehr ərsht]

**can you call her/him back** am fòn thu air ais thuice/thuige? [əm fohn oo ehr ash heeKkə/heekə]

◊**call on** *(visit)* dèan* guth aig (a' dèanamh guth aig) [jee-an goo ek (ə jee-anəv ...)]

**call box** *am* bogsa-fòn [boksə-fohn]

**call centre** *an t*-ionad-fòn [ən chinat-fohn]

**calm** ciùin [kyoon]

◊**calm down** *(of sea, storm)* clòth (a' clòthadh) [klaw (ə klaw-əG)]

*(of person)* stòl (a' stòladh) [staw (ə stawl-əG)]

**calm down!** gabh air do shocair! [gav ehr doh hoKkir]

**camera** *an* camara

**cameraman** *am* fear-camara [fehr-kamara]

**camp: is there somewhere we can camp?** a bheil àite campachaidh ann? [ə vel ah-chə kōwmpəKee ōwn]

**can we camp here?** am faod sinn campachadh an seo? [əm fərt sheen kōwmpəKəG ən shŏ]

**Campbeltown** Ceann Loch Chille Chiarain [kyōwn loK Keel-yə Kee-ərehn]

**campsite** *an* làrach campachaidh *(+len adj)* [lahrəK kōwmpəKee]

**can**[1]**: a can of beer** *an* cana leanna [kanə lyonə]

**can**[2]

*1*

*a* The forms when 'can' is used for ability are:

| | | |
|---|---|---|
| **I can** | 's urrainn dhomh | [soorin Gaw] |
| **you can** | 's urrainn dhut | [... Goot] |
| **he/she can** | 's urrainn dha/dhi | [... Ga/yee] |
| **we can** | 's urrainn dhuinn | [... Gə-in] |

| | | |
|---|---|---|
| **you can** *(singular polite or plural)* | 's urrainn dhuibh | [… Gə-iv] |
| **they can** | 's urrainn dhaibh | [… GYv] |

**Morag can read already** 's urrainn do Mhòrag leughadh mar-thà

The verb form used after this Gaelic for 'can' is the verbal noun (the second form given in brackets in this book).

*b* To ask a question with 'can' **'s** becomes **an**.

**can you swim?** an urrainn dhut snàmh?
**can you show me where it is?** an urrainn dhut a shealltainn dhomh càit a bheil e?

*c* To make a negative statement with 'can' **'s** becomes **chan**.

**I can't swim** chan urrainn dhomh snàmh
**he/she can't swim** chan urrainn dha/dhi snàmh
**Craig can't make it tomorrow** chan urrainn dha (*or* do) Craig tighinn ann a-màireach

*2* When 'can' refers to permission and means the same as 'may', the Gaelic is **faod** [furt].

**can I see the headmaster?** am faod mi bruidhinn ri ceann na sgoile?
**can we sit here?** am faod sinn suidhe an seo?

*3* But there are a lot of occasions when Gaelic just doesn't use 'can' in the same way that English does.

**can I have …?** am faigh mi …? [əm fY mee …]
**I can't hear you** chan eil mi gad chluinntinn
**can you turn the volume down?** *(=will you)* an cuir thu am fuaim sìos?

**Canada** Canada
**Canadian** *(person) an* Cainèidianach [kanaydee-ənəK]
*(adjective)* Cainèidianach
**canary** *an t-*eun canaraidh [ən chee-ən kanaree]
**cancel** sguir dheth (a' sgur dheth) [skoor yeh (ə skoor yeh)]
**cancer** *an* aillse [Ylshə]
**candle** *a' ch*oinneal [ə Kon-yel]
**canny** *Scots* cùramach [koorəməK]
**can-opener** *am* fosglair cana [fosglar kanə]
**cap** *(on head) a' bh*onaid [vonij]
**captain** *(of ship) an* caiptean [kapten]
*(of team) an* sgiobair [skipar]
**car** *an* càr
**by car** anns a' chàr [ōwns ə Kahr]
**caravan** *an* carabhan ['caravan']
**cards** *na* cairtean [karshtən]
**care: goodbye, take care** slàn leat, thoir an aire ort fhèin [slahn let, hor ən arə orsht hayn]
**I couldn't care less** tha mi ceart coma [ha mee kyarsht kohmə]
◊ **care for** *(look after: sick person etc)* gabh cùram de (a' gabhail cùram de) [gav koorəm jeh (ə gahl ...)]
**would you care for a drink?** am bu toil leat deoch? [əm boo təl let joK]
**careful: be careful** bi faiceallach [bee fYKk-ələK]
**car-ferry** *an t-*aiseag-charbad [ən tashek-Karəpət]
**car park** *a' ph*àirc-chàraichean [ə fahrk-KahreeKən]
**carpet** *am* brat-ùrlair [brat-oorlar]
**carrier bag** *am* poca plastaig [poKkə plastek]

**carrot** *an* curran [kooran]
**carry** giùlain (a' giùlan) [gyoolan]
**carry-out** *Scots an* 'carry-out'
**case** *(suitcase) an* ceas [Kehs]
  **well, in that case ...** uill, mas ann mar sin a tha e ... [wel, mas ōwn mar shin ə ha eh ...]
**cash** *an t-*airgead [ən terəget]
  **I haven't any cash** chan eil airgead agam [Kan yel erəget akəm]
**cash point** *an t-*ionad-airgid [ən chinat-erəgij]
**castle** *an* caisteal [kash-chel]
  *(fortress) an* daingneach *(+len adj)* [dang-nəK]
**casual** *(clothes)* neo-fhoirmeil [nyŏ-orəmel]
**cat** *an* cat *(plural:* cait [kehch])
**catch** beir* air *(+prep obj)* (a' breith air) [behr ehr (ə breh ehr)]
  *(fish, rabbit)* glac, a' glacadh [glaKk (ə glaKkəG)]
  **I'll catch the next bus** beiridh mi air an ath bhus [behree mee ehr ən ah 'vus']
  **he's caught a bug** ghabh e treamhlaidh [Gav eh tr-yōwlee]
  **here, catch!** seall, beir air seo! [shal, behr ehr shŏ]
◊ **catch up: I have a lot of catching up to do** *(work)* tha an t-uabhas obair agam ri dhèanamh fhathast [ha ən too-əvəs ohpər akəm ree yee-anəv hahst]
  **the Scottish runner is slowly catching up** tha an ruitheadair Albannach a' sìor bhreith orra [ha ən roo-ihədar aləpənəK ə sheer vreh orə]
  **I'll catch up with you later** thig mi a shealltainn ort nas fhaide air adhart [hik mee ə hyalteen orsht nas ajə ehr ərsht]

**I'll catch you up** beiridh mi ort [behree mee orsht]
**cathedral** *a' ch*athair-eaglais [ə Kahar-eklish]
**catholic** Caitligeach [katleegəK]
**cauliflower** *an* càl-colaig [kahl-kolik]
**cautious** faiceallach [fYKk-ələK]
**cave** *an* uamh [oo-wəv]
**CD** *an* CD
**CD-player** *an t*-inneal CD [ən cheenyəl ...]
**ceilidh** *a' ch*èilidh [ə Kaylee]

With the preposition **air** the Gaelic word **cèilidh** means 'to visit'.

**bidh sinn a' cèilidh air Tòmas oidhche Shathairne**
we'll be visiting Thomas on Saturday night

This doesn't mean that there will be a cèilidh at Thomas' place on Saturday night.

**ceiling** *(of room) am* mullach-seòmair [mooloK-shawmehr]
*(in other parts of building) an t*-ùrlar-mullaich [ən toorlar-mooleeK]
**cellophane** *an* ceallafan [kyaləfan]
**Celt** *an* Ceilteach [kehl-chəK]
**the Celts** na Ceiltich [kehl-cheeK]
**Celtic** *(adjective)* Ceilteach [kehl-chəK]
*(language studies) a' Ch*eiltis [ə Kehltish]
**the Celtic languages department** Roinn na Ceiltis [royn nə kehltish]
**cemetery** *an* cladh [kləG]
**centigrade** ceum Celsius [kaym ...]
**centimetre** *an* ceudameatair [kee-ətə-mehtər]

**central** meadhanach [mee-ənəK]
**central heating** 'central heating'
**centre** *am* meadhan [mee-an]
  **in the centre of Perth** ann am meadhan Pheairt [ōwn əm ... fyarsht]
  **the sports centre** an t-ionad-spòrs [ən chinat-spawrs]
**century** *an* linn *(+len adj)* [leen]
**certain** *(sure)* cinnteach [keenchəK]
  **are you certain?** a bheil thu cinnteach? [ə vel oo ...]
**certificate** *an* teisteanas [chehstənəs]
**chain** *an t*-slabhraidh [ən tlōwree]
  *(of mountains, jewellery) an t*-sèine [ən chaynə]
**chair** *an* sèithear [shay-ər]
  *(armchair) a' ch*athair-làimhe [ə Kahar-lYvə]
  *(of committee etc) an* cathraiche [kareeKə]
**chairlift** *a' bh*eairt-dhìridh [ə vyarsht-yeeree]
**champagne** *an* 'champagne'
**champion** *(winner) am* buadhaiche [boo-əGeeKə]
**chance** *an* cothrom [korom]
  **this is my big chance** seo an cothrom mòr agam [shŏ ən ... mohr akəm]
  **by chance** le tuiteamas [leh toochəməs]
  **can you pay for it? – no chance!** an urrainn dhut pàigheadh air a shon? – chan eil dòigh air thalamh!
  [ən oorin Goot pYyəG ehr ə hon – Kan yel doy ehr haləv]
**change** *(verb)* atharraich (ag atharrachadh) [ahəreeK (əg ah-ərəKəG)]
  **I haven't any change** chan eil iomlaid agam [Kan yel iməlij akəm]

**I'll just get changed** cuiridh mi èideadh ùr orm [kooree mee ayjəG oor orəm]

**it makes a nice change** tha e math air an annas [ha eh ma ehr ən ōwnəs]

**chapter** *a' chaibideil* [ə Kapijel]

**cheap** saor [sur]

**have you got something cheaper?** a bheil rudeigin nas saoire agad? [ə vel rootehgin nas sərə akət]

**check: will you check?** an dèan thu cinnteach? [ən jee-an oo keenchəK]

**I've checked** rinn mi cinnteach [rYn mee ...]

◊ **check in** *(at airport)* clàraich a-steach (a' clàradh a-steach) [klahreeK ə-shtyaK (ə klahrəG ...)]

**cheek** *(of face) a' ghruaidh* [ə Groo-Y]

**cheeky** bathaiseach [ba-hishəK]

**cheerio** tìoraidh [chee-əree]

**cheers** *(toast)* slàinte [slahnchə]

Some other Gaelic toasts are:

**slàinte mhòr (dhuibh uile)** [slahnchə vohr (Gə-iv oolə)] good health (to you all)
**slàinte mhath** [slahnchə va] your health
**air do shlàinte** [ehr doh hlahnchə] to your health

Or how about

**a h-uile là a chì 's nach fhaic** [ə hoolə lah ə Kee snaK Yk]

which means literally 'every day that (we) see and (we) can't see (each other)', so less mysteriously perhaps: happy days.

**cheese** *an* càise [kah-shə]

**chemist's** bùth *(m)* a' cheimigeir [boo ə Kemigər]

**chemistry** *a' ch*eimigeachd [ə KemigoKk]
**cheque** *an t*-seic [ən cheKk]
**chest** *(of body) am* broilleach [brol-yəK]
**chewing gum** *an* glaodh-cagnaidh [gləG-kaknee]
**chicken** *a' ch*earc [ə KyarK]
**chickenpox** a' bhreac-òtraich [ə vrehKk-awtreeK]
**child** *am* pàiste [pahsh-chə]
**child minder** *am* freiceadan-cloinne [frehKkatən-kloyn-yə]
**children** *a' ch*lann [ə Klōwn]
**chill** *(relax)* gabh fois (a' gabhail fois) [gav fosh (ə gahl ...)]
  **just chill!** leig leat! [lehk let]
  **I'm just chilling** chan eil mi ach a' gabhail fois [Kan yel mee aK ə gahl fosh]
**chilly** *(day)* fuaraidh [foo-əree]
**chimney** *an* similear [shimilər]
**chin** *an* smiogaid *(+len adj)* [smikij]
**china** *am* pòrsalain [pawrsəlan]
**China** Sìona [sheenə]
**Chinese** *(adjective)* Sìonach [sheenəK]
  *(language)* Sìonais *(+len adj)* [shee-ənish]
**chippie** *Scots an* 'chippie'
**chips** *na* tiops ['chips']
**chocolate** *an* teòclaid *(+len adj)* [chawKklij]
  **a box of chocolates** bogsa theòclaidean [boksə hyawKklijən]
  **a hot chocolate** teòclaid theth [... heh]
**chocolate biscuit** *a' bh*riosgaid theòclaid [ə vriskij hyawklij]

choice: **good choice!** 's math an taghadh a rinn thu! [sma ən turG a rYn oo]
**I had no choice** cha robh roghainn agam [Ka roh roh-in akəm]
choir *a' ch*òisir [ə Kawshir]
choose roghnaich (a' roghnachadh) [rohneeK (ə rohnəKəG)]
chop: **a pork/lamb chop** teop muice/uain [chop moo-iKkə/oo-an]
Christian name *an t*-ainm-baistidh [ən tenəm-bash-chee]
Christmas *an* Nollaig *(+len adj)* [nolek]
**Merry Christmas** Nollaig Chridheil [... Kree-yel]
Christmas Day Là na Nollaige [lah nə nolekə]
**on Christmas Day** air Là na Nollaige [ehr lah ...]
Christmas Eve oidhche *(f)* Nollaig [ə-iKə nolek]
Christmas present *an* tiodhlac Nollaig [cheelak nolek]
Christmas tree craobh *(f)* (na) Nollaige [krurv (nə) nolekə]
church *an* eaglais [eklish]
**they went to church** chaidh iad dhan eaglais [KY ee-at Gan ...]
**they go to church** bidh iad a' dol dhan eaglais [bee ...]
cider *an* leann-ubhal [lyōwn-oo-al]
cigar *an* siogàr ['cigar']
cigarette *an* siogaireat ['cigarette']
cinema *an* taigh-dhealbh [tY-yeləv]
circle *an* cearcall [kyarkal]
city *a' ch*athair-bhaile [ə Kahar-valə]
city centre meadhan *(m)* na cathrach [mee-an nə karoK]

**civil servant** *an* seirbheiseach catharra [sherəveshəK kahərə]

**clan** *an* f*h*ine [ən ee-nə]

**the Highland clans** na fineachan Gàidhealach [nə feenəKən geh-yələK]

> The Gaelic word **clann** is used generally only before the actual clan name, for example:
>
> **Clann Mhic a' Phearsain** Clan Macpherson
>
> Otherwise **clann** means children.

**clarinet** *a' ch*làirneid [ə Klarnej]

**clarty** *SCOTS* salach [saləK]

**class** *an* clas

**whose class are you in?** cò an tidsear agad? [koh ən teejər akət]

**classroom** *an* rùm-teagaisg [room-chegishk]

**in the classroom** anns an rùm-teagaisg [ōwns ən ...]

**clean** *(adjective)* glan

**it's not clean** chan eil e glan [Kan yel eh ...]

**will you please clean this** saoil, an glan thu seo? [surl, ən glan oo shŏ]

**clear: I'm not clear about it** chan eil e soilleir dhomh [Kan yel eh səl-yər Gŏ]

**is that clear?** a bheil sin soilleir? [ə vel shin ...]

**Clearances: The Clearances** Na Fuadaichean [nə foo-ədeeKən]

**clever** glic [gleeKk]

*(skilful)* gleusta [glaystə]

◊ **click on** *(link etc)* briog air *(+prep obj)* (a' briogadh air) [brik ehr (ə brikəG ehr)]

**climate** *a' gh*nàth-shìde [ə Grah-heejə]
**climb: we're going to climb …** tha sinn a' dol a shreap … [ha sheen ə dol ə hrep]
**climber** *an* sreapadair [strepədehr]
**climbing boots** *na* brògan sreap [brawkan strep]
**clip** *(ski) an* ceangal sgìthidh [keh-əl skee-ee]
**cloakroom** *(for clothes)* rùm nan còtaichean [room nən kawteeKən]
**clock** *an* gleoc [glyoKk]
**close**[1] faisg [fashk]
*(weather)* murtaidh [moorshtee]
**is it close to …?** a bheil e faisg air …? [ə vel eh … ehr]
**is it close?** a bheil e faisg?
**close**[2] dùin (a' dùnadh) [doon (ə doonəG)]
**when do you close?** cuin bhios sibh a' dùnadh? [koon-yə vis shiv …]
**close**[3] *Scots (of tenement) an* clobhsa [klōw-sə]
**closed** dùinte [doon-chə]
**close reading** *an* dlùth leughadh [dloo layvəG]
**cloth** *an t-*aodach [ən turdəK]
*(rag) an* clobhd [klōwt]
**clothes** *an t-*aodach [ən turdəK]
**cloud** *an* sgòth *(+len adj)* [skaw]
**the Cloud** *(in IT)* an neul [ən nee-al]
**cloudy** *(day, sky)* sgòthach [skaw-əK]
**club** *(organization) an* club
**clutch** *(of car) a' ch*luidse [ə Kləjə]
**Clyde: the (River) Clyde** Abhainn Chluaidh [aween Kloo-wY]

**coach** *a'* choidse [ə Kotchə]
*(trainer) an t-*oide [ən tojə]
**coach party** *am* buidheann coidse [booyan kotchə]
**coast** *an* costa
**at the coast** aig a' chosta [ek ə Kostə]
**coastguard** *(collectively) na* maoir-chladaich [mər-KlateeK]
**coat** *an* còta [kawtə]
**coffee** *an* cofaidh ['coffee']
**a white coffee** cofaidh geal [… gyal]
**a black coffee** cofaidh dubh [… doo]
**Irish coffee** cofaidh Èirannach [… ayrənək]
**coin** *am* bonn [bə-oon]
**coke®** *an* còc ['coke']
**cold** fuar [foo-ər] (**colder/-est** nas/as fhuaire [nəs/əs oo-ərə])
**I'm cold** tha mi fuar [ha mee …]
**I've got a cold** tha an cnatan orm [ha ən kratən orəm]

*you may hear*

**it looks cold outside**
tha e a' coimhead fuar a-muigh
[ha eh ə koy-yet foo-ər ə-moo-ih]

**tha i cho fuar ris a' phuinnsean**
[ha ee Koh foo-ər rish ə foo-inshən]
it's absolutely freezing

**feumaidh tu gabhail agad fhèin gu math**
[faymee too gahl akət hayn goo ma]
you'll need to dress up warm

**Coll** Colla [kolə]
**collar** *an* coilear ['collar']
**collect: I've come to collect …** thàinig mi gus … a thogail [hahnik mee goos … ə hohkal]
  **his uncle will collect him this afternoon** thig uncail ga thogail feasgar [thik 'uncle' ga … feskər]
**college** *a' ch*olaiste [ə Kolish-chə]
**Colonsay** Colbhasa [koloo-əsə]
**colour** *an* dath [da]
  **what colour is …?** dè an dath a th' air …? [jay ən da ə hehr]
  **have you any other colours?** a bheil dathan eile agad? [ə vel dahan ehlə akət]
**comb** *(noun) a' ch*ìr [ə Keer]
**come** thig* (a' tighinn) [thik (ə cheeyin)]
  **I come from Wick** tha mi à Inbhir Ùige [ha mee ah in-yər oo-ikə]
  **he came in first place** thàinig e sa chiad àite [hahnik eh sə Kee-at ah-chə]
  **I'll come to see you** thig mi a choimhead ort [hik mee ə Koy-et orsht]
  **when is he coming?** cuin a thig e? [koon-yə hik eh]
  **she came to talk to me** thàinig i a bhruidhinn rium [hahnik ee ə vrooyin room]
  **come here** trobhad an seo [troh-at ən shŏ]
  **come with me** tiugainn leam [chookeen ləm]
◊ **come along** *(progress)* thig* air adhart (a' tighinn air adhart) [hik ehr ərsht (ə cheeyin …)]
  **how is the work coming along?** ciamar a tha an obair a' tighinn air adhart? [kyimmər ə ha ən ohpər …]
  **he's coming along very well** tha e a' tighinn air

adhart glè mhath [ha eh ə ... glay va]
**can I come along too?** am faod mi tighinn ann cuideachd [əm furt mee cheeyin ōwn koojəKk]

◊ come back *(return, also from losing position)* thig* air ais (a' tighinn air ais) [hik ehr ash (ə cheeyin ...)]
**I'll come back later** tillidh mi an ceartair [cheel-yee mee ən kyarshtar]
**it all came back to me** thàinig e uile air ais nam chuimhne [hahnik eh oolə ehr ash nəm Kə-in-yə]
**I'll come back to you on that** thig mi air ais thugad a thaobh sin [hik mee ehr ash hookət ə hurv shin]

◊ come in *(of person)* thig* a-steach (a' tighinn a-steach) [hik ə-shtyaK (ə cheeyin ...)]
*(of tide)* lìon (a' lìonadh) [lee-ən (ə lee-ən-əG)]
**come in!** thig a-steach!
**he came in second** thàinig e san dàrna àite [hahnik eh sən dahrnə ah-chə]

◊ come off *(of handle, button)* falbh dhe *(+prep obj)* (a' falbh dhe) [falav yeh]
**a button's come off my jacket** dh'fhalbh putan dhem sheacaid [Galav pootən yem hyaKkij]
**it just came off (by itself)** 's ann a dh'fhalbh e dheth leis fhèin [sōwn ə Galav eh yeh lehsh hayn]

◊ come on *(progress)* thig air adhart (a' tighinn air adhart) [hik ehr ərsht (ə cheeyin ...)]
**it's coming on nicely** tha e a' tighinn air adhart gu math [ha eh ... goo ma]
**come on!** *(hurry!)* greas ort! [gres orsht]
**oh, come on!** *(disbelief)* ò, gu sealbh orm! [oh goo sheləv orəm]

◊**come up** *(of sun)* èirich (ag èirigh) [ayreeK (ə gayree)]
**something has come up** thàinig rudeigin am bàrr [hahnik rootehgin …]
**he came up to me** thàinig e thugam [hahnik eh hookəm]
**comedian** *an* comaig [komek]
**comedy** *an* comadaidh ['comedy']
**comfortable** *(sofa, clothes)* cofhurtail [kŏ-ərshtal]
**company** *(business) a'* chompanaidh [ə Kəmpənee]
**competition** *(to win a prize) a'* cho-fharpais [ə Koh-arpish]
**competitive: he is very competitive** tha e glè fharpaiseach [ha eh glay arpishəK]
◊**complain about** gearain mu (a' gearan mu) [geran moo (ə geran moo)]
**complaint: I have one complaint** tha aon ghearan agam [ha urn yeran akəm]
**complete** *(set)* làn [lahn]
**it was a complete disaster** b' e latha na dunaidh a bh' ann [beh lah nə doonee ə vōwn]
**completely** gu tur [goo toor]
**complicated** toinnte [toyn-chə]
**it's very complicated** tha e glè thoinnte [ha eh glay hoyn-chə]
**computer** *an* coimpiutair ['computer']
**he's in computers** tha e ri coimpiutaireachd [ha eh ree kompyootarəKk]
**concert** *an* consairt ['concert']
*(smaller format with Gaelic theme) a'* chuirm-chiùil [ə Koorəm-Kyool]
**condition** *an* càradh [kahr-əG]
*(of person) an* cor

*(stipulation) an* cumha [koo-ə]
**the conditions of the contract** cumhaichean a' chùmhnaint [koo-eeKən ə Koonant]
**it's not in very good condition** chan eil e ann an càradh ro mhath [Kan yel eh ōwn ən … roh va]

**condom** *an* casgan-gin [kasgan-gin]

**conference** *a' cho*-labhairt [ə Koh-lavarsht]

**confirm** dearbh (a' dearbhadh) [jerəv (ə jerəvəG)]

**confuse: you're confusing me** tha thu gam chur tuathal [ha oo gam Koor too-ə-həl]

**confusing: it's confusing** tha e gam chur iomrall [ha eh gam Koor imirəl]

**congratulations!** meal-a-naidheachd ort! [myal-ə-neh-yəKk orsht]

**connection** *an* ceangal [kyeh-əl]

**connoisseur** *an* 'connoisseur'

**conservative: the Conservatives** am Pàrtaidh Tòraidheach [əm pahrtee toh-reeyəK]

**contact: how can I contact …?** ciamar a chuireas mi fios gu …? [kyimmər ə Koores mee fis goo …]

**contact details** *am* fiosrachadh conaltraidh [fisrəKəG konəltree]

**contact lenses** *na* lionsaichean-suathaidh [linseeKən-soo-ə-hee]

**contract** *an* cùmhnant [koonant]

**convenient** goireasach [gərəsəK]

**conversation** *an* còmhradh [kawraG]

**cook** *an* còcaire [kawKkirə]
**you're a good cook** 's e còcaire math a th' annad [sheh … ma ə hənət]

**cooker** *an* cucair ['cooker']
**cool** fionnar [fyoonər]
  *(great)* sgoinneil [skən-yel]
  **I'm cool with that** tha sin taghta dhomh [ha shin turta Gŏ]
**copy: don't copy!** na bi copaigeadh! [nə bee KopeegəG]
  **another copy of a book** lethbhreac eile de leabhar [lehvreKk ehlə jeh lyaw-ər]
**corkscrew** *an* sgriubha-àrc [skryoo-ə-ahrk]
**corner** *an t-*oisean [ən toshen]
  **on the corner** air an oisean [ehr ən oshen]
  **in the corner** anns an oisean [ōwns ...]
**correct** *(adjective)* ceart [kyarsht]
**cost: what does it cost?** dè a tha e a' cosg? [jay ə ha eh ə kosk]

*you may reply*

**that's too much**
tha sin cus
[ha shin koos]

**I'll take it**
gabhaidh mi e
[gavee mee eh]

**cot** *a' ch*òt [ə Kawt]
**cottage** *am* bothan [bohən]
**cotton** *an* cotan [kotan]
**cotton wool** *a' ch*lòimh-chotain [ə Kloy-Kotan]
**cough** *(noun) an* casad [kasət]
**cough sweets** *na* suiteis amhaich [sə-itish aveeK]
**could: could you please ...?** am b' urrainn

dhut ...? [əm boorin Goot]
**could I have ...?** am faighinn ...? [əm fY-yin]
**we couldn't ...** cha b' urrainn dhuinn ... [Ka boorin Gə-in]

**country** *an* dùthaich *(+len adj)* [doo-eeK]
**in the country(side)** air an tuath [ehr ən too-ə]

**couple: a couple of ...** *(two)* càraid ... [kahr-ej] *(a few)* corra

**courgette** *a'* m*h*earag-bheag [ə verak-vehk]

**course: of course** chan eil fhios nach eil [Kan yel is naK el]
**a French/Gaelic course** cùrsa Fraingis/Gàidhlig [koorsə frangish/gahlik]

**court** *(of law, for tennis) a'* c*h*ùirt [ə Koorsht]

**cousin** *an* co-ogha [koh-oh-ə]
**my cousin** mo cho-ogha [moh Koh-oh-ə]
**we are cousins** tha sinn sna h-oghaichean [ha sheen snə hoh-eeKən]

**cow** *a'* b*h*ò [ə voh] *(plural:* bà [bah])

**crab** *a'* c*h*rùbag [ə Kroopak]

**crabbit** *Scots* greannach [gryanəK]

**craftshop** *a'* c*h*eàrdach [ə KyahrdəK]

**craic: it was good craic** *Scots* bha deagh chraic ann [va joh Krak ōwn]

**crap: this is crap** 's e cac a tha seo [sheh kaKk ə ha shŏ]

**crash: there was a crash on the main road** thachair tubaist air a' phrìomh rathad [haKar toopisht ehr ə free-əv rah-ət]
**my computer crashed** thuislich an coimpiutair agam [hooshliK ən 'computer' akəm]

**crash helmet** *a' ch*logaid-dìona [ə Klokij-jee-ənə]
**crazy** craicte [kraKk-chə]
  **you're crazy** tha thu craicte [ha oo ...]
  **that's crazy** tha sin craicte [ha shin ...]
**cream** *(in cake etc) am* bàrr
  *(for skin) a' ch*è [ə Kyay]
**credit card** *a' ch*airt creideis [ə Karsht krehjish]
**Crianlarich** A' Chrìon-Làraich [ə Kree-ənlahreeK]
**Crieff** Craoibh [krə-eev]
**crisis** *an* càs [kahs]
**crisps** *na* criospan [krispən]
**critical: she was quite critical of them/us** bha i caran tàireil man/mar deidhinn [va ee karan tahrel man/ mar jay-yin]
  **a critical essay** aiste lèirmheasach [ash-chə layrvesəK]
**croft** *a' ch*roit [ə Kroch]
**crofter** *an* croitear [krochər]
**cross** *(verb: road, sea)* rach* thairis air *(+prep obj)* (a' dol thairis air) [raK harish ehr]
  *(noun: religious) a' ch*rois [ə Krosh]
  **don't cross until it's safe** na gabh tarsaing gus a bheil e sàbhailte [nə gav tarsing goos ə vel eh sahvəl-chə]
**crossroads** *a' ch*rois-rathaid [ə Krosh-rah-əj]
**crowd** *an* sluagh [sloo-əG]
**crowded** dùmhail [doōwal]
  **it's crowded** tha e dubh le daoine [ha eh doo leh dən-yə]
**cruel** an-iochdmhor [an-iKkvər]
  **she's so cruel to the children** tha i cho *borb* ris a' chloinn [ha ee Koh borəb rish ə Kloyn]
**cry: don't cry** na bi a' caoineadh [nə bee ə kən-yəG]

**he's crying** tha e a' caoineadh [ha eh ...]
cuckoo *a' ch*uthag [ə Koo-ak]
cucumber *an* cularan [kooləran]
Cuillins: **The Cuillins** An Cuiltheann [ən kool-yən]
cup *an* cupa [koopə]
**a cup of coffee** cupa cofaidh [... 'coffee']
cupboard *am* preas [pres]
current *(in water) an* sruth [stroo]
curtains *na* cùrtairean [koorshtarən]
cushion *an* cuisean [kooshən]
cut *(verb)* geàrr (a' gearradh) [gyahr (ə gyarəG)]
**I've cut myself** gheàrr mi mi fhìn [yahr mee mee heen]
◊ cut down *(tree)* leag (a' leagail) [lyek (ə lyehkal)]
**I should cut down on the drink** bu chòir dhomh gearradh sìos air an deoch [boo Kor Gŏ gyarəG shee-əz ehr ən joK]
cycle path *an* ceum rothaireachd [kaym rŏ-harəKk]
cyclist *an* rothaiche [rŏ-heeKə]

# D*d*

**dad** *an* dadaidh [dadee]
  **my dad** mo dhadaidh [moh Gadee]
  **dad!** a dhadaidh! [ə ...]
**daddy-long-legs** *am* breabadair [brepədər]
**damaged** air a mhilleadh [ehr ə veel-yəG]
**damn!** daingit! [dan-git]
**damp** *(room, cold)* fuaraidh [foo-əree]
  *(object, ground)* bog [bohk]
  *(weather)* tais [tash]
**dance: would you like to dance?** am bu toil leat dannsadh? [əm boo təl let dōwnsə]
  **a Scottish dance** dannsa Albannach [dōwnsa aləpənəK]
**dangerous** cunnartach [koon-ərshtəK]
**dark** dorcha [doroKə]
  **dark blue** dubh-ghorm [doo-Gorəm]
**darling: my darling** m' eudail [maytal]
**darts** *(game)* 'darts'
**date**

> **what's the date today?**
> dè an ceann-latha an-diugh?
> [jay ən kyōwn-lah ən-joo]
>
> To say the date in Gaelic you use the ordinal numbers (see page 352). And you don't just say the ninth/tenth etc; you have to say the ninth/tenth *day* etc.

**it's the ninth of May**
'S e an naoidheamh latha dhen Chèitean a th' ann
[sheh ən nur-yəv lah yen Kay-chen ə hōwn]

Some phrases:

**on the first of March**
air a' chiad latha dhen Mhàrt
[ehr ə Kee-at lah yen vahrsht]

**on the fifth of May**
air a' chòigeamh latha dhen Chèitean
[ehr ə Koh-ik-əv lah yen Kay-chen]

The Gaelic words for the months must be used with the definite article (as above). So:

**March** am Màrt
**in March** anns a' Mhàrt

However, the article does not need to be shown in abbreviated, written form, eg 19 Cèitean 2016.

**in 2004**
ann an 2004
[ōwn ən da veelə sə keh-hir]

Gaelic-speakers often say years (eg 2010, 1986) in English.

**daughter** *an* nighean *(+len adj)* [nee-ən]
**my daughter** mo nighean [moh ...]
**daughter-in-law** *a'* b*h*ana-chliamhainn [ə vanə-Klee-əveen]
**dawn** *(noun) a'* c*h*amhanach [ə KavənəK]
**day** *an* latha [lah]
**the day after** an làrna-mhàireach [lahrnə-vahrəK]
**the day after tomorrow** an-earar [ən-yehrər]
**the day before** an latha roimhe [ən lah roy-ə]
**the day before yesterday** a' bhòn-dè [ə vawn-jay]

**dead** marbh [marav]

**deaf** bodhar [boh-ər]

**deal: it's a deal** tha còrdadh againn ma-thà [ha kawrdəG akin mə-hah]

**dear** *(expensive)* daor [dur]

**Dear Chris** A Chrìsdein chòir [ə Kreesh-jen Kawr]

**Dear Mr Green** A Mgr. Green chòir [ə vYsh-cher Green Kawr]

**Dear Mrs Brown** A Bh-ph Brown chòir [ə ven-fawstə Brown Kawr]

**Dear Sir** A charaid chòir [ə Karij Kawr]

**death** *am* bàs [bahs]

**debit card** *a' ch*airt-fhiachan [ə Karsht-ee-əKan]

**December** an Dùbhlachd [ən dooloKk]

*see* **April**

**decide** cuir romhad (a' cur romhad) [koor roh-ət (ə koor ...)]

**you decide!** tha e an urra riut fhèin! [ha eh ən oorə root hayn]

**decision** *an* co-dhùnadh [koh-GoonəG]

**deck** *(of ship) an* deic *(+len adj)* [deKk]

**Dee: the (River) Dee** Uisge Dè [ooshkə jay]

**deep** *(water, person)* domhainn [doh-ween]

**deer** *am* fiadh [fee-əG] *(plural:* fèidh [fay])

**defensive** *(person)* srònach [strawnəK]

**definite** *(reply, decision)* deimhinn [jeh-veen]

**definitely: it's definitely not mine** 's cinnteach nach leams' e [skeenchəK naK ləms eh]

**is that right? – definitely** a bheil sin ceart? – tha, gu cinnteach [ə vel shin kyarsht – ha, goo keenchəK]

**is that right? – definitely not** a bheil sin ceart? – 's cinnteach nach eil [... skeenchəK naK el]

degree *(BA etc) an* ceum-oilthighe [kaym-ol-hY-yə]

delay: **the flight was delayed** chuireadh maille air an itealan [KoorəG mYl-yə ehr ən eechələn]

delete dubh às (a' dubhadh às) [doo ahs (ə doo-əG ahs)]

deliberately a dh'aona-ghnothach [ə Gurnə-Grŏ-əK]

delicate *(person, flavour)* maoth [mur]

*(in health)* creubhaidh [kree-əvee]

delicious fìor bhlasta [feer vlastə]

delighted air leth toilichte [ehr leh toleeKchə]

**he was delighted to see her** bha e air a dhòigh glan a faicinn [va eh ehr ə Goy glan ə fYKkin]

Denmark an Danmhairg *(+len adj)* [ən danəvark]

dentist *am* fiaclair [fee-əKklar]

dentures *na* fiaclan fuadain [fee-əKklən foo-ədan]

deny: **I deny it** tha mi ga àicheadh [ha mee ga ahKəG]

deodorant *an* 'deodorant'

department *an* roinn *(+len adj)* [royn]

departure *am* falbh [falav]

**on departure** anns an fhalbh [ōwns ən alav]

depend: **it depends on ...** tha e a rèir ... [ha eh ə rayr]

**that depends on what happens** tha sin a rèir dè thachras [ha shin ə rayr jay haKrəs]

deposit *(downpayment) an* tasgadh [taskəG]

depressed fo leann-dubh [foh lyōwn-doo]

deputy head *an* leas-ceann [les-kyōwn]

describe thoir* tuairisgeul air (a' toirt tuairisgeul air) [hor too-ərishkel ehr (ə torsht ...)]

**description** *an* tuairisgeul [too-ərishkel]
**design** *(verb)* dealbhaich (a' dealbhachadh) [jeləveeK (ə jeləvəKəG)]
**designer** *an* dealbhaiche [jeləveeKə]
**desk** *an* deasg [desk]
**dessert** *am* mìlsean [meelshen]
**destination** *an* ceann-uidhe [kyōwn-ooyə]
**destroy** sgrios (a' sgriosadh) [skris (ə skrisəG)]
**detail** *(of painting etc) a'* m*h*ion-phuing [ə vin-fə-eeng]
**details of the contract** mion-fhiosrachadh a' chùmhnaint [min-isrəKəG ə Koonant]
**we analysed the text in detail** rinn sinn mion-sgrùdadh air an teacsa [rYn sheen min-skrootəG ehr ən teksə]
**detergent** *an* stuth-nighe [stoo-nee-yə]
**determined: he was determined to do something** bha e suidhichte air rudeigin a dhèanamh [va eh sooyeeKchə ehr rootehgin ə yee-anəv]
**detour** *am* bealach [byaləK]
**develop** *(idea etc)* leasaich (a' leasachadh) [leseeK (ə lesəKəG)]
*(something new)* cruthaich (a' cruthachadh)[kroo-eeK (ə kroo-eKəG)]
**development: a recent development** leasachadh cuimseach ùr [lesəKəG koo-imshəK oor]
**dew** *an* driùchd [dr-yooKk]
**diabetes** tinneas *(m)* an t-siùcair [cheen-yes ən chooKkar]
**diabetic: he's diabetic** tha tinneas an t-siùcair air [ha cheen-yes ən chooKkar ehr]
**diagram** *an* 'diagram'

**diamond** *an* daoimean [durmen]
**diarrhoea** *a'* b*h*uinneach [ə voonyəK]
**diary** *an* leabhar-latha [lyawər-lah]
**dictionary** *am* faclair [faKklar]
**didn't** *go to* **not**
**die** bàsaich (a' bàsachadh) [bahseeK (ə bahsəKəG)]
◊ **die down** *(of noise, fire, storm)* bàsaich (a' bàsachadh) [bahseeK (ə bahsəKəG)]
**diesel** *(fuel) an* dìosail ['diesel']
**diet: a poor diet** droch lòn [droK lawn]
**I'm on a diet** tha mi air daithead [ha mee ehr 'diet']
**difference** *an t*-eadar-dhealachadh [ən chehdər-yaləKəG]
**different** eadar-dhealaichte [ehdər-yaleeKchə]
**they're different** tha iad eadar-dhealaichte [ha ee-at ...]
**ah well, that's different then** à uill, tha sin diofraichte ma-thà [ah wel, ha shin jifreeKchə mə-hah]
**difficult** doirbh [dirəv] (**more/most difficult** nas/as dorra [nəs/əs dorə])
**difficulty** *an* duilgheadas [doolyətəs]
**dinghy** *(sailing) a'* g*h*eòla [ə yawlə]
*(rubber) an* sgollag *(+len adj)* [skolak]
**Dingwall** Inbhir Pheofharain [in-yər fyoharehn]
**dingy** *SCOTS (verb: ignore)* leig seachad (a' leigeil seachad) [lehk shaKət (ə lehjel ...)]
**dining room** *an* seòmar-bìdh [shawmər-bee]
**dinner** *(evening meal) an* dìnnear *(+len adj)* [jeen-yər]
**direct** *(adjective)* dìreach [jeerəK]
**does it go direct?** a bheil e a' dol ann gu dìreach? [ə vel eh ə dol ōwn goo ...]

**director** *(of company, film) an* stiùiriche [styooreeKə]
**dirt** *an* salachar [saləKər]
**dirty** salach [saləK]
**disabled** ciorramach [kyirəməK]
**disabled access** inntrigeadh chiorramaich [eentrigəG KyirəmeeK]
**disappear** rach* à sealladh (a' dol à sealladh) [raK ah shaləG]
**it's just disappeared** *(from sight)* tha e air a dhol à sealladh [ha eh ehr ə Gol ah ...]
**disappointing: that's disappointing** tha sin na bhriseadh-dùil [ha shin nə vreeshəG-dool]
**disco** *an* diosgo ['disco']
**discount** *(noun) an* lasachadh (-prìse) [lasəKəG (-preeshə)]
**discuss** beachdaich (a' beachdachadh) [byaKkeeK (ə byaKkə-KəG)]
**disease** *an* galar [galər]
**disgusting** sgreamhail [skrehfal]
**dish** *(food) an* truinnsear-bìdh [troonshər-bee]
*(plate) an* truinnsear [troonshər]
**dishonest** eas-onarach [es-onərəK]
**distance** *an t-*astar [ən tastər]
**in the distance** air astar [ehr astər]
**distillery** *an* taigh-stàile [tY-stahlə]
**district** *an* sgìre *(+len adj)* [skeerə]
**ditch** *(noun) an* dìg *(+len adj)* [jeek]
**divide: 8 divided by 2** 8 air a roinn le 2 [8 ehr ə royn leh 2]
**divorced** sgaraichte [skareeKchə]

**do** dèan* (a' dèanamh) [jee-an (ə jee-anəv)]
**how do you do it?** ciamar a nithear e? [kyimmər ə nee-ər eh]
**I've never done it before** cha do rinn mi a-riamh roimhe e [Ka doh rYn mee ə-ree-əv roy-ə eh]
**I didn't do much at the weekend** cha do rinn mi mòran aig an deireadh-sheachdain [... ek ən jehrəG-hyaKkin]
**I'll do that tomorrow** nì mi sin a-màireach [nee mee shin ə-mahrəK]
**he did it** *(it was him)* 's esan a rinn e [sehsən ə rYn eh]
**what are you doing tonight?** dè a tha thu ris a-nochd? [jay ə ha oo rish ə-noKk]
**I was doing 60** bha mi a' falbh aig 60 san uair [va mee ə falav ek 60 sən oo-ər]
**this one will do nicely** nì am fear seo an gnothach [nee əm fehr shŏ ən groh-əK]
**this won't do at all!** *(not acceptable)* cha dèan seo a' chùis idir! [Ka jee-an shŏ ə Koosh eejir]
**how do you do?** ciamar a tha sibh? [kyimmər ə ha shiv]

◊ **do up** *(renovate)* cuir leasachadh ri (a' cur leasachadh ri) [koor lehsəKəG ree (ə koor ...)]
*(jacket, buttons)* ceangail (a' ceangal) [kyeh-al (ə kyeh-əl)]

**doctor** *an* dotair [dotər]

**document** *an* sgrìobhainn *(+len adj)* [skreevin]

**dog** *an* cù [koo] *(plural:* coin [kon])

**doh: she was up to high doh** SCOTS bha i air bhoil [va ee ehr vol]

**doll** *an* liùdhag *(+len adj)* [lyoo-ak]

**dolphin** *an* leumadair [laymədər]

**Don: the (River) Don** Uisge Deathan [ooshkə jeh-ən]

**don't!** *go to* **not**
**door** *an* doras [dorəs]
**double-bass** *am* beus-dùbailte [bays-doopal-chə]
**double period** *an* clas dùbailte [klas doopal-chə]
**double whisky** tè mhòr [chay vohr]
**doubt: I have my doubts** tha teagamhan agam [ha chek-əvən akəm]
**without a doubt** gun teagamh [goon chek-əv]
**I don't doubt it** cuiridh mi geall [kooree mee gyal]
**down: put it down there** cuir *sìos* an sin e [koor shee-əz ən-shin eh]
**down south** *(live, work etc)* shìos an Sasainn [hee-əz ən sasən]
*(go, drive etc)* sìos gu Sasainn [shee-əz goo …]
**get down!** thig a-nuas! [hik ə-noo-əz]
**it's just down the road** tha e dìreach shìos an rathad [ha eh jeerəK hee-əz ən rah-ət]
**downie** *Scots a' ch*uibhrig-leapa [ə Koo-ivrik-lyehpə]
**download** *(verb)* luchdaich a-nuas (a' luchdadh a-nuas) [looKkeeK ə-noo-əz (ə looKkəG …)]
**downstairs** *(be)* shìos an staidhre [hee-əz ən stYrə]
*(go)* sìos an staidhre [shee-əz …]
**dram: fancy a dram?** *Scots* a bheil sannt agad air drama? [ə vel sōwnt akət ehr dramə]
**drama** *an* dràma [drah-mə]
**draw** *(picture)* tarraing (a' tarraing) [taring]
**drawing pin** *an* tacaid *(+len adj)* [taKkij]
**dream** *(noun) am* bruadar [broo-ətər]
**dreich** *Scots* gruamach [groo-əməK]
**dress** *(woman's) an* dreasa *(+len adj)* [dresə]

◊ **dress up** *(smartly)* cuir aodach spaideil air (a' cur aodach spaideil air) [koor urdəK spajel ehr (ə koor ...)]
**they were all dressed up** bha iad air an dreasadh suas gu spaideil [va ee-at ehr ən dresəG soo-əz goo spajel]

**dressing** *(for cut) am* bann lota [bōwn lotə]
*(for salad) an* sgeadachadh [sketəKəG]

**drink** *(verb)* òl (ag òl) [awl]
*(noun) an* deoch *(+len adj)* [joK]
*(alcoholic) an* deoch làidir [... lahjir]
**something to drink** rudeigin ri òl [rootehgin ree awl]
**would you like a drink?** a bheil thu ag iarraidh deoch? [ə vel oo əg ee-əree joK]
**I don't drink** cha bhi mi ag òl [Ka vee mee ...]

◊ **drink up** *(finish drink)* òl (ag òl) [awl]
**drink up and let's go** òl do dheoch agus tiugainn [awl doh joK agəs chookeen]

**drive** dràibh (a' dràibheadh) [drYv (ə drYvəG)]
**it's a long drive** 's e slighe fhada a th' ann [sheh slee-ə atə ə hōwn]

**driver** *an* dràibhear [drYvər]

**driving licence** *an* cead-dràibhidh [keht-drYvee]

**drizzle: it's drizzling** tha smugraich uisge ann [ha smoo-greeK ooshkə ōwn]

**drookit** *Scots* bog fliuch [bohk flooK]

**drop: a drop of water** druthag uisge [droo-ək ooshkə]
**just a drop thanks** cha ghabh ach druthag, tapadh leat [Ka Gav aK ..., tapə let]
**don't drop it!** na leig far do làmhan e! [nə lik far doh lah-vən eh]
**I dropped it** leig mi e [lik mee eh]

**she's dropped him** tha i air a chur don t-sitig [ha ee ehr ə Koor dohn chichik]

**drug** *(medical, narcotic) an* droga *(+len adj)* [drogə]

**Drumnadrochit** Druim na Drochaid [drə-im na droKij]

**drums** *na* drumaichean [drəmeeKən]

**drunk** *(adjective)* air mhisg [ehr vishk]

**dry** *(adjective)* tioram [chirəm]
*(wine)* searbh [sherəv]

**dry-cleaner's** bùth *(m)* an tioram-ghlanadair [boo ən chirəm-Glanətər]

**duck** *(domestic) an* tunnag *(+len adj)* [toonək]
*(wild) an* lach *(+len adj)* [laK]

**due: when's the bus due?** cuin a tha am bus ri thighinn? [koon-yə ha əm 'bus' ree heeyin]

**Dumbarton** Dùn Breatann [doon bretən]

**Dumfries** Dùn Phris [doon freesh]

**Dunbar** Dùn Bàrr [doon bahr]

**Dunblane** Dùn Bhlàthain [doon vlah-hehn]

**Dundee** Dùn Dè [doon jay]

**Dunfermline** Dùn Phàrlain [doon fahrlehn]

**Dunkeld** Dùn Chailleann [doon chalən]

**Dunoon** Dùn Omhain [doon ohwehn]

**during** tro *(+len)* [troh]
**during the day** tron latha [trohn lah]

**dust** *an* stùr [stoor]

**DVD** *an* 'DVD'

**dwaam: he's away in a dwaam** *Scots* tha e ann an neul [ha eh ōwn ən nee-al]

**dyslexic** doille-fhaclach [dolyə-aKkləK]

# E *e*

each: **each pupil** gach sgoilear [gaK skolər]
**each day of the week** gach latha dhen t-seachdain [gaK lah yen chaKkin]
**you can have one each** gheibh sibh fear an urra [yehv shiv fehr ən oorə]
**how much are they each?** dè a' phrìs orra am fear? [jay ə freesh orə əm fehr]

eagle *an* iolaire [yilərə]

ear *a' ch*luas [Kloo-əs]
**ears** cluasan [kloo-əsən]

earache: **he/she has earache** tha greim cluaise air/oirre [ha grə-im kloo-əshə ehr/orə]

early tràth [trah]
**in early March** tràth anns a' Mhàrt [… ōwns ə vahrsht]
**early in the morning** tràth anns a' mhadainn [… vateen]
**Josie will have to leave school early today** bidh aig Josie ris an sgoil fhàgail tràth an-diugh [bee ek 'Josie' rish ən skol akal … ən-joo]

earphones *na* fònaichean-cluaise [fohneeKən-kloo-ashə]

earring *am* failbheachan [feləv-əKən]

earth *(soil)* an talamh [taləv]
**The Earth** an Talamh
**where on earth is it?** càit air thalamh 's a bheil e? [kahch ehr haləv is ə vel eh]
**who on earth told you that?** cò air thalamh a thuirt sin riut? [… ə hoorsht shin root]

**east** *(adjective) an* ear [yehr]
**we travelled east** shiubhail sinn chun an ear [hyoo-al sheen Koon ən ...]
**in the east** san taobh an ear [sən turv ...]
**Easter** *a' Ch*àisg [ə Kahshk]
**Easter Monday** Diluain *(m)* na Càisge [jiloo-ən nə kahsh-kə]
**Easter Sunday** Didòmhnaich *(m)* na Càisge [jeedawneeK nə kahsh-kə]
**East Kilbride** Cille Bhrìghde an Ear [keelyə vreejə ən yehr]
**easy** furasta [foorəstə] (**easier/easiest** nas/as fhasa [nəs/əs asə]
**eat** ith (ag ithe) [eeK (əg eeKə)]
**something to eat** rudeigin ri ithe [rootehgin ree eeKə]
**it must be something she ate** feumaidh gur e rudeigin a dh'ith i [faymee goor eh rootehgin ə yeeK ee]
◊ **eat out** rach* gu biadh (a' dol gu biadh) [raK goo bee-əG]
◊ **eat up: eat up your dinner** gabh do dhìnnear [gav doh yeen-yər]
**come on, eat up and we'll go** seo seo, gabh do bhiadh agus falbhaidh sinn [shŏ shŏ, gav doh vee-əG agəs falavee sheen]
**Ecclefechan** Ecclefechan [ekəl-feKan]
**ecofriendly** eag-chàirdeil [ehk-Karjel]
**edge** *(of town) an t*-iomall [ən chiməl]
*(of table) an* oir [or]
**I'm feeling on edge** tha mi a' faireachdainn giorragach [ha mee ə farəKkin gyih-rəgəK]
**Edinburgh** Dùn Èideann [doon ayjən]
**education** *am* foghlam [furləm]

**effect** *a'* b*h*uil [ə vool]

**effective** èifeachdach [ayfəKk-əK]

**effort: it was a real effort** 's e fìor oidhirp a bh' ann [sheh feer ur-yurp ə vōwn]

**you must make more of an effort** feumaidh tu dhol chun a' bharrachd dìchill [faymee too Gol Koon ə varəKk jeeKil]

**egg** *an t*-ugh [ən too]

**eggs** uighean [oo-yən]

**Eigg** Eige [eh-kə]

**either: either … or …** an dàrna cuid … no … [ən dahrnə kooj … noh …]

**I don't like either** cha toil leam gin seach gin [Ka təl ləm gin shaK gin]

**elastic** *an* lastaig *(+len adj)* [lastek]

**elastic band** *am* bann lastaig [bōwn lastek]

**elbow** *an* uileann [oolan]

**eldest: my eldest daughter** an nighean as sine agam [ən nee-ən əs sheenə akəm]

**election** *an* taghadh [turəG]

**electric** dealanach [jalənəK]

**electrician** *an* dealanair [jalənər]

**electricity** *an* dealan [jalən]

**elegant** loinneil [loyn-yel]

**Elgin** Eilginn [elegin]

**else: something else** rudeigin eile [rootehgin ehlə]

**somewhere else** àiteigin eile [ah-chehgin …]

**let's go somewhere else** tiugainn a dh'àitegin eile [chookeen ə Gah-chehgin …]

**who else?** cò eile?

**someone else** cuideigin eile [koojehgin ...]
**what else do you know?** dè eile as aithne dhut? [jay ehlə əs anyə Goot]
**I don't want anything else thanks** chan eil mi ag iarraidh dad eile, tapadh leat [Kan yel mee əg ee-əree dat ehlə, tapə let]
**or else** air neo [ehr nyŏ]

email *am* post-d, *am* post-dealain [pohst-dee, pohst-jalan]
**I'll email you** cuiridh mi post-dealain thugad [kooree mee ... hookət]

email address *an* seòladh puist-dhealain [shaw-ləG poo-isht-yalan]
**what's your email address?** dè an seòladh puist-dhealain agad? [jay ən ... akət]
**my email address is ... at ... dot ...** 's e ... aig ... puing ... an seòladh puist-dhealain agam [sheh ... ek ... poong ...]

embarrassed air a nàrachadh [ehr ə nahrəKəG]

embarrassing nàrach [nahrəK]

emergency: **it's an emergency** 's e cùis-èiginn a th' ann [sheh koosh-aykeen ə hōwn]

empty *(adjective)* falamh [faləv]

end *(noun: of road, movie)* *an* ceann [kyōwn]
**in the end they did come** ràinig iad mu dheireadh [rahnik ee-at moo yehrəG]
**when does it end?** cuin a thig e gu ceann? [koon-yə hik eh goo ...]

end of term ceann *(m)* na teirme [kyōwn nə tehrəmə]

◊ end up: **we ended up at the Park Bar** fhuair sinn sinn fhìn ann an Taigh-òsta na Pàirce [hoo-ər sheen sheen heen ōwn ən tY-awstə nə parkə]

**we ended up staying at home** aig a' cheann thall, thàinig oirnn fuireach aig an taigh [ek ə Kyōwn hōwl, hahnik orn foorəK ek ən tY]

engaged *(telephone)* trang

*(toilet)* ga chleachdadh [gah KleKkəG]

*(to be married)* fo ghealladh-pòsaidh [foh yaləG-pawsee]

engagement ring *an* f*h*àinne-gealladh-pòsaidh [ən ahnyə-gyaləG-pawsee]

engine *(of car, plane) an t*-einnsean [ən chehnshen]

engineer *an t*-einnseanair [ən chehn-shənər]

England Sasainn *(+len adj)* [sasən]

English Sasannach [sasənəK]

*(language)* Beurla *(+len adj)* [bayrlə]

**the English** na Sasannaich [nə sasəneeK]

Englishman *an* Sasannach [sasənəK]

Englishwoman *a'* b*h*ana-Shasannach [ə vanə-hasənəK]

enjoy: **I enjoyed it very much** chòrd e rium glan [Kawrd eh room glan]

**I enjoyed the meal** chòrd am biadh rium [... əm bee-əG ...]

**I enjoy riding/driving** tha marcachd/dràibheadh a' còrdadh rium [ha markoKk/drYvəG ə kawrdəG room]

**enjoy yourself** gabh spòrs [gav spawrs]

**enjoy!** gum meal thu e! [goom myal oo eh]

enormous àibheiseach mòr [ahveshəK mohr]

enough gu leòr [goo lyawr]

**that's not big enough** chan eil sin mòr gu leòr [Kan yel shin mohr ...]

**I don't have enough money** chan eil airgead gu leòr agam [Kan yel erəget ... akəm]

**thank you, that's enough** tapadh leibh, tha sin gu leòr [tapə liv, ha shin ...]

enter *(room etc)* rach* a-steach (a' dol a-steach) [raK ə-shtyaK]

*(data)* cuir a-steach (a' cur a-steach) [koor ... (ə koor ...)]

entertainment *an* dibhearsan [jiversən]

entrance *(to building) an* doras a-steach [dorəs ə-shtyaK]

*(as sign)* a-steach

envelope *a' ch*èis [ə Kaysh]

environment: **the environment** an àrainneachd [ən ahrinyəKk]

error *a' mh*earachd [ə veroKk]

especially gu h-àraidh [goo hah-ree]

essay *an* aiste [ash-chə]

essential riatanach [ree-ətənoK]

**it is essential that you listen closely** tha e riatanach gun èist thu gu dlùth [ha eh ... goon ayshch oo goo dloo]

euro *an t-*Iùro [ən choo-roh]

Europe an Roinn-Eòrpa *(+len adj)* [royn-yawrpə]

European *(adjective)* Eòrpach [yawrpəK]

even: **even I know that** tha fios *eadhon* agamsa air sin [ha fis ehGon akəmsə ehr shin]

**he wasn't even surprised** *cha mhotha* a bha an t-iongnadh air [Ka voh-ə va ən chinəG ehr]

**even so, it's too risky** biodh sin mar a bhitheas, tha e ro chunnartach [biG shin mar ə vee-əs, ha eh roh KoonərshtəK]

**an even number** àireamh chothrom [ah-rev Korom]

evening *am* feasgar [feskər]

*(after nightfall) an* oidhche [ə-iKə]

**in the evening** anns an fheasgar [ōwns ən yeskər]
**this evening** feasgar an-diugh [… ən-joo]
**good evening** feasgar math [… ma]

evening class *an* clas-oidhche [klas-ə-iKə]

ever: **have you ever been to …?** an robh thu ann an … a-riamh? [ən roh oo ōwn ən … ə-ree-əv]
**don't ever do that!** na dèan sin a-chaoidh! [nə jee-an shin ə-chur-ee]
**it's better than ever** tha e nas fheàrr na bha e a-riamh [ha eh nəs shahr nə va eh …]
**it's the same as ever** tha e mar a bha e a-riamh [ha eh mar ə va eh …]
**for ever** gu bràth [goo brah]

every a h-uile [ə hoolə]
**every day** a h-uile latha [… lah]

everyone a h-uile duine [ə hoolə doon-yə]
**is everyone ready?** a bheil a h-uile duine deiseil? [ə vel … jeh-shel]

everything a h-uile rud [ə hoolə root]
**everything I say** a h-uile rud a chanas mi [… ə Kanəs mee]

everywhere anns a h-uile àite [ōwns ə hoolə ah-chə]
**everywhere you look** a h-uile àite a sheallas do shùil [… ə hyaləs doh hool]

evil *(adjective)* olc [olKk]

exact dìreach ceart [jeerəK kyarsht]

exactly! sin e dìreach! [shin eh jeerəK]

exam *an* deuchainn *(+len adj)* [jee-əKin]

exam results toraidhean *(mpl)* nan deuchainnean [toreeyən nən jee-əKinyən]

example *an* eisimpleir [eh-shimplər]
**for example** mar eisimpleir
excellent sàr-mhath [sahr-va]
**excellent !** math fhèin! [ma hayn]
except: **except me** ach mise [aK mishə]
**except Tuesdays** ach gach Dimàirt [aK gaK jeemarsht]
exception *a'* m*h*ura-bhith [ə voorə-vee]
**without exception** gun mhura-bhith [goon ...]
**I'll make an exception this time** fàgaidh mi an turas seo e [fahkee mee ən toorəs shŏ eh]
excuse *(noun) an* leisgeul [lehsh-kel]
**what's your excuse this time?** dè do leisgeul an turas seo? [jay doh ... ən toorəs shŏ]
**there's no excuse for it** chan eil leisgeul ann air a shon [Kan yel ... ōwn ehr ə hon]
excuse *(verb)*: **can he be excused PE tomorrow?** am faodar a leisgeul a ghabhail airson PE a-màireach? [əm furdər ə lehsh-kel ə gahl ehrson 'PE' ə-mahroK]
excuse me gabh mo leisgeul [gav ...]
exercise *(physical, in subject) an* eacarsaich [eKkərseeK]
**you should get more exercise** bu chòir dhut barrachd eacarsaich a dhèanamh [boo Kawr Goot baroKk ... ə yee-anəv]
exercise book *an* leabhar-obrach [lyaw-ər-ohprəK]
exhausted claoidhte [klurchə]
exhibition *an* taisbeanadh [tashbinəG]
exist mair (a' mairsinn) [mar (ə marshin)]
**they don't exist** chan eil iad ann am bith [Kan yel ee-at ōwn əm bee]
**you can't exist on just crisps** chan urrainn dhut

tighinn beò air criospan a-mhàin [Kan oorin Goot cheeyin byaw ehr krispən ə-vahn]

existence *a'* b*h*ith [ə vee]

**those which are still in existence** feadhainn a tha ann am bith fhathast [fyəGin ə ha ōwn əm bee hahst]

exit *an* doras a-mach [dorəs ə-maK]

*(as sign)* a-mach

**take the Stirling exit** *(on motorway)* gabh an t-slighe a-mach airson Sruighlea [gav ən tlee-yə ... ehrson streelə]

expect: **she's expecting** tha dùil aice ri leanabh [ha dool eKkə ree lyenəv]

expensive cosgail [koskal]

**that's too expensive** tha sin ro chosgail [ha shin roh Koskal]

expert *(noun) an t-*eòlaiche [ən chawleeKə]

explain mìnich (a' mìneachadh) [meeneeK (ə meenəKəG)]

**would you explain that slowly?** am mìnicheadh tu sin air do shocair? [əm meeniKəG too shin ehr doh hoKkir]

explanation *am* mìneachadh [meenəKəG]

extension cable *an* càball leudachaidh [kahbəl lee-ədəKee]

extra: **an extra day** latha a bharrachd [lah ə varoKk]

**is that extra?** *(cost)* an e cosgais a bharrachd a tha sin? [ən yeh koskish ə varoKk ə ha shin]

extremely gu h-anabarrach [goo han-əbərəK]

eye *an t-*sùil [ən tool] (*plural:* sùilean [soolən])

eyebrow *a'* m*h*ala [ə valə]

eyeliner *am* peansail-sùla [pensal-soolə]

eye shadow *an* dubhar-sùla [doo-ər-soolə]

face *an t*-aodann [ən turdan]

fact *an* f*h*ìrinn [ən eerin]

**in fact** leis an fhìrinn innse [lehsh ən eerin eenshə]

factory *am* factaraidh ['factory']

faint**: she's fainted** dh'fhanntaig i [Gōwntek ee]

fair *(fun-) an* f*h*aidhir [ən Y-yir]

**that's not fair** chan eil sin cothromach [Kan yel shin korəməK]

fair-haired bàn [bahn]

fairy *an* sìthiche [shee-eeKə]

faithful *(person)* dìleas [jeeles]

fake**: this is a fake** 's e fear fuadan a tha seo [sheh fehr foo-ədən ə ha shŏ]

Falkirk An Eaglais Bhreac [ən eklish vrehk]

fall *(verb)* tuit (a' tuiteam) [too-ich (ə too-ichəm)]

**he's fallen** thuit e [hoo-ich eh]

◊ fall behind *(in work, walking)* rach* air dheireadh (a' dol air dheireadh) [raK ehr yehrəG]

**I'm falling behind at work** tha an obair a' dol air dheireadh orm [ha ən ohpər ə dol ehr yehrəG orəm]

◊ fall for *(person)* tuit ann an gaol le (a' tuiteam ann an gaol le) [too-ich ōwn ən gurl leh (ə too-ichəm ...)]

**I'm surprised you fell for it** *(were deceived)* tha iongnadh orm gun tugadh do char asad [ha yoonəG orəm goon toogəG doh Kar asət]

◊fall out *(argue)*: **those two are always falling out** bidh an dithis ud a' dol a-mach air a chèile daonnan [bee ən jee-ish ət ə dol ə-maK ehr ə Kaylə durnən]

◊fall out with rach* a-mach air (a' dol a-mach air) [raK ə-maK ehr]

**I don't want to fall out with you** chan eil mi airson dol a-mach ort [Kan yel mee ehrson dol ə-maK orsht]

false *(information, theory)* fallsa [fōwlsə]

**Barcelona is the capital of Spain, true or false?** is e Barcelona ceanna-bhaile na Spàinne, fìrinn no breug? [sheh Barcelona kyōwnə-valə nə spahn-yə, feerin noh bree-ək]

false teeth fiaclan fuadain [fee-əKklən foo-ədan]

family *an* teaghlach [churləK]

**my family** mo theaghlach [moh hyurləK]

**do you have any family?** a bheil teaghlach agad? [ə vel … akət]

famous ainmeil [enəmel]

fan *(supporter) an* neach-leantainn [nyaK-lenteen]

fantastic sgoinneil [skən-yel]

far fad às [fat ahs]

**how far is it?** dè cho fad às 's a tha e? [jay Koh … sə ha eh]

**is it far?** a bheil e fad às? [ə vel eh fat ahs]

*you may hear*

**chan eil, tha e caran faisg**
[Kan yel, ha eh karan fashk]
no, it's quite close

**tha, tha e gu math fad às**
[ha, ha eh goo ma fat ahs]
yes, it's a long way off

**uair a thìde air chois**
[oo-ər ə heejə ehr Kosh]
one hour on foot

**còig mionaidean ma bhios tu dràibheadh**
[koh-ik minajən mə vis too drYvəG]
five minutes if you're driving

**uill, cha bu mhath leam coiseachd ann**
[wel, Ka boo va ləm koshəKk ōwn]
well, I wouldn't want to walk it

farm *an* tuathanas [too-ənəs]
farmer *an* tuathanach [too-ənəK]
fart *(noun) am* braidhm [brYm]
farther nas fhaide às [nəs ajə ahs]
fash *Scots*: **dinna fash!** na gabh dragh! [nə gav drəG]
fashion *am* fasan [fasən]
  **in fashion** anns an fhasan [ōwns ən asən]
fashionable fasanta [fasəntə]
Faslane Faslann [faslən]
fast *(adjective)* luath [loo-ə] (**faster/-est** nas/as luaithe [nəs/əs looY-ə])
  **don't speak so fast** na bruidhinn cho luath [nə brooyin Koh ...]
fat *(adjective)* reamhar [ravər]
father *an t*-athair [ən ta-hər] (*plural:* athraichean [areeKen])
  **my father** m' athair [ma-hər]
father-in-law *an t*-athair-cèile [ən ta-hər-kaylə]
fault *(defect) a'* chearb [Kerəp]
  **whose fault is it?** cò as coireach? [koh əs kərəK]
  **it's not my fault** chan e mise as coireach [Kan eh

meeshə ...]

**it was your fault** is tus' a bu choireach [stoos ə boo KərəK]

faulty *(part, wiring etc)* lochdach [loKkəK]

favourite: **what's your favourite sport?** dè an spòrs as fheàrr leat? [jay ən spawrs əs shahr let]

**this song is a favourite of mine** seo fear dhe na h-òrain as fheàrr leam [shŏ fehr yeh nə hawren əs shahr ləm]

feartie *SCOTS an t*-eagalan [ən chekələn]

feather *an* ite [eechə]

February an Gearran [ən gyarən]

fed-up: **I'm fed-up** *(bored)* tha mi a' gabhail fadal [ha mee ə gahl fatəl]

*(annoyed)* tha mi air mo shàrachadh [ha mee ehr moh hahrəKəG]

**I'm fed-up with ...** tha mi searbh sgìth dhe ... [ha mee sherəv skee yeh ...]

**I'm fed-up with him/his attitude** tha mi searbh sgìth dheth/dhen dol a-mach aige [... yeh/yen dol ə-maK ekə]

feel: **I feel like ...** *(I want)* tha sannt agam air ... [ha sōwnt akəm ehr]

**how do you feel?** ciamar a tha thu a' faireachdainn? [kyimmər ə ha oo ə farəKkin]

**I feel ill** tha mi a' faireachdainn tinn [ha mee ... cheen]

**I feel much happier now** tha mi ann an sunnd nas fheàrr a-nis [ha mee ōwn ən soont nəs shahr ə-nish]

◊ feel up to: **he doesn't feel up to talking right now** chan eil sunnd còmhraidh air an-dràsta [Kan yel soont kawree ehr ən-drahsta]

**I'm not feeling up to it** chan eil sunnd orm airson sin [... orəm ehrson shin]

felt-tip *an* ceann-peileig [kyōwn-pelek]
female *(adjective)* boireann [boran]
ferry *am* bàt'-aiseig [baht-ashek]
**how do I get to the ferry?** ciamar a ruigeas mi an t-aiseag? [kyimmər ə rikəs mee ən tashek]
festival *an* f*h*èis [ən aysh]
fetch: **will you come and fetch me?** an tig thu gam *iarraidh*? [ən chig oo gam ee-əree]
fever *an* f*h*iabhras [ən yōwrəs]
few: **only a few** beagan a-mhàin [behkən ə-vahn]
**a few days** beagan làithean [ ... lYən]
**there were fewer mistakes than last time** bha nas lugha de mhearachdan ann an coimeas ris an turas mu dheireadh [va nəs looGə jeh verəKkən ōwn ən komes rish ən toorəs moo yehrəG]
fiancé *am* fear-pòsaidh [fehr-pawsee]
fiancée *an* tè-phòsaidh *(+len adj)* [chay-fawsee]
fiddle *(instrument) an* f*h*idheall [ən eeyel]
**he fiddled the figures** bhean e ris na figearan [ven eh rish nə figerən]
fiddler *am* fidhlear [feelər]
field *an t*-achadh [ən taKəG]
**that's not my field** *(of knowledge)* chan eil mi eòlach air a' *chuspair* sin [Kan yel mee yawləK ehr ə Koospar shin]
fierce *(person, storm)* fiadhaich [fee-əeeK]
fifty-fifty leth mar leth [leh mar leh]
fight *(noun) an t*-sabaid [ən tapij]
◊ fight off *(infection, cold etc)* tilg dhe (a' tilgeil dhe) [chilik yeh (ə chilikel yeh)]

**it took a while (for me/her) to fight off that infection** thug e ùine gu leòr a' bhìoras ud a thilgeil dhìom/dhith [hook eh oonyə goo lyawr ə veerəs ət ə hilikel yeem/yee]

figure *(number) am* figear ['figure']

*(of person) an* cumadh [koomaG]

file *(computers) am* faidhle [fYlə]

◊fill in *(form)* lìon (a' lìonadh) [lee-ən (ə lee-ənəG)]

◊fill up *(glass)* lìon (a' lìonadh) [lee-ən (ə lee-ənəG)]

filling *(in tooth) an* lìonadh [lee-ənəG]

film *(at cinema, for camera) am* film [filəm]

final *(noun: in sport) a' ch*uairt-dheireannach [ə Koo-ersht-yehrənəK]

**we're in the finals** tha sinn sna cuairtean mu dheireadh [ha sheen snə koo-ərshten moo yehrəG]

find lorg (a' lorg) [lorəg]

**if you find it** ma lorgas tu e [mə lorgəs too eh]

**I've found a ...** fhuair mi ... [hoo-ər mee ...]

◊find out: **I'll find out what he wants** gheibh mi fios air dè a tha e ag iarraidh [yehv mee fis ehr jay ha eh əg ee-əree]

**can you find out for me?** am faigh thu a-mach dhomh? [əm fY oo ə-maK Gŏ]

fine *(weather)* brèagha [bree-yə]

**OK, that's fine** ceart, tha sin ceart gu leòr [kyarsht, ha shin ... goo lyawr]

**that's fine by me** tha sin ceart gu leòr dhomhsa [ ... Gŏ-sə]

**a £50 fine** *càin* leth-cheud not [kahn leh-Kee-at not]

finger *am* meur [mee-ar]

**fingernail** *an* ìne [eenə]

**finish: I haven't finished** chan eil mi deiseil [Kan yel mee jeh-shel]

**when does it finish?** cuin a bhios e deiseil? [koon-yə vis eh ...]

**finish your dinner first** gabh do dhìnnear an toiseach [gav doh yeen-yər ən toshəK]

◊**finish off** *(meal, what you're doing)* cuir crìoch air *(+prep obj)* (a' cur crìoch air) [koor kree-əK ehr (ə koor ...)]

◊**finish with** *(boyfriend etc)* dealaich ri (a' dealachadh) [jaleeK ree (ə jaləKəG ree)]

**she finished with him when he lost his job** dhealaich i ris nuair a chaill e an obair aige [yaleeK ee rish noo-ər ə KYl eh ən ohpər ekə]

**fir tree** *a' ch*raobh ghiuthais [ə Krurv yoo-esh]

**fire** *an* teine [chehnə]

*(blaze: house on fire etc) na* theine [nə hehnə]

**can we light a fire here?** am faod sinn teine a lasadh an seo? [əm furt sheen ... ə lasəG ən shŏ]

**fire brigade** *an* luchd-smàlaidh [looKk-smahlee]

**fire extinguisher** *an t*-inneal-smàlaidh [ən cheenyel-smahlee]

**fireman** *am* fear-smàlaidh [fehr-smahlee]

**firm** *(adjective: date, attitude)* daingeann [dangən]

**the firm he works for** a' chompanaidh aig a bheil e ag obair [ə Kəmpənee ek ə vel eh əg ohpər]

**first: the first ...** a' chiad *(+len)* ... [ə Kee-at]

**the first street** a' chiad shràid [ ... hrahj]

**the first song** a' chiad òran [... awrən]

**who's first?** cò a th' ann *an toiseach*? [koh ə hōwn ən toshəK]

**I was first** bu mhise a' chiad neach [boo veeshə … nyaK]
**at first** aig an toiseach [ek ən …]
**first aid** ciad-fhuasgladh [kee-at-oo-əsgləG]
**first aid kit** *an* acainn ciad-fhuasglaidh [aKkin kee-at-oo-əsglee]
**First Minister** *am* Prìomh-mhinistear [pree-əv-vinish-chər]
**first name** *a'* chiad ainm [ə Kee-at enəm]
**firth** *an* linne *(+len adj)* [leenyə]
**fish** *an t-*iasg [ən chee-əsk]
**fish and chips** iasg is sliseagan [ee-əsk is slishagən]
**fisherman** *an t-*iasgair [ən chee-əskər]
**fishing** *an t-*iasgach [ən chee-əskəK]
**fish supper** *SCOTS* an t-iasg is tiops [ən chee-əsk is 'chips']
**fit** *(healthy)* fallain [falin]
*(physically)* sgairteil [skarshtel]
**it doesn't fit me** chan eil e gam fhreagairt [Kan yel eh gam rekarsht]
◊ **fit in: he doesn't really fit in with those people, does he?** chan eil na daoine sin a' tighinn dha, a bheil? [Kan yel nə durnyə shin ə cheeyin Ga, ə vel]
**he didn't fit in there** cha robh an t-àite a' tighinn dha [Ka roh ən tah-chə …]
**you should try to fit in** bu chòir dhut feuchainn ri thu fhèin a fhreagradh ann [boo Kawr Goot fee-əKin ree oo hayn ə rekrəG ōwn]
**fix: can you fix it?** *(repair)* an urrainn dhut a chàradh? [ən oorin Goot ə KarəG]
**fizzy** balganta [baləgəntə]
**flag** *(noun) a'* bhratach [ə vratəK]
**flash** *(photography) an* solas-boillsgidh [soləs-bə-ilshkee]

flat *(adjective)* còmhnard [kawnarsht]
*(apartment) am* flat
**I've got a flat tyre** fhuair mi toll san taidhr [hoo-ər mee tōwl sən tYr]
flatmate *an* caraid-taighe [karij-tY-yə]
flavour *am* blas
flexible sùbailte [soopalchə]
flight *an* turas-adhair [too-əs-ahr]
flit *Scots (verb)* imrich (ag imrich) [eemreeK (əg ...)]
flooded bàthte [bah-chə]
floor *an t-*ùrlar [ən toorlər]
**on the floor** air an ùrlar [ehr ən oorlər]
**on the second floor** air an dàrna làr [ehr ən dahrnə lahr]
flower *am* flùr [floo-r]
flu *an* cnatan mòr [kratən mohr]
flute *an* duiseal *(+len adj)* [dooshel]
fly *(noun: insect) a' ch*uileag [ə Koolak]
*(verb: go by plane)* rach* air a' phlèan (a' dol air a' phlèan) [raK ehr ə flayn]
**we flew to Barra** shiubhail sinn gu Barraigh air a' phlèan [hyoo-al sheen goo barY ...]
◊ fly back: **she flew back to Glasgow** thill i air ais a Ghlaschu air a' phlèan [heel ee ehr ash ə glasəKoh ehr ə flayn]
◊ fly out: **we're flying out to Lewis tomorrow** bidh sinn a' siubhal a-null a Leòdhas air a' phlèan a-màireach [bee sheen ə shoōwal a-nool ə lyoh-əs ehr ə flayn ə-mahrəK]
foggy ceòthach [kyaw-əK]

folk singer *an* seinneadair dùthchasach [shYn-ətər dooKəsəK]

folk tale *am* mith-sgeul [mee-skel]

follow lean (a' leantainn) [len (ə lentin)]

**follow me** lean mise [len meeshə]

**that doesn't follow** chan eil sin dha rèir [Kan yel shin Ga rayr]

food *am* biadh [bee-əG]

food poisoning puinnseanachadh bìdh [poo-inshən-əKəG bee]

fool *(male) an t-*amadan [ən tamədən]

*(female) an* òinseach [awnshəK]

foolish amaideach [amijəK]

foosty *Scots (smell)* muthaidh [moo-hee]

foot *(of body) a'* chas [ə Kas]

*(length) an* troigh *(+len adj)* [troy]

**on foot** de chois [jeh Kosh]

football *(game)* ball-coise [bal-koshə]

*(ball) am* bàlla [bahlə]

football pitch *an* raon-cluiche [rurn-kleeKə]

football team *an* sgioba ball-coise *(+len adj)* [skipə bal-koshə]

footery *Scots*: **a footery sort of job** teoba a tha caran cliobach [chobə ə ha karən klipəK]

for do *(+len)* [doh]

**that's for me** 's ann dhomhsa a tha sin [sōwn Gŏ-sə ə ha shin]

**this is for you** 's ann dhut a tha seo [... Goot ə ha shŏ]

**that's for your mother** 's ann dha do mhàthair a tha sin [sōwn Ga doh vahir ə ha shin]

**I'll be away for three weeks** bidh mi bhon taigh *airson* trì seachdainean [bee mee von tY ehrson tree shaKkinen]
**I've lived here for 12 years** tha mi dà bhliadhna dheug a' fuireach an seo [ha mee dah vlee-ənə yee-əg ə foorəK ən shŏ]
**we had chicken for dinner** ghabh sinn cearc airson dìnnear [Gav sheen kyark ehrson jeen-yər]
**I bought it for £10** cheannaich mi e air deich notaichean [KyaneeK mee eh ehr jehK noteeKen]
**I'm all for the idea** tha mi gu mòr airson a' bheachd [ha mee goo mohr ehrson ə vyaKk]
**I'm all for it** tha mi gu mòr air a shon [... ehr ə hon]
**who do you work for?** cò aig a bheil thu ag obair? [koh ek ə vel oo əg ohpər]

**forbidden** toirmisgte [torə-mishk-chə]

**forehead** *a'* b*h*athais [ə vahesh]

**foreign** coimheach [koy-yəK]

**foreigner** *an* coigreach [kŏ-igrəK]

**forest** *a'* c*h*oille [ə Kolyə]

**Forfar** Farfar

**forget** dìochuimhnich (a' dìochneachadh) [jee-əKniK (ə jee-əK-nəKəG)]
**I forget** chan eil cuimhn' agam [Kan yel kə-in akəm]
**sorry, I forgot to bring the form** duilich, dhìochuimhnich mi am foirm a thoirt leam [dooleeK, ... mee əm forəm ə horsht ləm]
**don't forget** na dìochuimhnich [nə ...]

**forgive** maith (a' mathadh) [mY (ə ma-həG)]
**I forgive you** tha e maithte dhut [ha eh mYchə Goot]

**fork** *(to eat with, in road) am* forc
**form** *(document) am* foirm [forəm]
**formal** *(dress, language)* foirmeil [forəmel]
**Forres** Farrais [farish]
**Fort Augustus** Cille Chuimein [kilyə Koomehn]
**Fort William** An Gearastan [ən gyeh-rəstan]
**Forth: the Firth of Forth** Linne Foirthe [leenyə forə-yə]
**fortnight** *a'* chola-deug [ə Kolə-jee-əg]
**Fortrose** A' Chananaich [ə KananeeK]
**fortunately** gu fortanach [goo forshtənəK]
**forward** *(move etc)* air adhart [ehr ərsht]
**foul** *(in sport) an* cionta [kyintə]
**fox** *an* sionnach [shoonəK]
**fracture** *(noun) am* briseadh [brishəG]
**fragile** *(object)* brisg [brishk]
*(person, physically)* breòite [bryawchə]
*(economy)* cugallach [koogələK]
**fragment** *am* mìrean [meeren]
**France** an Fhraing [ən rang]
**freckles** breacan-seunaidh [breKkən-shee-ənee]
**free** saor [sur]
*(no charge)* an-asgaidh [ən-askee]
**admission free** *(no charge)* a-steach an-asgaidh [ə-shtyaK ...]
**freedom** *an t-*saorsa [ən tursə]
**freelance: I'm freelance** tha mi ag obair air mo cheann fhìn [ha mee əg ohpər ehr moh Kyōwn heen]
**freezer** *an* reothadair [ryŏ-hətar]

freezing**: it's freezing cold today** 's e latha fuar, reòthte a th' ann an-diugh [sheh lah foo-ər ryawchə ə hōwn ən-joo]

French *(adjective)* Frangach [frangəK]
*(language)* Fraingis *(+len adj)* [frang-ish]

fresh *(fruit etc)* ùr [oor]

Friday Dihaoine [jeehurn-yə]

fridge *am* fuaradair [foo-ərətar]

fried egg *an t*-ugh air praighigeadh [ən too ehr prY-eegəG]

friend *an* caraid [karij]

friendly càirdeil [kahrjel]

fries *na* sliseagan [slishagən]

frightened**: I was frightened** bha an t-eagal orm [va ən chekəl orəm]
**don't be frightened of him** na biodh eagal ort roimhe [nə biG ekəl orsht roy-ə]

from à [ah]
**from England/Inverness** à Sasainn/Inbhir Nis [ah sasən/ in-yər nish]
**from Dunblane to Edinburgh** bho Dhùn Bhlàthain gu Dùn Èideann [voh Goon vlah-hehn goo doon ayjən]
**this is from me** seo bhuamsa [shŏ voo-əmsə]

*dialogue*

**where are you from?**
co às a tha thu?
[koh ahs ə ha oo]

**tha à Leòdhas**
[ha ah lyoh-əs]
I'm from Lewis

**dè am bad dhen eilean?**
[jay əm bat yen aylan]
whereabouts on Lewis?

**beagan taobh a-muigh air Steòrnabhagh; agus thu fhèin?**
[behkən turv ə-moo-ih ehr shtornəvahG; agəs oo hayn?]
just outside Stornaway; and you?

**tha mis' a' fuireach an Glaschu ach 's ann à Peairt a tha mi**
[ha mish ə foorəK ən GlasəKoh aK sōwn ah pyarsht ə ha mee]
I live in Glasgow but I come from Perth

**'s e Leòdhasach a bha nam sheanair**
[sheh lyoh-əsəK ə va nəm henər]
my grandfather was from Lewis

front: **in front of** air beulaibh [ehr bee-əliv]
**in front of you** air do bheulaibh [ehr doh vee-əliv]
**at the front** aig an aghaidh [ek ən əGee]

front door *an* doras-aghaidh [dorəs-əGee]

frost *an* reothadh [ryŏ-həG]

fruit *na* measan [mesən]
**you don't eat enough fruit** cha bhi thu ag ithe gu leòr mheasan [Ka vee oo əg eeKə goo lyawr vesən]
**what's your favourite fruit?** dè am meas as fheàrr leat? [jay əm mes əs shahr let]

fruit salad *an* sailead mheasan [saled vesən]

frustrating: **it's very frustrating** tha e gam chur droil [ha eh gam Koor drol]

**fry** praighig (a' praighigeadh) [prY-ig (ə prY-igəG)]
**frying pan** *am* praigheapan [prYpan]
**full** làn [lahn]
**I'm full (up)!** tha mi buidheach! [ha mee boo-yəK]
**it's full of mistakes** tha e làn de mhearachdan [ha eh lahn jeh verəKkən]
**fun: it's fun** tha e spòrsail [ha eh spawrsal]
**have fun!** gabh spòrs! [gav spawrs]
**you're no fun!** chan eil spòrs sam bith annad! [Kan yel ... səm bee ənət]
**funny** *(strange)* neònach [nyawnəK]
*(comical)* èibhinn [ayvin]
**furniture** *an* àirneis [ahrnesh]
**further** nas fhaide [nəs ajə]
**I won't go any further with you** cha tèid mi nas fhaide còmhla riut [Ka chayj mee ... kawlə root]
**do you have any further questions?** a bheil *an tuilleadh* cheistean agaibh? [ə vel ən tolyəG Kehsh-chen akiv]
**we have no further questions** chan eil *an còrr* cheistean againn [Kan yel ən kawr Kehsh-chen akin]
**without further delay** gun an còrr maille [goon ən kawr mYl-yə]
**fuse** *am* fiùs ['fuse']
**future** *an* t-àm ri teachd [tōwm ree chaKk]
**in future** *(the next time)* an ath-thuras [ən ah-hoorəs]

## *future tense*

There are just eleven irregular Gaelic verbs and the future tense of these is shown on page 345.
The positive form of the future tense of regular verbs is formed as follows.

*1*

*a* If the last vowel in the root (the first form given in this book) is either **a**, **o** or **u** by adding **-aidh**. For example:

**pòs** marry ⟶ **pòsaidh** [pawsee] will marry
**falbh** leave ⟶ **falbhaidh** [falavee] will leave

**falbhaidh sinn a-màireach** we'll leave tomorrow

*b* If the last vowel in the root is **i** by adding **-idh**. For example:

**cuir** put ⟶ **cuiridh** will put
**dùin** shut ⟶ **dùinidh** will shut

**cuiridh mi an seo e** I'll put it here

But some verbs with **i** as the last vowel in the root work differently.

**èirich** get up, rise ⟶ **èiridh** will get up, will rise
**tarraing** pull ⟶ **tàirngidh** will pull, will attract

*2*

*a* The question form of regular verbs simply uses the root form of the verb (that is the first form of the verb given in this book) and places **an** or **am** before it.

**càit an cuir mi e?** where shall I put it?

*b* Likewise the negative uses the root form of the verb. It then places **cha** (or **chan** before words starting with a vowel or **fh**) in front of the root. And the root is lenited.

**cha chuir mi an seo e** I won't put it there

*c* After question words like 'who?' 'what?' (but not 'where?') Gaelic uses a different form known as the relative future. This is formed by adding **as** or **eas** to the root and by leniting the root.

**dè a chuireas mi orm?** what shall I wear?
**cò a dhùineas an doras?** who's going to shut the door?

If the verb starts with a vowel or with f+vowel, then **dh'** is put in front of the root. And f+vowel will be lenited to **fh**.

**dè a dh'itheas iad agus dè a dh'òlas iad?** what will they eat and what will they drink?
**cuin a dh'fhalbas** [Galas] **sinn?** when will we leave?

The verb 'to be' in this form used with question words is **bhios**.

**cuin a bhios e ullamh?** when will it be ready?

*3* Use

As well as being used to refer to the future, the Gaelic future tense is used for

*a* habitual actions in the present

**fàgaidh i an taigh aig ochd uairean a h-uile madainn** she leaves home at 8 every morning
**gabhaidh sinn cearc gach Didòmhnaich** we have chicken on Sundays

*b* ability

**snàmhaidh i dà fhichead lapa 's a deich ann an leth-uair a thìde** she can swim 50 laps in half an hour

See also *questions* and *not* for more on the future.

# G*g*

Gael *an* Gàidheal [geh-yəl]
**the Gaels** na Gàidheil [nə geh-yel]

Gaeldom *a' Ghàidhealtachd* [ə Geh-yəltoKk]

Gaelic *(adjective)* na Gàidhlig [nə gahlik]
*(language)* Gàidhlig *(+len adj)*
**what's that in Gaelic?** dè tha sin sa Ghàidhlig? [jay ha shin sə …]
**what's Gaelic for …?** dè a' Ghàidhlig air …? [… ehr]
**do you speak Gaelic?** a bheil Gàidhlig agad? [ə vel gahlik akət]

*you may hear*

**beagan**
[behkən]
a little

**tha mi ga h-ionnsachadh**
[ha mee ga hyoonsəKəG]
I'm learning

**duilich ach chan eil mòran Gàidhlig agamsa**
[dooleeK aK Kan yel mohran gahlik akəmsə]
sorry but I don't speak much Gaelic

**chan eil mi glè fhileanta**
[Kan yel mee glay eeləntə]
I'm not very fluent

**tha aig mo sheanmhair**
[ha ek moh henəvər]
my gran does

**tha, thogadh mi leis a' Ghàidhlig**
[ha, hohkəG mee lehsh ə Gahlik]
aye, I grew up speaking it

Gaelic medium education foghlam na Gàidhlig [furləm nə gahlik]

**Gaelic-speaker** *an* neach-labhairt Gàidhlig [nyaK-lavarsht gahlik]

**Gaelic-speaking pub** *an* taigh-seinnse na Gàidhlig [tY-sheh-inshə nə gahlik]

**Galashiels** Galashiels

**gale** *a' ghèile* [ə yaylə]

**gallon** *an* galan [galən]

**gamekeeper** *an* geamair [gemər]

**gannet** *an* sùlaire [soolərə]

**garage** *a' gharaids* [ə Garij]

**garden** *an* gàrradh [gahrəG]
*(of stately home etc) an* lios [lis]

**garlic** *an* creamh [kref]

**gas** *an* gas

**gas cylinder** *an* siolandair gas ['cylinder gas']

**gay** *(adjective)* gèidh ['gay']

**gear** *(in car) an* gìor ['gear']
*(equipment) an* acainn [aKkin]

**general** *(adjective)* coitcheann [koch-Kən]

**generally** gu coitcheann [goo koch-Kən]
**generally speaking** anns a' choitcheannas [ōwns ə Koch-Kənəs]

**generation** *an* ginealach [ginələK]

**generous** fialaidh [fee-əlee]
**that's very generous of you** nach tu tha fialaidh [naK too ha ...]

**gentle** *(breeze, touch, voice)* socair [soKkir]

**gents** *(toilet)*: **the gents** na fir [nə feer]

**geography** cruinn-eòlas [krə-in-yawləs]

**German** *(adjective)* Gearmailteach [gerəmal-chəK]
*(language)* Gearmailtis *(+len adj)* [gerəmaltish]
*(person)* *an* Gearmailteach

**Germany** a' Ghearmailt [ə yerəmalch]

**get**

1 *(fetch, catch)* faigh* (a' faighinn) [fY (ə fY-yin)]
**will you get me a ...?** am faigh thu ...dhomh? [əm fY oo ... Gŏ]
**where do I get a bus for ...?** càit am faigh mi bus gu ...? [kahch əm ...]
**did you get me a newspaper?** an d'fhuair thu pàipear dhomh? [ən too-ər oo pehpər Gŏ]
**I'll get a newspaper for you** gheibh mi pàipear dhut [yehv mee pehpər Goot]

2 *(become)* fàs (a' fàs) [fahs]
**it's getting better/worse** tha e a' fàs nas fheàrr/nas miosa [ha eh ə fahs nəs shahr/nəs misə]
**are you getting tired?** a bheil thu a' fàs sgìth? [... sgee]

3 **have you got ...?** a bheil ... agad? [ə vel ... akət]
*(more formal or plural)* a bheil ... agaibh? [ ... akiv]

4 **how do I get to ...?** ciamar a ruigeas mi ...? [kyimmər ə rikəs mee]

◊ **get at** *(criticize)* obraich air (ag obair air) [ohpreeK ehr (əg ohpər ehr)]
**stop getting at him/me!** sguir a dh'obair air/orm [skoor ə Gohpər ehr/orəm]
**what are you getting at?** *(implying)* dè a tha thu a' tighinn air? [jay ha oo ə cheeyin ehr]

**it's not easy to get at** *(a place)* chan eil e furasta a ruigsinn [Kan yel eh fooræstə ə rikshin]

◊ get back *(from a place)* till (a' tilleadh) [cheel (ə cheelyəG)]

**when I get back to Glasgow** nuair a thilleas mi a Ghlaschu [noo-ər ə heel-yes mee ə GlasəKoh]

**when do we get back?** cuin a thilleas sinn? [koon-yə … sheen]

**I'll get back to you on that** thig mi air ais thugad a thaobh sin [hik mee ehr ash hookət ə hurv shin]

**when can I get it back?** cuin a gheibh mi air ais e? [koon-yə yehv mee ehr ash eh]

◊ get by *(pass, on road etc)* faigh seachad air *(+prep obj)* (a' faighinn seachad air) [fY shaKət ehr (ə fY-yin …)]

*(overtake)* beir* air *(+prep obj)* (a' breith air) [behr ehr (ə breh ehr)]

**can you get by there?** am faigh thu seachad an sin? [əm fY oo … ən shin]

**there's no room for me to get by** chan eil rùm ann dhomh faighinn seachad [Kan yel room ōwn Gŏ …]

**the lorry can't get by** chan fhaigh an làraidh seachad [Kan Y ən lahree …]

**I can't get by on £40 a day** chan urrainn dhomh a bhith beò air £40 san latha [Kan oorin Gŏ ə vee byaw ehr dah eeKet not sən lah]

**I'm not fluent but I can get by** chan eil mi fileanta, ach bidh daoine gam thuigsinn [Kan yel mee feeləntə aK bee durnyə gam hikshin]

◊ get in *(arrive: of bus, train etc)* ruig* (a' ruigsinn) [rik (ə rikshin)]

*(to building etc)* faigh* a-steach (a' faighinn a-steach)

[fY ə-shtyak (ə fY-yin …)]
**get in!** *(to car, said from inside)* trobhad a-steach! [troh-ət …]
**get in the car, we're late** trobhad a-steach dhan chàr, tha sinn fadalach [troh-ət … Gan Kar, ha sheen fatələK]

◊ get off *(bus, train)* thig* far *(+prep obj)* (a' tighinn far) [hik far (ə cheeyin far)]
**we got off the bus at the last stop** thàinig sinn far a' bhus aig an stad mu dheireadh [hahnik sheen far ə 'vus' ek ən stat moo yehrəG]
**where do I get off?** càit an tig mi dheth? [kahch ən chik mee yeh]
**this is where you should get off** seo far an tig thu dheth [shŏ far ən chik oo …]

◊ get on *(to bus, bike)* rach* air *(+prep obj)* (a' dol air) [raK ehr]
**he got on (his motorbike) and tore off** chaidh e air a' mhotar baidhg aige agus thog e air [KY eh ehr ə 'motobike' ekə agəs hohk eh ehr]
**he's getting on for 50** *(is almost)* tha e a' sreap ri 50 [ha eh ə strep ree leh-Kee-ət]
**I'm getting on a bit** 's mi tha a' fàs sean [smee ha fahs shen]
**the two of them get on very well** tha an dithis aca glè mhòr aig a chèile [ha ən jee-ish aKkə glay vohr ek ə Kaylə]
**they are getting on well at school** tha iad a' faighinn air adhart glè mhath san sgoil [ha ee-at ə fY-yin ehr ərsht glay va sən skol]
**how did you/she get on?** ciamar a chaidh dhut/dhi? [kyimmər ə KY Goot/yee]

◊ **get on with: I don't get on with him/her** chan eil mi fhìn is esan/ise a' tighinn ri chèile [Kan yel mee heen is ehsən/eeshə ə cheeyin ree Kaylə]
**get on with your work** cuir sùrd ort agus dèan d' obair [koor soort orsht agəs jee-an tohpər]

◊ **get out** *(of car)* thig* às (a' tighinn às) [hik ahs (ə cheeyin ahs)]
**she got out (of the car) and walked home** thàinig i às (a' char) agus choisich i dhachaigh [hahnik ee ahs (ə Kar) agəs KosheeK ee GaKee]
**get out!** *(of room, house)* mach à seo [maK ah shŏ]

◊ **get over** *(fence etc)* faigh* thairis air *(+prep obj)* (a' faighinn thairis air) [fY harish ehr (ə fY-yin …)]
*(disappointment)* faigh* os cionn (a' faighinn os cionn) [fY os kyoon (ə fY-yin …)]
**she never got over it** cha d'fhuair i os a chionn a-riamh [Ka too-ər ee os ə Kyoon ə-ree-əv]

◊ **get together** *(for a party, meeting)* cruinnich (a' cruinneachadh) [krə-inyeeK (ə krə-in-yəKəG)]

◊ **get up** *(in the morning, from a chair)* èirich (ag èirigh) [ayreeK (əg ayree)]
**what time do you get up?** dè an uair a bhios tu ag èirigh? [jay ən oo-ər ə vis too …]

**ghost** *an* taibhse *(+len adj)* [tYvshə]

**gift** *an* tiodhlac [chee-ələk]

**Gigha** Giogha [giGə]

**gin** *an* sineubhar [shin-evər]
**a gin and tonic** sine is tonic [shin is 'tonic']

**girl** a' *ch*aileag [ə Kalak]

**girlfriend** *am* bràmair [brah-mər]

> **Bràmair** is commonly used but you should be aware that it can also mean boyfriend. So if context isn't going to make things clear you could use **mo chaileag** [moh Kalak] (my girl) or **mo nighean** [moh nee-ən].

**girn** *SCOTS (verb)* talaich (a' talach) [taleeK (ə taləK)]

**give** thoir* (a' toirt) [hor (ə torsht)]

**will you give me ...?** an toir thu dhomh ...? [ən tor oo Gŏ]

**I gave it to him** thug mi dha e [hook mee Ga eh]

**I'll give it to you** bheir mi dhut e [vehr mee Goot eh]

◊ **give back** thoir* air ais (a' toirt air ais) [hor ehr ash (ə torsht ...)]

**they said they will give it back** thuirt iad gun toireadh iad air ais e [hoorsht ee-at goon torəG ee-at ehr ash eh]

◊ **give in** *(surrender)* gèill (a' gèilleadh) [gyayl (ə gyayl-yəG)]

**I don't know, I give in** chan eil fhios 'am, leigidh mi seachad e [Kan yel isəm, likee mee shaKət eh]

◊ **give up** *(smoking etc)* leig bho *(+prep obj)*, (a' leigeil bho) [lik voh (ə likel voh)]

**have you given up (smoking) yet?** an do leig thu bhuat smocadh fhathast? [ən doh lik oo voo-ət smoKkəG hahst]

**don't give up hope** cùm do chridhe ri dòchas [koom doh Kree-ə ree dawKəs]

**never give up** na toir thairis gu bràth [nə tor harish goo brah]

**glad** toilichte [toleeKchə]

**I'm glad** tha mi toilichte [ha mee ...]

**glaikit** *SCOTS* faoin [furn]

**Glasgow** Glaschu [glasəKoh]

glass *(drinking, material) a' gh*lainne [ə Glan-yə]
**a glass of water** glainne uisge [glan-yə ooshkə]
**a glass of wine** glainne fìon [... fee-ən]
glasses *(spectacles) na* speuclairean [spee-aKklərən]
glen *an* gleann [glōwn]
Glencoe Gleann Comhann [glyōwn kohwən]
Gleneagles Gleann Eagas [glyōwn ehkas]
Glenrothes Gleann Rathais [glyōwn rahehsh]
gloves *na* miotagan [mitəgən]
glue *an* glaodh [glurG]
go rach* (a' dol) [raK (ə dol)]
*(leave)* falbh (a' falbh) [falav]
**I'd like to go to Applecross** bu toil leam a dhol dhan Chomraich [boo təl ləm ə Gol Gan KomreeK]
**when does the bus go?** cuin a dh'fhalbhas am bus? [koon-yə Galas əm 'bus']
**the bus has gone** dh'fhalbh am bus [Galav ...]
**he's gone** dh'fhalbh e [... eh]
**where are you going?** càit a bheil thu a' dol? [kahch ə vel oo ...]
**I went there last year** chaidh mi ann an-uiridh [KY mee ōwn ən-ooree]
**we will definitely go there again** thèid sinn ann a-rithist gu dearbha [hayj sheen ōwn ə-reesh-ch goo jerəvə]
**let's go** tiugainn [chookeen]
**go on, do it!** siuthad, dèan e! [shoo-ət, jee-an eh]
**can I have a coffee to go?** am faigh mi cupa cofaidh air mo bhois? [əm fY mee koopə 'coffee' ehr moh vosh]
**can I have a go?** am faod mi oidhirp a thoirt air? [əm furt mee ur-yurp ə horsht ehr]

**gold** *an t*-òr [ən tawr]
**golf** *an* goilf ['golf']
**golf course** *an* raon goilf [rurn 'golf']
**good** math [ma] (**better/best** nas/as fheàrr [nəs/əs shahr])
**it's good for you** tha e math dhut [ha eh ma Goot]
**be good!** bi modhail! [bee moh-Gal]
**it's no good, I can't do it** cha math dhomh, cha tèid agam air [Ka ma Gŏ, Ka chayj akəm ehr]
**good!** math fhèin! [ma hayn]

Another word for 'good' is **deagh** [joh]. **Deagh** is one of the small number of Gaelic adjectives that come before the noun. And **deagh** also causes lenition.
**'s e deagh phuing a tha sin** that's a good point
**deagh bheachd!** good idea !
**tha deagh chuimhne aige** he has a good memory

**goodbye** beannachd leat [byanəKk let]
*(more formal or plural)* beannachd leibh [... liv]
**google: I googled it** rinn mi googleadh air [rYn mee googləG ehr]
**goose** *an* gèadh [gee-əG]
**got: have you got ...?** a bheil ... agad? [ə vel ... akət]
*(more formal or plural)* a bheil ... agaibh [... akiv]
**Gourock** Gurraig [goorak]
**government** *an* riaghaltas [ree-əltəs]
**GP** *an* dotair teaghlaich [dotər churliK]
**grammar** *an* gràmar [grahmər]
**granddaughter** *a'* b*h*an-ogha [ə van-oh-ə]
**grandfather** *an* seanair [shenər]

grandmother *an t-*seanmhair [ən chenəvər]
grandpa *an* seanair [shenər]
**grandpa!** a sheanair! [ə henər]
grandson *am* fear-ogha [fehr-oh-ə]
Grangemouth Inbhir Ghrainnse [in-yər GrYnshə]
granny *a' gh*ranaidh [ə Granee]
**granny!** a ghranaidh! [ə ...]
grapefruit *an t-*seadag [ən chetak]
grapefruit juice *an* sùgh seadaig [soo shetek]
grapes *na* dearcan-fìona [jehrkən-fee-ənə]
graphic designer *an* dealbhaiche grafaigeach [jeləveeKə grafeegəK]
graphics *a' gh*rafaigeachd [ə GrafeegəKk]
grass *am* feur [fee-ar]
grateful: **I'm very grateful to you** tha mi gu mòr nad chomain [tha mee goo mohr nət Kohmen]
great mòr [mohr] (**greater/-est** nas/as motha [nəs/əs maw]) *(very good)* sgoinneil [skən-yel]
**great!** sgoinneil!
**a great big tree** craobh mhòr mhòr [krurv vohr vohr]
Greece a' Ghrèig [ə Grayg]
greedy gionach [gyinəK]
green uaine [oo-ənyə]
**the Greens** am Pàrtaidh Uaine [əm pahrtee ...]

When green refers to vegetation such as trees, leaves or grass, then Gaelic uses the word **gorm** [gorəm]. **Gorm** is also the word for blue.

Greenock Grianaig [gree-ə-nehk]
greet *SCOTS (verb: cry)* guil (a' gul) [gool (ə gool)]

Gretna Greatna [gretnə]

grey glas

> There are various Gaelic words for grey. **Glas** can mean dull grey but is sometimes also used for pale green. **Liath** [lee-ə] is a silvery grey and refers, for example, to grey hair or greyish mould on food. **Liath** can also mean pale blue when referring to the sky.

grocer's *an* gròsair ['grocer']

ground *(earth) an* talamh [taləv]

**on the ground** air an talamh [ehr ən ...]

**on the ground floor** air an làr ìosal [... eesəl]

group *am* buidheann [boo-yən]

grouse *a'* chearc-fhraoich [ə Kyark-rurK]

grow fàs (a' fàs) [fahs]

**they grow their own potatoes** tha iad a' fàs a' bhuntàta aca fhèin [ha ee-at ə fahs ə voontahtə aKkə hayn]

**haven't you grown!** nach tu tha air fàs! [naK too ha ehr fahs]

◊ grow out of *(clothes)* fàs ro mhòr airson (a' fàs ro mhòr airson) [fahs roh vohr ehrson]

◊ grow up *(of person, city)* fàs mòr (a' fàs mòr) [fahs mohr]

**what do you want to do when you grow up?** dè tha thu airson dèanamh nuair a dh'fhàsas tu mòr? [jay ha oo ehrson jee-anəv noo-ər ə Gahsəs too mohr]

**oh, grow up!** na bi gòrach! [nə bee gawrəK]

guddle *Scots am* bùrach [boorəK]

guess: **I'm guessing** tha mi a' bruidhinn air thuaiream [ha mee ə brooyin ehr hoo-ərəm]

guest *an t*-aoigh [ən tur-ee]

guesthouse *an* taigh-aoigheachd [tY-ur-yəKk]

**guilty** ciontach [kyintəK]
**guitar** *an* giotàr ['guitar']
**gum** *(in mouth) an* càirean [kahren]
*(chewing gum) an* glaodh-cagnaidh [gləG-kaknee]
**gun** *an* gunna [goonə]
**gutter** *(on street, on roof) an* guitear [gəjər]
**guy** *an* duine [doon-yə]
**are you guys coming?** a bheil sibhse a' tighinn? [ə vel sheevshə ə cheeyin]
**gym** *an* diom ['gym']

**haggis** *an* taigeis *(+len adj)* [takish]
**hair** *am* falt
*(single) an* ròineag *(+len adj)* [rawnak]
**hairbrush** *a'* b*h*ruis-fhalt [ə vroosh-alt]
**haircut** *an* cliop [klip]
**hairdresser's** *an* gruagaire [groo-ə-girə]
**hair grip** *an* greim-gruaige [grə-im-groo-igə]
**hairy** *(arm etc)* ròmach [rawməK]
*(frightening)* giobach [gipəK]
**half** *an* leth [leh]
**half an hour** leth-uair a thìde [leh-hər ə heejə]
**half a pint** leth-phinnt [leh-feench]
*go to* **time**
**half term** *an* leth-theirm *(+len adj)* [leh-hehrəm]
**half term holidays** saor-làithean na leth-theirme [sur-lYən nə leh-hehrəmə]
**hall** *an* talla [talə]
**ham** *an* hama *(+len adj)* [hamə]
**hamburger** *am* burgar ['burger']
**Hamilton** Hamaltan
**hammer** *an t-*òrd [ən tohrsht]
**hamster** *an* hamstair ['hamster']
**hand** *an* làmh *(+len adj)* [lahv]
**handbag** *am* baga-làimhe [bagə-lYvə]
**handkerchief** *an* neapraigear [neprigər]

handle *(noun) a' ch*luas *(+len adj)* [ə Kloo-əs]
handmade làmh-dèanta [lahv-jee-əntə]
handsome eireachdail [ehrəKkal]
handwriting *am* làmh-sgrìobhadh [lahv-skreevəG]
hanger *an* hangar
hangover *an* ceann-daoraich [kyōwn-dureeK]
happen thachair (a' tachairt) [haKir (ə taKirsht)]
**I don't know how it happened** chan eil fhios agam ciamar a thachair e [Kan yel is akəm kyimmər ə haKir eh]
**what's happening?** dè tha tachairt? [jay ha ...]
**what happened?** dè a thachair? [jay ə ...]
happy toilichte [toleeKchə]
**ok, I'm happy with that** ceart gu leòr, tha mi toilichte le sin [kyarsht goo lyawr, ha mee ... leh shin]
harbour *a' ch*ala [ə Kalə]
hard *(substance)* cruaidh [kroo-Y]
*(difficult also)* doirbh [dirəv] (**harder/-est** nas/as dorra [nəs/əs dorə])
hard-boiled egg *an t-*ugh air a chruaidh-bhruich [ən too ehr ə Kroo-Y vroo-iK]
hardly**: there are hardly any left** *'s gann gu bheil* gin air fhàgail [sgōwn goo vel gin ehr ah-kal]
harm *(noun) an* cron
harp *a' ch*làrsach [ə KlahrsəK]
Harris Na Hearadh [nə herəG]
Harris Tweed *an* Clò Hearach [klaw heh-rəK]
harvest *(noun) am* foghar [foh-ər]
hat *an* ad [at]
hate**: I hate ...** 's beag orm ... [sbehk orəm]

## have

*1*

*a* Here is how Gaelic expresses 'to have'.

| **I have** | **you have** *(familiar)* | **he/she has** |
|---|---|---|
| tha … agam | tha … agad | tha … aige/aice |
| [ha … akəm] | [… akət] | […ekə/eKkə] |
| **we have** | **you have** *(singular polite or plural)* | **they have** |
| tha … againn | tha … agaibh | tha … aca |
| [… akin] | [… akiv] | […akə] |

**she has two sisters** tha dà phiuthar aice
**I have a plan** tha plana agam

*b* To ask a question you change **tha** to **a bheil** [ə vel].

**do you have a copy?** a bheil copaidh agad?
**does he have enough?** a bheil gu leòr aige?

*c* In the negative **tha** changes to **chan eil** [Kan yel].

**I don't have any money** chan eil airgead agam
**they don't have a chance** chan eil cothrom aca

*d* To ask a negative question you change **tha** to **nach eil** [naK el].

**don't you have you enough money?** nach eil airgead gu leòr agad?
**doesn't she have a little Gaelic?** nach eil beagan Gàidhlig aice?

*e* If you are using 'have' with somebody's name or a noun other than the pronouns above, then the Gaelic is ***tha … aig*** *+ person's name.*

**Susie has two sisters** tha dà phiuthar aig Susie

**does everybody have enough?** a bheil gu leòr aig a h-uile duine?
**Craig doesn't have any money** chan eil airgead aig Craig

*2* To make a request.

**can I have ...?** am faigh mi ...? [əm fY mee]
**can we have some water?** am faigh sinn beagan uisge?

*3*

*a* To say 'must'.

**I have to leave tomorrow** feumaidh mi falbh a-màireach [faymee mee falav ə-mahrəK]
**we have to be there by 6 o'clock** feumaidh sinn a bhith ann ro shia uairean

*b* To ask a question.

**do I have to do that? – yes, you have to** am feum mi sin a dhèanamh? – feumaidh [əm faym mee shin ə yee-anəv – faymee]

**how much do the parents have to pay?** dè a' phrìs a dh'fheumas na pàrantan pàigheadh? [jay ə freesh ə yayməs nə pahrantən pY-yəG]

*c* In the negative.

**you don't have to come too** chan fheum thu tighinn cuideachd [Kan yaym oo cheeyin koojəKk]
**I don't have to be home until 10.00** chan fheum mi bhi aig an taigh gus deich uairean

*4*

*a* To make the perfect tense (eg I have seen, she has heard) the Gaelic pattern is:

***tha*** + ***air*** + *verbal noun* (the verbal noun is the second verb form which is given in brackets in this book, but minus the **a'** or **ag**)

**tha an t-uisge air stad** the rain has stopped
**a bheil an t-uisge air stad?** has the rain stopped?
**chan eil, chan eil an t-uisge air stad** no, the rain hasn't stopped

*b* Use

Gaelic tends to use the perfect tense for things that have just happened quite recently. In general for talking about the past Gaelic will more often use the simple past tense.

**an cuala tu an t-òran seo?** (simple past in Gaelic) have you heard this song?
**tha mi air an t-òran sin a chluinntinn an-dràsta** (perfect because recent) I've just heard that song now

*c* If the sentence in the perfect tense has an object the Gaelic pattern is:
***tha*** + ***air*** + *object* + ***a*** + *lenited verbal noun*

**a bheil thu air an litir a thoirt dhi?** have you given her the letter?
**tha, tha mi air an litir a thoirt dhi** yes, I've given her the letter

The word **a** is omitted when the verbal noun starts with a vowel or **fh** + vowel.

**a bheil thu air dà phinnt òl mu thràth?** have you drunk two pints already?
**tha, tha mi air dà phinnt òl** yes, I've drunk two pints

*5* To form the pluperfect tense (eg I had seen, she had heard) you simply make these replacements.

**tha → bha**
**a bheil? → an robh?**
**chan eil → cha robh**

**bha an t-uisge air stad** the rain had stopped
**cha robh mi air dad òl idir** I hadn't drunk anything at all

◊ have back: **when can I have it back?** cuin a gheibh mi air ais e? [koonyə yehv mee ehr ash eh]

◊ have on: **she had a black dress on** bha dreasa dhubh oirre [va dresə Goo orə]
**do you have anything on tonight?** a bheil dad a' dol agad a-nochd? [ə vel dat ə dol akət ə-noKk]

Hawick Hawick [hŏ-wik]

hawk *an t*-seabhag [ən chehvak]

hay fever tinneas *(m)* an fheòir [cheenyəs ən yawr]

he e [eh]

Gaelic also has the so-called emphatic form **esan** [ehsən]. This is used to make a contrast or to show that 'he' is the important word.
**cò thuirt sin? – esan** who said that? – he did, him
**'s esan a rinn e** he did it, it was him

head *an* ceann [kyōwn] (*plural:* cinn [keen])
*(of school) an* ceannard [kyanərt]

headache: **he has a headache** tha a cheann goirt [ha ə Kyōwn gorsht]
**I have a headache** tha mo cheann goirt [ha moh ...]

headland *an* ceann-tìre [kyōwn-cheerə]

headlight *an* solas-toisich [soləs-tosheeK]

head teacher *an* ceann-sgoile [kyōwn-sgolə]

head wind *a'* ghaoth an ceann [ə Gur ən kyōwn]

health *an t*-slàinte [ən tlahnchə]
**your health!** air do shlàinte! [ehr doh hlahnchə]
healthy *(person, food)* fallain [falin]
hear cluinn* (a' cluinntinn) [klə-in (ə klə-inchin)]
**I can't hear** cha chluinn mi [Ka Klə-in mee]
**I can't hear you** chan eil mi gad chluinntinn [Kan yel mee gat Klə-inchin]
**I didn't hear what he said** cha chuala mi dè thuirt e [Ka Koo-ələ mee jay hoorsht eh]
**they won't hear us** cha chluinn iad sinn [Ka Klə-in ee-at sheen]
hearing aid *an t*-inneal claisneachd [ən cheenyel klashnəKk]
heart *an* cridhe [kree-ə]
heart attack *an* greim cridhe [grə-im kree-ə]
heat *an* teas [ches]
heater *an* teasadair [chesədər]
heather *am* fraoch [frurK]
heating *an* teasachadh [chesəKəG]
heaven *an* nèamh [nyehv]
**good heavens!** gu sealladh orm! [goo shaləG orəm]
heavy trom [trōwm]
**a pint of heavy** *Scots* pinnt 'heavy' [peench]
Hebrides: **the Hebrides** Innse Gall [eenshə gōwl]
hedgehog *a' ghràineag* [ə Granek]
heel *an t*-sàil [ən tahl]
*(of shoe)* *an* cnap-bròige [krap-broygə]
height *an* àirde [ahrsh-jə]
Helensburgh Baile Eilidh [balə aylee]

**helicopter** *an* heileacoptair ['helicopter']

**hell** *an* ifrinn [eefreen]

**a hell of a long time** cianail fada [kee-ənəl fatə]

**it hurt like hell** bha sin cianail fhèin goirt [va shin kee-ənəl hayn gorsht]

**where the hell was it!** càit an diabhail a bha e! [kahch ən jee-al ə va eh]

**hello** *(also to get attention)* hallo

**helmet** *a' chlogaid* [ə Klokij]

**help** *(verb)* cuidich (a' cuideachadh) [koojeeK (ə koojəKəG)]

**can you help me?** an urrainn dhut mo chuideachadh? [ən oorin Goot moh KoojəKəG]

**many thanks for your help** mòran taing airson do chuideachaidh [moh-ran tang ehrson doh KoojəKee]

**help!** cuidich mi! [... mee]

**hen** *a' chearc* [ə Kyark]

**her**[1] *(pronoun)*

*1* emphatic use

**who? – her** cò? – ise [koh? – eeshə]
**it's her** 's ise a th' ann [seeshə ə hōwn]

*2*

*a* As the object of a verb 'her' is **i** [ee].

**John saw her** chunnaic John i
**I know her** 's aithne dhomh i

*b* When used before a verbal noun (the second verb form given in brackets in this book) 'her' is **ga**. The **ga** comes before the verbal noun.

**who's helping her?** cò a tha ga cuideachadh?
**chan eil mi ga tuigsinn** I don't understand her

If the verbal noun starts with a vowel then **h-** is added.

**tha mi ga h-ionndrainn** [...hyoondrin] I miss her

*c* With expressions like 'I'd like, I want, they can' etc the possessive adjective for 'her' **a** is used together with the verbal noun.

**I would like to understand her** bu toil leam a tuigsinn
**who wants to help her?** cò a tha ag iarraidh a cuideachadh?
**I can't help her** chan urrainn dhomh a cuideachadh

*3* For the use of 'her' with prepositions see the tables on pages 348–349. Here are some examples.

**will you give it to her?** an toir thu *dhi* e? [ən tor oo yee eh]
**they went with her** chaidh iad còmhla *rithe* [KY ee-at kawlə ree-ə]
**a present from her** prèasant *bhuaipe* [praysant voo-əpə]
**they got here before her** ràinig iad an seo *roimhpe* [rahnik ee-at ən shŏ roypə]
**he's married to her** tha e pòsta *aice* [ha eh pawstə eKkə]

her[2] *(possessive)*

*a* The Gaelic for the possessive 'her' is **a**. This same word **a** can also mean 'his'. When it means 'his' it causes lenition. When it means 'her' it does not cause lenition.

**a màthair** her mother
**a mac** her son

If **a** is used before a word that starts with a vowel then it changes to a **h-**.

**a h-aodann** [ə hurdən] her face

*b* This word **a** is commonly used to say 'her' when talking about family members, friends, parts of your body or something with which you have a close relationship. In other cases you should wrap **an .... aice** [ən ... eKkə] around the noun. Of course, **an** can change, as shown in the main translations in this book.

**an sgoil aice** her school
**am baga aice** her bag
**na brògan aice** her shoes

*c* To stress ownership.

**is leatha am baga** it's *her* bag

herd *an* treud [trayt]

here an seo [ən shŏ]

**here you are** *(giving something)* seo dhut! [shŏ Goot]
**here he comes!** seall, tha e a' tighinn! [shal, ha eh ə cheeyin]
**come here** trobhad an seo [troh-ət ...]

heron *a'* chorra-ghritheach [ə Korə-Gree-əK]

herring *an* sgadan [skatən]

hers: **it's hers** 's leathase e [sleh-əshə eh]

**he's a friend of hers** tha e na charaid dhi [ha eh nə Karij yee]

herself i fhèin [ee hayn]

HFT (= Health and Food Technology) teicneòlas slàinte agus bìdh [tek-nyaw-ləs slahnchə agəs bee]

hi! haidh! ['hi']

hide *(something)* falaich (a' falach) [faleeK (ə faləK)]
**they hid under the bed** dh'fhalaich iad fon leabaidh [GaleeK ee-at fon lyeh-pee]

hide-and-seek falach-fead [faləK-feht]

high *(mountain, price)* àrd [ahrsht] (**higher/-est** nas/as àirde [nəs/əs ahrsh-jə]
**higher up** nas àirde shuas [nəs ahrsh-jə hoo-əz]

high chair *a' chathair* àrd [ə Kahir ahrsht]

Higher *an* Àrd-ìre [ahrsht-eerə]
**Higher Maths** Matamataig àrd-ìre [matəmatik ...]

high five! còig àrd! [koh-ik ahrsht]

high jump *an* leum àrd [laym ahrsht]

Highland cattle *an* crodh Gàidhealach [kroh geh-yələK]

Highland cow *a' bhò* Ghàidhealach [ə voh Geh-yələK]

Highland dancing *an* dannsadh Gàidhealach [dōwnsuG geh-yələK]

Highland games *na* geamaichean Gàidhealach [gehmeeKen geh-yələK]

Highlander *an* Gàidheal [geh-yəl]

Highlands *a'* Ghàidhealtachd [ə Geh-yəltəKk]
**in the Highlands** air a' Ghàidhealtachd [ehr ...]
**the Highlands and Islands** a' Ghàidhealtachd 's na h-Eileanan [... snə hehlanən]

hill *an* cnoc [kroKk] (*plural:* cnuic [kroo-iKk])
*(mountain) a' bheinn* [ə veh-in]
*(on road) a' bhruthach* [ə vroo-əK]
**we live up/down the hill** tha sinn a' fuireach shuas/shìos a' bhruthach [ha sheen ə foorəK hoo-əz/hee-əz ...]

**hill walker** *an* coisiche monaidh [kosheeKə monee]
**hill walking** *a'* c*h*nocaireachd [ə KrokirəKk]
**him**

*1* Emphatic use.

**who? – him** cò? – esan [koh? – ehsən]
**it's him** 's esan a th' ann

*2*
*a* As the object of a verb 'him' is **e** [eh].

**I don't know him** chan aithne dhomh e
**John saw him** chunnaic John e

*b* When used before a verbal noun (the second verb form given in brackets in this book) 'him' is **ga**. The **ga** comes before the verbal noun. **Ga** can also mean 'her'; but when it means 'him' it lenites the following word.

**who's helping him?** cò a tha ga chuideachadh?
**chan eil mi ga thuigsinn** I don't understand him

*c* With expressions like 'I'd like, I want, they can' etc the possessive adjective **a** (his) is used together with the verbal noun. This **a** lenites the following word.

**I'd like to understand him** bu toil leam a thuigsinn
**who wants to help him?** cò a tha ag iarraidh a chuideachadh?
**I can't help him** chan urrainn dhomh a chuideachadh

*3* For the use of 'him' with prepositions see the tables on pages 348–349. Here are some examples.

**will you give it to him?** an toir thu *dha* e? [ən tor oo Ga eh]
**they went with him** chaidh iad còmhla *ris* [KY ee-at kawlə rish]

**a present from him** preusant *bhuaithe* [praysant vooY-yə]
**they got here before him** ràinig iad an seo *roimhe* [rahnik ee-at ən shŏ roy-yə]
**she's married to him** tha i pòsta *aige* [ha ee pawstə ekə]

**himself** e fhèin [eh hayn]
**hire** *(car, hall)* fastaich (a' fastadh) [fasteeK (ə fastəG)]
**his**

*1* As possessive adjective.

*a* The Gaelic for 'his' is **a** [ə]. This same word **a** can also mean 'her'. But when it means 'his' it causes lenition.

**a mhàthair** his mother
**a mhac** his son

When used before a word that starts with a vowel, the **a** disappears.

**athair** his father

*b* This word **a** is commonly used to say 'his' when talking about family members, friends, parts of your body, something with which you have a close relationship. In other cases you should wrap **an .... aige** [ən ekə] around the noun. Of course, **an** can change, as shown in the main translations in this book.

**an sgoil aige** his school
**am baga aige** his bag
**na brògan aige** his shoes

*c* To stress ownership.

**is leis am baga** it's *his* bag

*2* As possessive pronoun.

**it's his** 's leis-san e [slehsh-sən eh]
**she's a friend of his** tha i na charaid *dha* [ha ee nə Karij Ga]

**history** *an* eachdraidh [yeKtree]
**hit** buail (a' bualadh) [boo-al (ə boo-ələG)]
**she hit him** bhuail i e [voo-al ee eh]
**hockey** hocaidh ['hockey']
**Hogmanay** *Scots* Oidhche Challainn [ə-iKə Kaleen]
**hold** *(verb)* cùm (a' cumail) [koom (ə koomal)]
**hole** *an* toll [tōwl]
**holiday** *na* saor-làithean [sur-lYən]
*(single day)* *an* saor-là [sur-lah]
*(public)* *an* latha-fèille [lah-fayl-yə]
**it's a holiday tomorrow** 's e latha-fèill' a th' ann a-màireach [sheh lah-fayl yə hōwn ə-mahrəK]
**we're on holiday** tha sinn air saor-làithean [ha sheen ehr sur-lYən]
**Holland** an Òlaind [ən awlanj]
**hollow** còsach [kawsəK]
**home** *an* dachaigh *(+len adj)* [daKee]
**at home** aig an taigh [ek ən tY]
**we went home** chaidh sinn dhachaigh [KY sheen GaKee]
**I want to go home** tha mi airson a dhol dhachaigh [ha mee ehrson ə Gol ...]
**home game** *an* gèam aig an taigh [gehm ek ən tY]
**home lunch: I'm doing home lunch today** tha mi a' gabhail diathad aig an taigh an-diugh [ha mee ə gahl jee-ə-hət ek ən tY ən-joo]

**home page** *an* duilleag-dhachaigh *(+len adj)* [doolyak-GaKee]

**homework** *an* obair-dachaigh [ohpər-daKee]

**I have a lot of homework to do** tha tòrr obair-dachaigh agam ri dhèanamh [ha tawr ... akəm ree yee-anəv]

**honest** onarach [onərəK]

**honestly?** gu fìrinneach? [goo feerinyəK]

**honey** *a'* m*h*il [ə veel]

**honeymoon** mìos nam pòg [mee-əs nəm pawg]

**hoover** *(noun) an* hùbhar [hoovər]

**I did the hoovering** ghlan mi an taigh leis a' hùbhar [Glan mee ən tY lehsh ə ...]

**hope** *(noun) an* dòchas [dawKəs]

**I hope that ...** tha mi an dòchas gu ... [ha mee ən ...]

**I hope you don't mind** tha mi an dòchas nach cuir e dragh ort [... naK koor eh drurG orsht]

**I hope so** tha mi an dòchas gu bheil [... goo vel]

**I hope not** tha mi an dòchas nach eil [... naK ehl]

**horrible** sgràthail [sgrah-hal]

**horse** *an t*-each [ən chaK]

**hospital** *an t*-ospadal [ən tospətəl]

**hostel** *an* ostail [ostal]

**hot** teth [cheh] (**hotter/-est** nas/as teotha [nəs/əs chaw-ə])

*(spiced)* spìosrach [speesrəK]

**I'm so hot!** tha mi cho teth! [ha mee Koh ...]

**it's so hot today!** tha e cho teth an-diugh! [ha eh ... ən-joo]

**hotel** *an* taigh-òsta [tY-awstə]

**hotwater bottle** *am* botal-teth ['bottle'-cheh]

**hour** *an* uair a thìde [oo-ər ə heejə]
**it takes an hour** tha e a' toirt uair a thìde [ha eh ə torsht ...]
**house** *an* taigh [tY]
**housework** *an* obair-taighe [ohpər-tYə]
**how** ciamar [kyimmər]
*(why?)* *SCOTS* carson? [karson]
**how much?** dè uibhir? [jay ooyir]
**how much is it?** dè na tha e? [jay nə ha eh]
**how long does it take?** dè cho fada 's a bheir e? [jay Koh fatə sə vər eh]
**how long have you been here?** dè cho fada 's a tha thu an seo? [... sə ha oo ən shŏ]
**how are you?** ciamar a tha thu? [kyimmər ə ha oo]
**how many?** cia mheud? [kih vee-ət]

**cia mheud** is followed by a noun in the singular.

**how many teachers are there?** cia mheud tidsear a tha ann?
**how many bedrooms?** cia mheud seòmar-cadail?

*dialogues*

*1*

**hello, how are you?**
hallo, ciamar a tha thu?
[... kyimmer ə ha oo]

**tha gu math, tapadh leat; agus thu fhèin?**
[ha goo ma, tapə let; agəs oo hayn]
fine thanks; and yourself?

**chan eil dona**
[Kan yel donə]
not too bad

**tha mi gu dòigheil, tapadh leat**
[ha mee goo doy-yel, tapə let]
I'm ok thanks

*2*
**how's things?**
ciamar a tha cùisean?
[kyimmer ə ha koo-shən]

**chan eil guth ri ràdh**
[Kan yel goo ree rah]
could be worse

**seadh, cha mhath dhuinn gearan**
[shəG, Ka va Gə-in geran]
aye, mustn't grumble

**tòrr nas fheàrr na 'n-uiridh**
[tawr nə shyahr nən-ooree]
a lot better than last year

*3*
**how's your dad?**
ciamar a tha d' athair?
[kyimmer ə ha tahər]

**och, chan eil e cho math**
[oK, Kan yel eh Koh ma]
ach, he's not doing so well

**duilich sin a chluinntinn**
[dooleeK shin ə Klə-inchin]
sorry to hear that

**can ris gun robh mi gabhail a naidheachd**
[kan rish goon roh mee gahl ə nehyəKk]
tell him I was asking for him

**canaidh gu dearbh**
[kanee goo jerəv]
I will

**however** ge-tà [kih-tah]
**human (being)** mac an duine [maKk ən doon-yə]
**humid** bruthainneach [broo-hinyəK]
**humour** *an* àbhachd [ahvoKk]
**he has no sense of humour** chan eil comas gàire aige [Kan yel koməs gahrə ekə]
**hungry: I'm/she's hungry** tha an t-acras orm/oirre [ha ən taKkrəs orəm/orə]
**I'm not hungry** chan eil an t-acras orm [Kan yel ...]
**hunting** *an t*-sealg [ən chaləg]
**Huntly** Hunndaidh [hōwndY]
**hurry: I'm/they're in a hurry** tha cabhag orm/orra [ha kavak orəm/orə]
**please hurry!** nach cuir thu cabhag ort fhèin! [naK koor oo ... orsht hayn]
◊ **hurry up: hurry up!** greas ort! [gres orsht]
**hurt: it hurts** tha e goirt [ha eh gorsht]
**my leg hurts** tha mo chas goirt [ha moh Kas ...]
**husband** *an* duine [doon-yə]
**my husband** an duine agam [ən ... akəm]
**hut** *am* bothan [bohən]

# I *i*

**I** mi [mee]

Gaelic also has the so-called emphatic form **mise** [meeshə]. This is used to make a contrast or to show that 'I' is the important word.

> **chan eil mi sgìth – chan eil no mise**
> I'm not tired – neither am I, me neither

**ice** *an* deigh *(+len adj)* [jə-ee]

**ice cream** *an t-*uachdar reòite [ən too-əKkər ryawchə]
*(cone, individual) an* reòiteag *(+len adj)* [ryawchak]
**would you like some ice cream?** am bu toil leat uachdar reòite? [əm boo təl let oo-əKkər ...]
**can I have an ice cream?** am faigh mi reòiteag? [əm fY mee ...]

**Iceland** Innis Tìle [eensh cheelə]

**ICT (=information and communications technology)** teicneòlas fiosrachaidh is conaltraidh [teknyawləs fisrəKee is konəltree]

**idea** *am* beachd [əm byaKk]
**good idea!** deagh bheachd! [joh vyaKk]
**no idea!** chan eil sgot agam! [Kan yel skot akəm]

**idiot** *(male) an t-*amadan [ən tamədən]
*(female) an* òinseach [awnshəK]

**idiotic** amaideach [amijəK]

**if** ma [mə]

In sentences with a negative verb the Gaelic for 'if' changes and becomes **mur** [moor] or **mura** [moorə].

**if anyone has a pen with them**
ma thug duine peann leis

**if anyone doesn't have a pen with them**
mur tug duine peann leis

If the Gaelic verb is a form of **tha** then 'if' with a negative is **mura bheil** [moorə vel].

**do you want to come with us?**
a bheil thu airson tighinn còmhla rinn?

**if you don't want to come with us**
mura bheil thu airson tighinn còmhla rinn

**ill** tinn [cheen]
**I feel ill** tha mi a' faireachdainn tinn [ha mee ə farəKkin ...]
**he's very ill just now** tha e glè ìosal an-dràsta [ha eh glay eesəl ən-drahstə]

**illegal** mì-laghail [mee-lurGal]

**illness** *an* tinneas [cheenyəs]

**image** *(public image) an* ìomhaigh [ee-əvee]

**imagination** *am* mac-meanmna [maKk-menəm-nə]
**it's all in your imagination** chan eil ann ach do mhac-meanmna [Kan yel ōwn aK doh vaKk-menəm-nə]

**immediately** air ball [ehr bōwl]

**important** cudromach [koodrəməK]
**it's very important** tha e glè chudromach [ha eh glay KoodrəməK]

**impossible** do-dhèanta [doh-yee-əntə]

**impressive** drùidhteach [droochəK]

**improve** leasaich (a' leasachadh) [leseeK (ə lesəKəG)]
**I want to improve my Gaelic** tha mi airson mo

chuid Gàidhlig a leasachadh [ha mee ehrson moh Kooj gahlik ...]

**improvement** *an* leasachadh [lesəKəG]

**in**

*1*

*a* **ann an** [ōwn ən]

| | |
|---|---|
| **ann an taigh-bìdh** | in a restaurant |
| **ann an Dùn Èideann** | in Edinburgh |
| **ann an Alba** | in Scotland |
| **ann an 1982** | in 1982 |

*b* **ann am** [ōwn əm] is used when the following word starts with b, f, m or p.

| | |
|---|---|
| **ann am bùth** | in a shop |
| **ann am Malaig** | in Mallaig |
| **ann am Breatainn** | in Britain |

*2*

*a* When a definite article follows (when you say 'in the') the Gaelic is **anns an** [ōwns ən]. This can be shortened to **san** [sən].

**anns an taigh-bìdh, san taigh-bìdh**
in the restaurant
**anns an oisean, san oisean**
in the corner

*b* Of course, the way Gaelic uses the definite article is not always the same as English.

**in fashion** anns an fhasan
**in France** anns an Fhraing
**in Spain** anns an Spàinn

*c* **anns an** lenites words that start with f.

**anns an fhraoch** [...rurK] in the heather

*d* **anns a'** *(+lenition)* is used when the following word starts with b, c, g, m or p. The short form **sa** is also possible.

**anns a' chàr, sa chàr** in the car
**anns a' chlobhsa, sa chlobsa** in the close
**anns a' bhàr, sa bhàr** in the bar
**anns a' chidsin, sa chidsin** in the kitchen
**anns a' ghàrradh, sa ghàrradh** in the garden

The short form **sa** becomes **san** in front of a vowel or a vowel sound.

**san oifis** in the office
**san fhasan** [sən asan] in fashion

*3* Some other uses.

**is he in?** *(at home)* a bheil e a-staigh? [... ə-stə-ee]
**he's not in today** *(not at work)* chan eil e a-staigh an-diugh
**black is in** tha dubh san fhasan [ha doo sən asan]

**inch** *an* òirleach [awrləK]

**include** gabh a-steach (a' gabhail a-steach) [gav ə-shtyaK (ə gahl ...)]

**inclusive** *(socially)* in-ghabhalach [in-GavələK]
**from Tuesday to Friday inclusive** o Dhimàirt gu Dihaoine a' gabhail a-steach a h-uile rud [oh yeemahrsht goo jeehurn-yə ə gahl ə-shtyaK ə hoolə root]

**increase** *(offer, size etc)* meudaich (a' meudachadh) [mee-əteeK (ə mee-ətə-KəG)]

**incredible** *(amazing)* do-chreidsinn [doh-Krehj-shin]

**independence** neo-eisimeileachd [nyŏ-ehshiməlǝKk]

**independent** neo-eisimeileach [nyŏ-ehshiməlǝK]

**indigestion** *an* dìth-cnàmhaidh *(+len adj)* [jee-krahvee]
**indoor activities** *na* gnìomhan a-staigh [gree-əvən ə-stə-ee]
**indoors** *(be)* a-staigh [ə-stə-ee]
*(go)* a-steach [ə-shtyaK]
**industry** *an* gnìomhachas [gree-əvəKəs]
**infant** *an* naoidhean [nur-yen]
**infection** *an* galar-ghabhail [galər-Gahl]
**infectious** gabhaltach [ga-əltəK]
**inferior** *(quality)* bochd [boKk]
**influence** *(noun)* *a'* b*h*uaidh [ə voo-Y]
**information** *am* fiosrachadh [fisrəKəG]
**injection** *an* in-stealladh [in-shtyaləG]
**injured** air a leòn [ehr ə lawn]
**injury** *an* dochann [doKan]
**ink** *an* inc
**inkjet printer** *an* clò-bhualadair 'inkjet' [klaw-voo-ələdir]
**innocent** neo-chiontach [nyŏ-KintəK]
**insect** *a'* m*h*eanbh-fhrìde [ə venəv-reejə]
**insect repellent** *am* bacadh-biastaig [baKkəG-bee-əstik]
**inside** *(be)* a-staigh [ə-stə-ee]
*(go)* a-steach [ə-shtyaK]
**let's go inside** tiugainn a-steach [chookeen ə-shtyaK]
**insist: I insist** tha mi a' cur ìmpidh ort [ha mee ə koor eempee orsht]
**instead: can I have that one instead?** am faigh mi am fear sin 'na àite? [əm fY mee əm fehr shin nə ah-chə]
**instead of going to ...** an àite a bhith a' dol gu ... [ən ah-chə ə vee ə dol goo ...]

**instead of me** nam àite [nəm ...]
**instead of her** na h-àite

**instrument** *(musical) an t*-inneal-ciùil [ən cheenyəl-kyool]

**insurance** *an t*-àrachas [ən tahrəKəs]

**insure: we are insured** tha sinn fo àrachas [ha sheen foh ahrəKəs]

**intelligence** *an* tuigse *(+len adj)* [tikshə]

**intelligent** tuigseach [tikshəK]

**intention** *an* rùn [roon]
**that was not my intention** cha b' e sin a bha an rùn dhomh [Ka beh shin ə va ən roon Gŏ]

**interest** *(in subject) an* ùidh [ooyee]

**interested: are you interested in ...?** a bheil ùidh agad ann an ...? [ə vel ooyee akət ōwn ən ...]

**interesting** inntinneach [eenchin-yəK]

**intermediate class** *an* clas eadar-mheadhanach [klas ehtər-vee-ənəK]

**international** eadar-nàiseanta [ehtər-nahshəntə]

**Internet** *an t*-Eadar-lìon [ən chehtər-lee-ən]
**on the Internet** air an Eadar-lìon [ehr ən ehtər-lee-ən]

**Internet access** cothrom air an Eadar-lìon [korom ehr ən ehtər-lee-ən]

**Internet café** *an* cafaidh Eadar-lìn [kafee ehtər-leen]

**interview** *(noun) an t*-agallamh [ən takələv]

**into** a-steach dha [ə-shtyaK Ga]
**when he came into the room** nuair a thàinig e a-steach dhan rùm [noo-ər ə hahnik eh ə-shtyaK Gan room]
**he jumped into the water** leum e dhan uisge [laym eh Gan ooshkə]

**can you translate it into English** an cuir thu Beurla air? [ən koor oo bayrlə ehr]

**I'm not into that** *(don't like)* chan eil sin a' còrdadh rium [Kan yel shin ə kawrdəG room]

introduce: **can I introduce Mr ...?** is e seo Mgr ... [sheh shŏ mYsh-chər]

Inveraray Inbhir Aora [in-yər ərə]

Inverness Inbhir Nis [in-yər nish]

Inverurie Inbhir Uaraidh [in-yər oo-wəree]

invitation *an* cuireadh [koorəG]

**thanks for the invitation** tapadh leat airson a' chuiridh [tapə let ehrson ə Kooree]

invite: **you are invited to a party at ...** tha sibh air ur fiathachadh gu pàrtaidh aig ... [ha shiv ehr oor fee-əKəG goo pahrtee ek ...]

involve: **what does it involve?** dè a tha an sàs ann? [jay ha ən sahs ōwn]

**I wasn't involved in it** *(actively)* cha do ghabh mise gnothach ris [Ka doh Gav mishə grŏ-əK rish]

Iona Eilean Ì [aylan ee]

Ireland Èirinn [ayrin]

Irish Èireannach [ayrənəK]

**Irish Gaelic** Gàidhlig na h-Èireann [gahlik nə hayrin]

Irishman *an t*-Èireannach [ən tayrənəK]

Irishwoman *a'* b*h*an-Èireannach [ə van-ayrənəK]

iron *(for clothes) an t*-iarann [ən chee-ərən]

ironing: **who does the ironing?** cò a bhios ag iarnaigeadh? [koh vis əg ee-urneegəG]

irrelevant neo-bhuntainneach [nyŏ-voontanyəK]

is *go to* be

**island** *an t*-eilean [ən chehlan]
**on the island** anns an eilean [ōwns ən ehlan]
**islander** *an t*-eileanach [ən chehlanəK]
**Islay** Ìle [eelə]
**it**

a When 'it' refers to something specific (an object, a thing) you use either **e** [eh] or **i** [ee]. **E** is for nouns that are masculine and **i** for nouns that are feminine. See 1d on page 276.

**am baidhg agam, càit a bheil e?**
my bike, where is it?
**an t-seacaid agam, càit a bheil i?**
my jacket, where is it?

b Here are examples where there is no specific reference, where the word 'it' is not replacing something.

**it's him** 's esan a th' ann
**it's a long way** 's e astar mòr a th' ann
**it's a bit late** tha e beagan anmoch

When talking about the weather Gaelic uses either **i** or **e**, depending on the region.

**it's cold today** tha i *or* e fuar an-diugh

c The Gaelic for 'it' as used in a phrase containing a verbal noun (that is the second verb form given in brackets in this book) is **ga**. The **ga** comes before the verbal noun. **Ga** lenites the following verbal noun only if it is replacing a masculine noun.

**an dàn sin … chan eil mi ga thuigsinn**
that poem … I don't understand it

d With expressions for 'I'd like' the possessive adjective is used together with the verbal noun.

**bu toil leam a thuigsinn** *(***a** *replacing masculine noun)*
I would like to understand it
**bu toil leam a tuigsinn** *(***a** *replacing feminine noun)*
I would like to understand it

e A few expressions.

**that's it!** sin e! [shin eh]
**that does it!** tha sin cus!
**cool it!** socair, socair! [soKkir]
**leave it!** fàg e!

**Italian** *(adjective)* Eadailteach [ehdalchəK]
*(language)* Eadailtis *(+len adj)* [ehdaltish]
*(person) an t-*Eadailteach [ən chehdalchəK]

**Italy** an Eadailt [ən ehdalch]

**itch: it itches** tha tachas orm [ha taKəs orəm]

**its**

Go to either 'his' or 'her' depending on whether the noun is masculine or feminine.

# J*j*

**jacket** *an t-*seacaid [ən chaKkij]
**jacket potato** *am* buntàta àmhainne [boontahtə ahveenyə]
**Jacobites** *na* Seumasaich [shayməseeK]
**jag** *SCOTS (injection) am* briogadh [brikəG]
**jam** *an* silidh [sheelee]
  **traffic jam** *an* stopadh trafaig [stopəG trafek]
**janitor** *an* dorsair [dorsar]
**January** am Faoilleach [əm furl-yəK]
  *see* **April**
**Japan** an Iapan [ən yapan]
**jealous** farmadach [farəmətəK]
  **he is jealous of them** tha farmad aige riutha [ha farəmət ekə roo-ə]
**jeans** *na* dinichean [jeeneeKən]
**Jedburgh** Jedburgh [jedbrə]
**jetty** *an* laimrig *(+len adj)* [lYmrik]
**jewellery** *an t-*seudraidh [ən chaydree]
**job** *an* obair [ohpər]
  **I have a part-time job** tha obair phàirt-ùine agam [ha … fahrsht-oon-yə akəm]
  **that's your job!** sin an obair agadsa! [shin ən … akətsə]
  **good job you told me!** 's math gun do dh'inns thu dhomh! [sma goon doh yeensh oo Gŏ]
**jog** *(verb)* ruith (a' ruith) [roo-ee]
  **I'm going for a jog** thèid mi a ruith [hayj mee …]
**jogger** *(person) an* neach-ruith [nyaK-roo-ee]

**joggers, joggy bottoms** *a'* b*h*riogais-spòrs [ə vrikish-spawrs]

**jogging suit** *an* deise-spòrs *(+len adj)* [jehshə-spawrs]

**John o' Groats** Taigh Iain Ghròt [tY ee-an Grot]

◊**join in** gabh an sàs (a' gabhail an sàs) [gav ən sahs (ə gahl …)]

**joiner** *an* saor [sur]

**joke** *(noun) an* f*h*ealla-dhà [yalə-Gah]

**you must be joking!** chan eil mi gad chreidsinn! [Kan yel mee gat Krehj-shin]

**it's no joke** chan eil e na shùgradh [… eh nə hoogrəG]

**jotter** *SCOTS an* diotar ['jotter']

**journalist** *an* naidheachdair [neh-yəKkər]

**journey** *an* turas [toorəs]

**have a good journey!** turas math leat! [… ma let]

**judge** *(noun) am* britheamh [bree-həv]

**July** an t-Iuchar [ən chooKər]

*see* **April**

**jump: jump over!** leum thairis air! [laym harish ehr]

**you made me jump** thug thu clisgeadh orm [hook oo kleeshgəG orəm]

**junction** *an* ceann-rathaid [kyōwn-rah-ij]

**June** an t-Ògmhios [ən tawg-vis]

*see* **April**

**junk** *an* truileis *(+len adj)* [troolesh]

**junk food** *am* freachdan [fryaKkən]

**Jura** Diùra [joora]

**just** *(only, exactly)* dìreach [jeerəK]

**just a little** dìreach beagan [… behkən]

**just there** dìreach an sin [... ən shin]
**just now** an-dràsta [ən-drahstə]
**not just now** chan ann an-dràsta [Kan ōwn ...]
**he was here just now** bha e ann an-dràsta [va eh ōwn ...]
**that's just right** sin e dìreach [shin eh ...]
**there are just two left** chan eil ach dà air fhàgail [Kan yel aK dah ehr ahkal]

In this use of 'just', meaning 'only', Gaelic uses a negative verb (and says literally: there are not but two left). Here's another example:

**I have just a little** chan eil ach beagan agam

**kale** *an* càl [kahl]

**keek** *Scots*: **can I have a wee keek?** am faigh mi dìdeag? [əm fY mee jeejak]

**keen: he's keen on sport** tha e dèidheil air spòrs [ha eh jay-el ehr spawrs]

**do you want to go? – I'm not keen** a bheil thu ag iarraidh a dhol ann? – chan eil mi cinnteach [ə vel oo əg ee-əree ə Gol ōwn – Kan yel mee keenchəK]

**keep: can I keep it?** am faod mi a chumail? [əm furt mee ə Koomal]

**you keep it** cùm agad fhèin e [koom akət hayn eh]

◊ **keep on: don't keep on so!** cuir srian air do theangaidh! [koor stree-ən ehr doh heng-ee]

**it keeps on breaking** tha e an-còmhnaidh a' briseadh [ha eh ən-kawnee ə breeshəG]

◊ **keep up: you're going too fast, they can't keep up** tha thu a' dol ro luath, cha chùm iad ceum riut [ha oo ə dol roh loo-ə, Ka Koom ee-at kaym root]

**some students are finding it hard to keep up** tha e doirbh le cuid de na sgoilearan cumail ris [ha eh dirəv leh kooj jeh nə skolerən koomal rish]

◊ **keep up with** cùm ri (a' cumail ri) [koom ree (ə koomal ree)]

**he can't keep up with the others** chan urrainn dha cumail ri càch [Kan oorin Ga … kahK]

**Keith** Baile Chè [balə Kay]

**kelpie** *Scots an t*-each-uisge [ən chaK-ooshkə]

**Kelso** Cealsaidh [kelsee]

**ken** *Scots*: **I dinna ken** chan eil fios agam [Kan yel fis akəm]

**dae ye ken my name?** an aithne dhut m' ainm? [ən anyə Goot menəm]

**kettle** *an* coire [korə]

**key** *an* iuchair [yooKir]

**he has his own key** tha iuchair aige fhèin [ha ... ekə hayn]

**kick** *(ball)* breab (a' breabadh) [brep (ə brepəG)]

**kill** marbh (a' marbhadh) [marav (ə maravəG)]

**Kilmarnock** Cille Mheàrnaig [kil-yə vyahrnek]

**kilo** *an* cileagram [kiləgram]

**kilometre** *an* cilemeatair [kiləmehtər]

**kilt** *am* fèileadh [fayləG]

**kind: that's very kind of you** tha sin laghach [ha sin lur-əK]

**what kind of ...?** dè an seòrsa ...? [jay ən shawrsə]

**king** *an* rìgh [ree]

**Kingussie** Ceann a' Ghiùthsaich [kyōwn ə yooseeK]

**kirk** *Scots an* eaglais [eklish]

**Kirkcaldy** Cair Chaladain [kar Kaladehn]

**Kirkcudbright** Cille Chuithbeirt [kil-yə Koobehrsht]

**Kirkintilloch** Cair Cheann Tulaich [kar Kyōwn tooleeK]

**Kirkwall** Baile na h-Eaglaise [balə nə hekleh-shə]

**kiss** *a'* phòg [ə fawg]

*(verb)* pòg (a' pògadh) [pawg (ə pawgəG)]

**kitchen** *an* cidsin ['kitchen']

**kitten** *a'* p*h*iseag [ə fishak]
**klype** *Scots (telltale) an* cabaire [kapirə]
**knee** *a'* ghlùn [ə Gloon]
**knife** *an* sgian *(+len adj)* [skee-ən]
**knit** figh (a' fighe) [fee (ə fee-yə)]
**knitting: knitting is getting more popular again** tha daoine a' fàs measail air fighe a-rithist [ha durn-yə ə fahs mesal ehr fee-yə ə-reesh-ch]
**knock** *(verb: at door)* gnog (a' gnogadh) [gnok (ə gnokəG)]
◊ **knock over** *(vase etc)* leag (a' leagail) [lek (ə lekal)]
**he's been knocked over** *(by a car)* chaidh a leagail [KY ...]
**know**
1 **I know ...** *(facts, details)* tha fios agam air ... [ha fis akəm ehr ...]
**I don't know** chan eil fios agam [Kan yel ...]
**he/she knows where it is** tha fios aige/aice càit a bheil e [ha fis ekə/eKkə kahch ə vel eh]
**I don't know anything about it** *(about what happened)* chan eil fios agam air dad mu dheidhinn [... ehr dat moo yay-in]
**I didn't know that** cha robh fios agam air sin [Ka roh ... ehr shin]
**I knew you'd say that!** bha fios agam gun canadh tu sin! [va ... goon kanəG too shin]
**yes, I know, it's terrible** seadh, tha e uabhasach [shəG, ha eh oo-əvəsəK]
2 *(have knowledge of, recognize)* 's aithne dhomh ... [sanyə Gŏ ...]

**do you know the Macleods?** *(do you know who they are?)* an aithne dhut na Leòdaich? [ən anyə Goot nə lyawdeeK]

**do you know how to wire a plug?** an aithne dhut uèir a chur ri pluga? [... wayr ə Koor ree plugə]

3 **I know ...** *(am familiar with)* tha mi eòlach air ... [ha mee yawləK ehr ...]

**do you know the Macleods?** a bheil thu eòlach air na Leòdaich? [ə vel oo ... ehr nə lyawdeeK]

**I don't know anything at all about maths** chan eil mi eòlach air matamataigs idir [Kan yel mee ... ehr matəmatiks eejir]

**I don't know the area** chan eil mi eòlach air an sgìre [... ən skeerə]

**she knows a lot about computers** tha i glè eòlach air coimpiutairean [ha ee glay ... kompyootərən]

**they've known each other for a long time** tha iad eòlach air a chèile bho chionn fhada [ha ee-at ... ə Kaylə voh Kyoon atə]

knowledge *am* fios [fis]

# L *l*

**label** *a'* b*h*ileag [ə veelak]
**laboratory** *an* deuchainn-lann *(+len adj)* [jee-əKən-lōwn]
**Labour** am Pàrtaidh Làbarach [əm pahrtee lahbərəK]
**laces** *na* barraillean [baralən]
**ladder** *am* fàradh [fahrəG]
**ladies** *(toilet)* taigh-beag *(m)* nam ban [tY-behk nəm ban]
*(sign on door)* mnathan [mra-ən]
**ladies' singles** cluichean singilte nam ban [klə-iKən shingilchə nəm ban]
**lady** *a'* b*h*ean-uasal [ə ven-oo-əsəl]
*(well-dressed, posh)* *an* leadaidh *(+len adj)* [letee]
**ladies and gentlemen** a mhnathan 's a dhaoine-uaisle [ə vra-ən sə Gurnyə-oo-əshlə]
**lager** *an* làgar ['lager']
**Lairg** Luirg [loorəg]
**lamb** *(meat)* *an* uainfheòil [oo-anyol]
*(animal)* *an t-*uan [ən too-ən]
**lamp** *an* lampa [lampə]
**lamppost** *am* post-lampa [pohst-lampə]
**lampshade** *an* sgàil-lampa *(+len adj)* [skahl-lampə]
**Lanark** Lannraig [lōwnrehk]
**land** *(noun, seen from sea)* *an* tìr *(+len adj)* [cheer]
*(agricultural)* *am* fearann [ferən]
**on dry land** air tìr [ehr ...]
**landlord** *(of flat)* *an t-*uachdaran-taighe [ən too-əKkərən-tY-yə]

**lane** *(country road) am* frith-rathad [free-rah-ət]
*(narrow street) a'* chaol-shràid [ə Kurl-hrahj]
*(on M-way) an* sreath *f or m* [streh]
**language** *an* cànan [kahnən]

> The Gaelic for 'language' can also be feminine, in which case it is **a' chànain** [ə Kahnen].

**language course** *an* cùrsa cànain [koorsə kahnen]
**language lesson** *an* leasan cànain [lesən kahnen]
**laptop** *an* coimpiutair-uchd ['computer'-ooKk]
**large** mòr [mohr] (**larger/largest** nas/as motha [nəs/əs maw])
**Largs** An Leargaidh [ən lerəgee]
**laryngitis** 'laryngitis'
**laser** *(also printer) an* leusair [laysər]
**last** *(in series)* mu dheireadh [moo yehrəG]
*(most recent)* as ùire [əs oorə]
**he was last to arrive** b' esan a ràinig mu dheireadh [behsən ə rahnik ...]
**last year** an-uiridh [ən-ooree]
**last week** an t-seachdain sa chaidh [ən chaKkin sə KY]
**last night** a-raoir [ə-rur]
**at last!** mu dheireadh thall! [... hōwl]
**how long does it last?** dè cho fada 's a mhaireas e? [jay Koh fatə sə vares eh]
**late** *(at night)* anmoch [anəmoK]
*(behind time)* fadalach [fatələK]
**don't be late** *(not punctual)* na bi fadalach [nə bee ...]
*(at night)* na bi anmoch [nə bee anəməK]
**it's a bit late** tha e beagan anmoch [ha eh behkən ...]

**sorry I'm late** duilich, tha mi fadalach [dooleeK …]
**hurry, we're late** dèan cabhag, tha sinn fadalach [jee-an kavak, ha sheen …]
**at the latest** aig a' char as anmoiche [ek ə Kar əs anəmeeKə]

**later** nas fhaide air adhart [nəs ajə ehr ərsht]
*(in the day)* nas anmoiche [nəs anəmeeKə]
**see you later** mar sin leat an-dràsta [mar shin let ən-drahstə]
*(to several people)* mar sin leibh an-dràsta [… liv …]

**laugh** *(verb)* dèan* gàire (a' gàireachdainn) [jee-an gahrə (ə gahrəKkin)]
**don't laugh** na dèan gàire [nə …]
**it was a good laugh** 's e sùgradh a bh' ann [sheh soogrəG ə vōwn]

◊ **laugh at** *(person)* fanaid air (a' fanaid air) [fanij ehr]
**you shouldn't laugh at them** cha bu chòir dhut fanaid orra [Ka boo Kawr Goot … orə]

**launderette** *am* bùth-nighe [boo-neeyə]

**lavatory** *an* toidhleat ['toilet']

**law** *an* lagh [ləG]
**it's against the law** 's ann an aghaidh an lagha a tha sin [sōwn ən əGee ən ləG ə ha shin]

**lawn** *an* rèidhlean [raylan]

**lawyer** *an* neach-lagha [nyaK-ləGə]

**lay-by** *am* far-rathad [far-rah-ət]

**lazy** leisg [leshk]
**he's a lazy so-and-so** 's e mac-leisg a th' ann [sheh maKk-lehshk ə hōwn]

**leaf** *an* duilleag *(+len adj)* [doolyak]

**leak: there's a leak in ...** tha snigheadh san ... [ha sniyəG sən ...]
**it leaks** tha e aoidionach [ha eh urjee-ənəK]
**learn: I want to learn ...** tha mi airson ... ionnsachadh [ha mee ehrson ... yoonsəKəG]
**I'm learning Gaelic** tha mi ag ionnsachadh Gàidhlig [ha mee əg ... gahlik]
**learner driver** *an* dràibhear foghlamach [drYvər furləməK]
**lease** *(for flat) an* gabhail [gahl]
**least: not in the least** chan eil air dhòigh sam bith [Kan yel ehr Goy səm bee]
**at least 20** 20 aig a' char as lugha, co-dhiù 20 [feeKet ek ə Kar əs looGə, koh-yoo ...]
**leather** *an* leathar [lehər]
**leave** *(go away)* falbh (a' falbh) [falav]
*(something in a place)* fàg (a' fàgail) [fahk (ə fahkal)]
**we're leaving tomorrow** bidh sinn a' falbh a-màireach [bee sheen ə ... ə-mahrəK]
**when does the ferry leave?** cuin a dh'fhalbhas am bàt'-aiseig? [koon-yə Galas əm baht-ashek]
**I left my gloves in the classroom** dh'fhàg mi mo mhiotagan sa chlasrum [Gahk mee moh vitəgən sə Klasroom]
**can I leave this here?** am faod mi seo fhàgail ann? [um furt mee shŏ ahkal ōwn]
**leave her alone** leig leatha [lehk leh-ə]
◊ **leave behind** *(intentionally, forget)* fàg (a' fàgail) [fahk (ə fahkal)]
**lecture** *an* òraid [awrij]
**lecturer** *an t-*òraidiche [ən tawrijeeKə]
**left** *(not right)* clì [klee]

**on the left** air an làimh chlì [ehr ən lYv Klee]
**with my left hand** le mo chearrag [leh moh Kyarak]

lefthand clì [klee]
**on the lefthand side of the road** air taobh clì an rathaid [ehr turv klee ən rah-ij]

left-handed clì-làmhach [klee-lahvəK]

leg *a'* chas [ə Kas]

legal *(permitted)* ceadaichte [keteeK-chə]

leisure *(ease) an* athais [ahish]
**do it at your leisure** dèan air d' athais e [jee-an ehr tahish eh]

lemon *an* liomaid *(+len adj)* [limij]

lemonade *an* liomaineud [limanayd]

lend: **will you lend me your ...?** an toir thu dhomh iasad do ...? [ən tor oo Gŏ ee-əsət doh ...]

lens *(contact) an* lionsa *(+len adj)* [linsə]

Lerwick Lerwick

less nas lugha [nəs looGə]
**less than that** nas lugha na sin [... nə shin]
**less expensive** nas saoire [... sur-rə]
**less pessimistic** nas dòchasaiche [... dawKəseeKə]

Note that in the last two examples Gaelic is actually saying 'cheaper' and 'more optimistic'.

lesson *an* leasan [lesan]

let: **let me help** leig leam cuideachadh [lehk ləm koojəKəG]
**let me go!** *(let go of me)* leig às mi! [lehk ahs mee]
**could you let me get out here?** an leigeadh tu às mi an seo? [ən lehkəG too ahs mee ən shŏ]
**let's go** tiugainn [chookeen]

**we can't let them do that** cha leig sinn leotha sin a dhèanamh [Ka lehk sheen loh-ə shin ə yee-anəv]

◊ **let down** *(hair)* fuasgail (a' fuasgladh) [foo-əsgal (ə foo-əsgləG)]

**we feel let down** tha briseadh-dùil againn [ha breeshəG-dool akin]

**I don't want to let you down** chan eil mi airson do mhealladh [Kan yel mee ehrson doh vyaləG]

◊ **let off** *(not punish, also from bus)* leig às (a' leigeil às) [lehk ahs (ə lehkel ahs)]

**can you let me off at the next corner?** an leig thu às mi aig an ath oisean? [ən lik oo ahs mee ek ən ah hoshen]

**letter** *(in mail, of alphabet) an* litir *(+len adj)* [leechir]

**letterbox** *am* bogsa-litrichean [boksə-leetriKən]

**lettuce** *an* leatas [letəs]

**level crossing** *a'* c*h*rois-rèile [ə Krosh-raylə]

**Lewis** Leòdhas [lyoh-əs]

**liable** *(responsible)* buailteach [boo-əltəK]

**liar** *am* breugaire [bree-akirə]

**Lib-Dem: the Lib-Dems** na Libearalaich-Deamocratach [nə liberəleeK-demohkratəK]

**library** *an* leabhar-lann *(+len adj)* [lyaw-ərlən]

**licence** *(noun) an* cead [keht]

**lid** *an* ceann [kyōwn] (*plural*: cinn [keen])

**lie**[1] *(untruth) a'* b*h*reug [ə vree-ak]

**did you lie to me?** an do dh'inns thu breug dhomh? [ən doh yeensh oo bree-ak Gŏ]

**lie**[2]**: it was lying on the floor** bha e na laighe air an làr [va eh nə lY-yə ehr ən lahr]

◊ **lie down** laigh (a' laighe) [lY (ə lY-yə)]

**lie down!** laigh sìos! [lY shee-əz]
life *a' bh*eatha [ə veh-hə]
**all her life/all my life** fad a beatha/fad mo bheatha [fat ə beh-hə/fat moh veh-hə]
**that's life** sin an saoghal [shin ən sur-əl]
lifestyle *an* dòigh-bheatha *(+len adj)* [doy-veh-hə]
lift: **do you want a lift?** a bheil thu ag iarraidh lioft? [ə vel oo əg ee-əree lift]
**could you give me a lift?** an toir thu dhomh lioft? [ən tor oo Gŏ ...]
**the lift isn't working** chan eil an lioft ag obair [Kan yel ən lift əg ohpər]
light *an* solas [soləs]
*(adjective: not heavy)* aotrom [urtrəm]
*(not dark)* soilleir [səl-yər]
**the lights aren't working** chan eil na solais ag obair [Kan yel nə solish əg ohpər]
**will you put the light out** an cuir thu dheth an solas [ən koor oo yeh ən ...]
**light blue** soilleir-ghorm [səl-yər-Gorəm]
light bulb *am* bolgan [boləgən]
lighter *an* lasadair [lasədər]
lightning *an* dealanach [jalənəK]
like

1 **would you like ...?** am bu toil leat ...? [əm boo təl let ...]
**what would you like?** dè am bu toil leat? [jay ...]
**I'd like a ...** bu toil leam ... [... ləm]
**would you like to come too?** am bu toil leat thighinn ann cuideachd? [... heeyin ōwn koojəKk]
**yes, I'd like to** bu toil [boo təl]

2 **I like it** 's toil leam e [stəl ləm eh]
**I like you** 's toil leam thu [... oo]
**I don't like it** cha toil leam e [Ka təl ləm eh]

3 **what's it like?** cò ris a tha e coltach? [koh rish ə ha eh koltəK]
**do it like this** dèan *mar* seo e [jee-ən mar shŏ eh]
**one like that** *(masculine noun)* fear coltach ri seo [fehr koltəK ree shŏ]
*(feminine noun)* tè coltach ri seo [chay ...]

likeable: **a likeable sort of person** duine bàidheil [doon-yə bY-yel]

line *an* loidhne *(+len adj)* [loyn-yə]
*(of poem) an* sreath [streh]

links *Scots (sausages) na h-*isbeanan [nə heeshbanən]

Linlithgow Gleann Iucha [glyōwn yooKə]

lip *a'* b*h*ile [ə veelə]

lipstick *(the dispenser) am* bioran-bile [birən-beelə]
**she put lipstick on** chuir i peanta-bile oirre [Koor ee pentə-beelə orə]

Lismore Lios Mòr [lis mohr]

list *(noun) an* liosta *(+len adj)* [listə]

listen èist (ag èisteachd) [ayshch (əg aysh-chəKk)]
**listen!** èist!

◊ listen to *(radio)* èist ri (ag èisteachd ri) [ayshch ree (əg aysh-chəKk ree)]
**don't listen to them!** na h-èist riuthasan! [nə haysh roo-əsən]

literature *an* litreachas [leetrəKəs]

litre *an* liotair ['litre']

little *(small)* beag [behk] (**littler/littlest** nas/as lugha

nəs/əs looGə])
**a little** beagan [behkən]
**a little ice** beagan deighe [... jeh-yə]
**a little more** rud beag a bharrachd [root ... ə varrəKk]
**every little helps** is buidhe le bochd beagan [is booyə leh boKk behkən]
**little by little** beag air bheag [behk ehr vehk]

**live** fuirich (a' fuireach) [fooreeK (ə foorəK)]
*(be alive)* bi beò (a bhith beò) [bee byaw (ə bee ...)]
**I live in Glasgow** tha mi a' fuireach ann an Glaschu [ha mee a foorəK ōwn ən glasəKoh]
**she has lived there all her life** tha i fad a beatha a' fuireach ann [ha ee fat ə beh-hə ə foorəK ōwn]
**he lived in the 17th century** bha e beò san 17mh linn [va eh byaw sən shaKkəv leen jee-əg]
**those who lived through the war** na daoine a thàinig beò tron chogadh [nə durn-yə ə hahnik byaw trohn KogəG]
**we live together** tha sinn a' fuireach còmhla [ha sheen ə foorəK kawlə]

*dialogue*

**where do you live?**
càit a bheil thu a' fuireach?
[kahch ə vel oo ə foorəK]

**tha mi a' fuireach ann an Glaschu**
[ha mee a foorəK ōwn ən glasəKoh]
I live in Glasgow

**dè am bad?**
[jay əm bat]
which part?

**ann am Pàrtaig**
[ōwn əm pahrtik]
in Partick

**dha-rìribh? b'àbhaist dhomh fhìn a bhith a' fuireach an sin**
[Ga-reeriv? bahvisht Gŏ heen ə vee ə foorəK ən shin]
really? I used to live there myself

◊**live up to** *(hopes)* thig* suas ri (a' tighinn suas ri) [hik soo-əz ree (ə cheeyin soo-əz ree)]
**it didn't live up to expectations** cha robh e a' tighinn suas ri na bhathar an dùil [Ka roh eh … nə vah-ər ən dool]

◊**live with** *(person)* fuirich aig (a' fuireach aig) [fooreeK ek (ə foorəK ek)]
**I can live with that** gabhaidh mi ri sin [Gavee mee ree shin]

**Livingston** Baile Dhùn Lèibhe [balə Goon layvə]

**loaf of bread** *an* lof arain [lof aran]

**local: the local shops** bùthan *(mpl)* an àite [boo-ən ən ah-chə]

**loch** *an* loch

**Lochgilphead** Ceann Loch Gilb [kyōwn loK giləp]

**Loch Lomond** Loch Laomainn [loK ləmeen]

**Loch Ness** Loch Nis [loK nish]

**lock: the lock's broken** tha a' ghlas briste [ha ə Glas breesh-chə]
**I've locked myself out** tha mi air mi fhìn a ghlasadh a-mach [ha mee ehr mee heen ə GlasəG ə-maK]

**Lockerbie** Locarbaidh [lokarbee]

◊ log off clàraich a-mach (a' clàradh a-mach) [klahreeK ə-maK (ə klahrəG ...)]

◊ log on clàraich a-steach (a' clàradh a-steach) [klahreeK ə-shtyaK (ə klahrəG ...)]

lollipop man *am* fear-loiliopop [fehr-lolipop]

lollipop lady *an* tè-loiliopop *(+len adj)* [chay-lolipop]

London Lunnainn [loonin]

lonely *(person)* aonranach [urn-ranəK]

long *(distance, time)* fada [fatə] (**longer/-est** nas/as fhaide [nəs/əs ajə])

**we'd like to stay longer** bu toil leinn fuireach na b' fhaide [boo təl leh-in foorəK nə bajə]

**a long time** ùine mhòr [oon-yə vohr]

**it's a long way** 's e astar mòr a th' ann [sheh astər mohr ə hōwn]

**she won't be long now** cha bhi i fada a-nis [Ka vee ee ... a-nish]

**all day long** fad an latha [fat ən lah]

long jump *an* leum fhada *(+len adj)* [laym fatə]

loo *an* taigh-beag [tY-behk]

look: **you look tired** tha coltas sgìos ort [ha koltəs skees orsht]

**she looks so much like her older sister** tha fìor choltas a peathar oirre [ha feer Koltəs ə peh-hər orə]

**look at that** seall sin [shal shin]

**can I have a look?** am faigh mi sealladh air? [əm fY mee shaləG ehr]

◊ look after coimhead às dèidh (a' coimhead às dèidh) [koy-yet ahs jay]

**will you look after the kids tomorrow?** an coimhead thu às dèidh na cloinne a-màireach? [ən koy-yet oo ahs jay nə kloyn-yə ə-mahrəK]

◊ **look around** *(in shop etc)* coimhead timcheall (a' coimhead timcheall) [koy-yet chiməKal]

◊ **look down on** *(person)* coimhead sìos air (a' coimhead sìos air) [koy-yet shee-əz ehr]

◊ **look for** lorg (a' lorg) [lorəg]

**I'm looking for ...** tha mi a' lorg ... [ha mee ...]

◊ **look forward: I'm looking forward to it** tha mi a' coimhead air adhart ris [ha mee ə koy-yet ehr ərsht rish]

◊ **look out: she looked out of the window** choimhead i a-mach air an uinneig [Koy-yet ee ə-maK ehr ən oon-yek]

**look out!** thugad! [hookat]

◊ **look over** *(check: work)* cuir dearbhadh air (a' cur dearbhadh air) [koor jerəvəG ehr (ə koor ...)]

◊ **look up** *(from one's work etc)* coimhead suas (a' coimhead suas) [koy-yet soo-əz]

**look it up in a dictionary** rannsaich anns an fhaclair e [rōwnseeK ōwns ən aKklar eh]

**things are looking up** tha cùisean a' togail orra [ha kooshən ə tohkal orə]

◊ **look up to** *(respect)* coimhead suas ri (a' coimhead suas ri) [koy-yet soo-əz ree]

**loose** *(tooth, screw, clothes etc)* fuasgailte [foo-əsgəlchə]

**lorne sausage** *Scots* 'lorne sausage'

**lorry** *an* làraidh *(+len adj)* [lahree]

**lorry driver** *an* dràibhear làraidh [drYvər lahree]

**lose** caill (a' call) [kYl (ə kōwl)]

**I've lost ...** chaill mi ... [KYI mee]
**they got lost** chaidh iad air seachran [KY ee-at ehr sheh-Kran]
**I/we got lost** chaidh mi/sinn air iomrall [KY mee/sheen ehr imirəl]

lot: **a lot, lots** mòran [mohran]
**not a lot** chan eil mòran [Kan yel ...]
**a lot of chips/space** mòran shliseagan/rùim [... hleeshikən/room]
**lots of ...** tòrr ... [tawr]
**there's not a lot left** chan eil mòran air fhàgail [... ehr ahkal]
**a lot more expensive** mòran nas daoire [... nəs dur-rə]
**it's not a lot further** chan eil e mòran nas fhaide [... nəs ajə]
**that's a lot better** tha sin mòran nas fheàrr [ha shin ... nəs shahr]

loud *(noise)* àrd [ahrsht] (**louder/-est** nas/as àirde [nəs/əs ahrsh-jə])
*(voice)* cruaidh [kroo-Y]
**it's too loud** tha e ro àrd [ha eh roh ...]

lounge *(in house, hotel) an* seòmar-suidhe [shawmər-sooyə]

love: **I love you** tha gaol agam ort [ha gurl akəm orsht]
**do you love me?** a bheil gaol agad orm? [ə vel ... akət orəm]
**he's/she's in love** tha e/i ann an gaol [ha eh/ee ōwn ən ...]
**I love this place** 's fior thoil leam an t-àite seo [sfeer həl ləm ən tah-chə shŏ]

**the love between them** an gaol eatorra [ən ... ehtorə]
**are you ready, love?** a bheil thu deiseil, a ghràidh? [ə vel oo jeh-shel, ə GrY]

**lovely** *(in appearance)* àlainn [ahleen]
*(meal etc)* gasta
**lovely!** gasta!

**low** *(bridge, hill, volume)* ìosal [eesəl]

**Lowlander** *an* Gall [gōwl] (*plural*: Goill [gə-il])

**Lowlands: the Lowlands** *a'* G*h*alltachd [ə Gōwl-təKk]

**luck** *an* sealbh [sheləv]
**good luck!** gun tèid leat! [goon chayj let]
**bad luck** droch shealbh [droK heləv]
**just my luck!** 's bochd sin dhomhsa! [sboKk shin Gŏ-sə]

**lucky** sealbhach [sheləvəK]
**you're lucky** is buidhe dhut [is booyə Goot]
**that's lucky!** tha sin sealbhach [ha shin ...]
**it's my lucky day!** nach buidhe dhomhsa! [naK ... Gŏ-sə]
**aren't you lucky!** nach tu a tha sealbhach! [naK too ə ha ...]

**luggage** *an* treallaich-turais *(+len adj)* [tryaleeK-toorish]

**lunch** *an* diathad *(+len adj)* [jee-ə-hət]

**lunchtime** *an* tràth meadhain-là [trah meeyan-lah]

**Luss** Lus [loos]

**luxury** *(sumptuous) an* sògh [soh]
**the luxuries of today** goireas an latha an-diugh [gərəs ən lah ən-joo]

# M *m*

mad craicte [kraKk-chə]

**are you mad!** an ann craicte a tha thu? [ən ōwn … ə ha oo]

**she's mad about him** tha i faoin air a shon [ha ee furn ehr ə hon]

magazine *an* iris [eerish]

magnificent mòrail [moh-ral]

maiden name *an* sloinneadh maighdeannais [sloyn-yəG mYjənish]

mail *(noun) am* post

*(verb)* cuir sa phost (a' cur sa phost) [koor sə fost (ə koor …)]

mainland *an* tìr-mòr [cheer-mohr]

**on the mainland** air tìr-mòr [ehr …]

main road *am* prìomh-rathad [pree-əv rah-ət]

*(in the country) an* rathad-mòr [rah-ət-mohr]

make dèan* (a' dèanamh) [jee-an (ə jee-anəv)]

**who made this?** cò a rinn seo? [koh ə rYn shŏ]

**I made it myself** rinn mi leam fhìn e [… mee ləm heen eh]

**I'll make one for you** nì mi fear dhut [nee mee fehr Goot]

**it makes me sad/angry** tha e a' cur bròn/fearg orm [ha eh ə koor brawn/ferəg orəm]

**we won't make it in time** cha ruig sinn ri uair [Ka rik sheen ree oo-ər]

◊ make for *(go towards)* dèan* air (a' dèanamh air) [jee-an ehr (ə jee-anəv ehr)]

◊ **make up** *(story, false alibi etc)* dèan* suas (a' dèanamh suas) [jee-an soo-əz (ə jee-anəv ...)]
*(excuse)* dèan* (a' dèanamh)
*(put on make-up)* cuir air maise-ghnùise (a' cur air maise-ghnùise) [koor ehr mashə-Grooshə (ə koor ehr ...)]
**they've made (it) up** *(after quarrel)* tha iad air còrdadh [ha ee-at ehr kawrdəG]
**it's made up of 20 separate parts** tha e dèante air 20 pàirt eadar-dhealaichte [ha eh jee-antə ehr feeKet pahrsht ehtər-yaleeKchə]

**make-up** *a'* m*h*aise-ghnùis [ə vashə-ghroosh]

**male** *(adjective)* fireann [feerən]

**Mallaig** Malaig [malehk]

**man**

'Man' has several Gaelic equivalents. There is **an duine** [ən doon-yə] or **am fear** [əm fehr]. For example:

> **there's a man to see you**
> tha duine ann ag iarraidh d' fhaicinn
>
> **we're one man short**
> tha aon duine a dhìth oirnn
>
> **a man came to the door**
> thàinig duine *or* fear chun an dorais

If you want to say man as opposed to woman you should use either **am fireannach** [əm feerənəK] or also **am fear**. For example:

> **police are looking for a man in connection with the crime**
> tha am poileas a' lorg fireannach *or* fear an co-cheangail ris an eucoir

**there are five women and four men in the office**
tha còignear bhan agus ceathrar fhear san oifis

**manager** *am* manaidsear [manijshər]
**manageress** *a'* b*h*ana-mhanaidsear [ə vanə-vanijshər]
**many** mòran [mohran]
  **many ...** mòran ...
**map** *am* mapa
  **a map of Skye** mapa an Eilein Sgitheanaich [mapə ən ehlen skee-əneeK]
**March** am Màrt [əm mahrsht]
  *see* **April**
**marina** *am* 'marina'
**mark** *(in exam etc) an* comharradh [kawərəG]
**market** *(in town, economics) am* margadh [marəgəG]
**marketing** *a'* m*h*argaidheachd [ə varəgeeyəKk]
**marmalade** *a'* m*h*armalaid [ə vahrməlij]
**married** pòsta [pawstə]
  **she's married to ...** tha i pòsta aig ... [ha ee ... ek]
  **she's married to him** tha i pòsta aige [ha ee ... ekə]
**marry** pòs (a' pòsadh) [paws (ə pawsəG)]
  **will you marry me?** am pòs thu mi? [əm paws oo mee]
**marvellous** mìorbhaileach [meervaləK]
**mashed potatoes** *am* buntàta pronn [boontahtə prōwn]
**mast** *an* crann [krōwn]
**mat** *am* brat
**match: a box of matches** bogsa mhaidsichean [boksə vaj-shiKən]
  **a football match** gèam buill-choise [gehm bə-il-Koshə]

**the two colours don't match** chan eil an dà dhath a' tighinn dha chèile [Kan yel ən dah Ga ə cheeyin Ga Kaylə]

material *(cloth) an t-*aodach [ən turdəK]

maths *am* matamataig [matəmatek]

matter: **it doesn't matter** chan eil e gu diofar [Kan yel eh goo jifər]

**what's the matter with you/her?** dè a tha cur ort/ oirre? [jay ə ha koor orsht/orə]

**what's the matter with that?** dè a tha ceàrr air sin? [... kyahr ehr shin]

mattress *am* bobhstair [bōwstər]

maximum *am* bàrr-suim [bahr-sə-im]

*(adjective)* as motha [əs maw]

May an Cèitean [ən kay-chen]

*see* April

may: **may I see ...?** am faod mi ... fhaicinn? [əm furt mee ... YKkin]

**that may be right** dh'fhaodadh sin a bhith ceart [GurdəG shin ə vee kyarsht]

maybe ('s math) dh'fhaoidte [(sma) Gurjə]

me mi [mee]

*1* emphatic use

The so-called emphatic form **mise** [meeshə] is often used when 'me' is the important word in a sentence.

**'s mise a bh' ann** it was me
**cò? – mise** who? – me

*2*

a 'Me' as the object of a verb is **mi** [mee].

**chunnaic e mi** he saw me

This can be combined into a prepositional pronoun (eg **orm**). See also 3 below.

**chan eil e eòlach orm** he doesn't know me

b Gaelic for 'me' as used in a phrase containing a verbal noun (that is the second verb form given in brackets in this book) is **gam**. The **gam** comes before the verbal noun. And **gam** lenites the following verbal noun.

**a bheil thu gam chluinntinn?** can you hear me?
**chan eil iad gam thuigsinn** they don't understand me

c With expressions like 'I'd like, I want, they can' etc the possessive adjective **mo** (my) is used together with the verbal noun. **Mo** lenites the following word.

**chan urrainn dha mo thuigsinn** he can't understand me

*3* For the use of 'me' with prepositions see the tables on pages 348–349. The emphatic form is often used. Here are some examples.

**an toireadh tu dhomh e?** please give it to me
**'s ann bhuamsa a tha seo** this is from me
**'s ann dhomhsa a tha e** that's for me
**ràinig iad ann romham** they got there before me
**còmhla rium** with me

meal: **that was an excellent meal** 's e *biadh* air leth a bha sin [sheh bee-əG ehr leh ə va shin]
**they make his meals for him** bidh iad a' deasachadh a bhiadh dha [bee ee-at ə jesəKəG ə vee-əG Ga]

mean[1]: **what does this word mean?** dè a tha am facal seo a' ciallachadh? [jay ə ha əm faKkəl shŏ ə kee-ələKəG]

**I don't understand what you mean** chan eil mi a' tuigsinn dè a tha thu a' minigeadh [Kan yel mee ə tikshin jay ə ha oo ə meeneegəG]

**I didn't mean to do it** cha do rinn mi a dh'aona-ghnothach e [Ka doh rYn mee ə Gurnə-Grŏ-əK eh]

**mean**[2] *(with money)* spìocach [speeKkəK]

*(unkind)* mosach [mosəK]

**measles** a' ghriùthrach [ə GroorəK]

**German measles** a' ghriùthrach Ghearmailteach [... yerəlmalchəK]

**meat** *an* f*h*eòil [ən yawl]

**mechanic** *am* meacanaig [mekanik]

**media: she works in the media** tha i ag obair sna meadhanan [ha ee əg ohpər snə mee-anən]

**media studies** eòlas *(m)* nam meadhanan [yawləs nəm mee-anən]

**medicine** *(for cold etc) a'* chungaidh-leighis [Koongee-lay-ish]

**he's studying medicine** tha e na oileanach de dh'eòlas-leighis [ha eh nə olənəK jeh yawləs-layish]

**meet** coinnich (a' coinneachadh) [konyeeK (ə konyəKəG)]

**pleased to meet you** toilichte coinneachadh ribh [toleeKchə konyəKəG riv]

**when can we meet again?** cuin a choinnicheas sinn a-rithist? [koonyə KonyiKəs sheen ə-reesh-ch]

**meeting** *a'* c*h*oinneamh [ə Kənyəv]

**she's in a meeting** tha i aig coinneamh [ha ee ek kənyəv]

**melon** *a'* m*h*eal-bhuc [ə vyal-vəKk]

**Melrose** Maolros [murlros]

**member** *(of club etc) am* ball [ba-əl]

**memory: good memories** cuimhneachain mhath [kə-inyəKen va]

**he has a good memory** tha deagh chuimhne aige [ha joh Kə-inyə ekə]

**memory stick** *am* maide-cuimhne [majə-kə-inyə]

**mend: can you mend this?** an urrainn dhut seo a chàradh? [ən oorin Goot shŏ ə Kah-rəG]

**men's singles** cluichean singilte nam fear [klə-iKən shingilchə nəm fehr]

**mention: don't mention it** *(reply to thanks)* làn dìth do bheatha [lahn jee doh veh-hə]

**menu** *an* clàr-bìdh [klahr-bee]

**mess** *am* bùrach [boorəK]

**message** *an* teachdaireachd *(+len adj)* [chaKkirəKk]
*(text) am* brath [brah]

**messages** *Scots (shopping) na* gnothaichean [nə grŏ-eeKən]

**metre** *am* meatair [mehtər]

**method** *am* modh [mohG]

**microphone** *am* miocrofon ['microphone']

**microwave** *am* 'microwave'

**midday** *am* meadhan-latha [mee-an-lah]

**at midday** aig meadhan-latha [ek ...]

**middle** *am* meadhan [mee-an]

**in the middle** anns a' mheadhan [ōwns ə vee-an]

**midge** *a'* m*h*eanbh-chuileag [ə venəv-Koolak]

**midgey: it's too midgey here** tha cus meanbh-chuileagan ann [ha koos menəv-Koolakən ōwn]

**midnight** *a'* m*h*eadhan-oidhche [ə vee-an ə-iKə]
**at midnight** aig meadhan-oidhche [ek mee-an ...]
**might: he might have gone** dh'fhaoidte gun do dh'fhalbh e [Gurjə goon doh Galav eh]
**you might be right** dh'fhaodadh tu bhith ceart [GurdəG too vee kyarsht]
**migraine** *am* mìograin [meegren]
**mild** *(person: modest, gentle)* màlda [mahldə]
*(weather)* tlàth [tlah]
**mile** *a'* m*h*ìle [ə veelə]
**milk** *am* bainne [ban-yə]
**a glass of milk** glainne bainne [glan-yə ...]
**millimetre** *am* mille-mheatair [millivehtər]
**mince** *an* f*h*eòil phronn [ən yawl frōwn]
**mind: I've changed my mind** dh'atharraich mi mo bheachd [Ga-əreeK mee moh vyaKk]
**I don't mind** tha mi coingeis [ha mee kə-ingish]
**which would you like? – I don't mind** *(it's all the same)* cò a bu toigh leat? – tha mi coma [koh ə boo tə let – ha mee kohmə]
**do you mind if I leave now?** an cuireadh e dragh ort nam falbhainn an-dràsta? [ən koorəG eh drəG orsht nəm falavin ən-drastə]
**never mind** coma leat [... let]
**mind out!** thugad! [hookət]
**I mind when he was little** *SCOTS* tha cuimhn' agam nuair a bha e beag [ha kə-in-yakəm noo-ər ə va eh behk]
**mine: it's mine** 's leamsa e [is ləmsə eh]
**he's a friend of mine** tha e na charaid dhomh [ha eh nə Karij Gŏ]

**mineral water** *an t*-uisge fuarain [ən tooshkə foo-əran]
**minimum** *(adjective)* as lugha [əs looGə]
**40 is the minimum** 's e 40 a' chuid as lugha [sheh 40 ən Kooj ...]
**minister** *(in church, politics) am* ministear [minish-chər]
**minus: 7 minus 3** 3 air falbh bho 7 [3 ehr falav voh 7]
**it's minus 3 degrees** tha e trì puingean fo neoni [ha eh tree poo-ingən foh nyonee]
**minute** *a' mh*ionaid [ə vinaj]
**in a minute** ann am mionaid [ōwn əm minaj]
**just a minute** fuirich mionaid [fooreeK ...]
**miracle: it's a miracle!** 's e mìorbhail a th' ann! [sheh meerval ə hōwn]
**mirror** *an* sgàthan [skah-hən]
**in the mirror** anns an sgàthan [ōwns ən ...]
**misbehave: they are misbehaving** tha iad ri mì-mhodh [ha ee-at ree mee-vohG]
**Miss: Miss Macleod** a' Bh-mh NicLeòid [ə vanə-vYsh-chər neeKklyawj]
*(addressing her directly)* a Bh-mh NicLeòid

Gaelic often uses the English 'Miss'.

**miss: there is a ... missing** tha ... a dhìth [ha ... ə yee]
**we missed the bus** chaill sinn am bus [KYl sheen əm 'bus']
**I miss you/him** tha mi gad/ga ionndrainn [ha mee gat/ga yoondrin]
**I had a missed call from you** chaill mi gairm bhuat air a' fòn [KYl mee garəm voo-ət ehr ə fohn]
**mist** *an* ceò [kyaw]
**mistake** *a' mh*earachd [ə verəKk]

**I think you've made a mistake** cha chreid mi nach do rinn thu mearachd [Ka Krehj mee naK doh rYn oo merəKk]

**misunderstanding** *a'* m*h*ì-thuigse [ə vee-hikshə]

**mobile (phone)** *am* fòn-làimhe [fohn-lYvə]

**my mobile number is ...** 's e ... an àireamh fòn-làimhe agam [sheh ... ən ahrəv fohn-lYvə akəm]

**Mod: the Mod** am Mòd [mawd]

**modern** nuadh [noo-əG]

**Moffat** Mofad [mofat]

**moment** *an* tiota [chitə]

**I'll be there in a moment** ruigidh mi ann an tiota [rikee mee ōwn ən ...]

**Monday** Diluain [jiloo-ən]

**money** *an t-*airgead [ən terəget]

**monster** *an t-*uilebheist [ən toolə-vesht]

**month** *am* mìos [mee-əs]

**moon** *a'* g*h*ealach [ə yaləK]

**more**

1 *(additional)* tuilleadh [toolyəG]

**can I have some more?** am faigh mi tuilleadh? [əm fY mee ...]

**no more thanks** chan eil mi ag iarraidh tuilleadh, tapadh leat [Kan yel mee əg ee-əree ... tapə let]

**more than ...** tuilleadh air ... [... ehr ...]

**more than that** tuilleadh air sin [... shin]

**I have no more money** chan eil an còrr airgid agam [Kan yel ən kawr erəgij akəm]

**I haven't got any more** chan eil an còrr agam

**don't say any more** na can an còrr

**there aren't any more** chan eil an còrr ann [... ōwn]

2 *(greater in amount)* barrachd [barəKk]
**I ate a lot but he ate more** ghabh mise tòrr ach ghabh esan barrachd [Gav mishə tawr aK Gav ehsən ...]
**you have to make more of an effort** feumaidh tu barrachd oidhirp a dhèanamh [faymee too baroKk ur-yurp ə yee-anəv]
**you should get more exercise** bu chòir dhut barrachd eacarsaich a dhèanamh [boo Kawr Goot barəKk eKkərseeK ə yee-anəv]

3 *(with comparatives)* nas [nəs]
**more comfortable** nas cofhurtaile [nəs kŏ-ərshtalə]

4 **I don't live there any more** chan eil mi a' fuireach ann tuilleadh [Kan yel mee ə foorəK ōwn toolyəG]

morning *a'* m*h*adainn [ə vatin]
**good morning** madainn mhath [matin va]
**in the morning** anns a' mhadainn [ōwns ə ...]
*(tomorrow)* madainn a-màireach [... ə-mahrəK]
**this morning** madainn an-diugh [... ən-joo]
**on Saturday morning** madainn Disathairne [... jisahurnyə]

mortgage *am* morgaids ['mortgage']

most

1 **she has the most money** is ann aicese *as motha* bheil de dh'airgead [sōwn eKkəshə əs maw vel jeh Gerəget]
**that was the most money I had ever won** sin an t-airgead *a bu mhotha* a bhuannaich mi a-riamh [shin ən terəget ə boo vaw ə voo-əneeK mee ə-ree-əv]
**I ate a lot, he ate more but she ate the most** ghabh mise tòrr, ghabh esan barrachd ach 's ise a ghabh a' chuid a bu mhotha [Gav mishə tawr, Gav ehsən barəKk aK seeshə ə Gav ə Kooj ə boo vaw]

**I like this one (the) most** 's fheàrr leam am fear/an tè seo [shahr ləm əm fehr/ən chay shŏ]

2 **most of the people** a' mhòr-chuid de na daoine [ə vohr-Kooj jeh nə durnyə]

**most people agree with that** tha a' mhòr-chuid de dhaoine ag aontachadh ri sin [ha ə vohr-Kooj jeh Gurnyə əgurntəKəG ree shin]

**most of the time we were on Islay** bha sinn ann an Ìle a' mhòr-chuid dhen ùine [va sheen ōwn ən eelə ə vohr-Kooj yen oonyə]

3 **the most comfortable bed** an leabaidh as cofhurtaile [ən lyeh-pee as kŏ-ərshtalə]

**mother** *a'* m*h*àthair [ə vah-hər]

*(plural)* màthraichean [mareeKen]

**my mother** mo mhàthair [moh ...]

**mother-in-law** *a'* m*h*àthair-chèile [ə vah-hər-Kaylə]

**Motherwell** Tobar na Màthar [tohbar nə mah-hər]

**motor** *am* motar ['motor']

**motorbike** *am* motar-baidhg ['motor-bike']

**motorboat** *am* bàta-motair [bahtə-motər]

**motorcyclist** *an* neach-motar-baidhg [nyaK-'motor-bike']

**motorway** *am* mòr-rathad [mohr-rah-ət]

**mountain** *a'* b*h*einn [ə veh-in] *(plural*: beanntan [byōwntən])

**in the mountains** anns na beanntan [ōwns nə ...]

**mountaineer** *am* beanntair [byōwntər]

**mountaineering** *an* sreapadaireachd *(+len adj)* [strepə-tarəKk]

**mouse** *an* luch *(+len adj)* [looK]

*(for computer) an* luchag *(+len adj)* [looKak]

**mouse mat** *am* brat luchaig [... looKek]
**moustache** *an* stais *(+len adj)* [stash]
**mouth** *am* beul [bee-al]
**mouth music** *na* puirt-à-beul [poorsht-ah-bee-al]
**move: don't move** na gluais [nə gloo-ish]
**could you move your car?** an gluaiseadh tu an càr agad? [ən gloo-əshəG too ən kahr akət]
◊ **move in** *(to house)* gluais a-steach (a' gluasad a-steach) [gloo-əsh ə-shtyaK (ə gloo-əsət ...)]
◊ **move out** *(of house)* gluais a-mach (a' gluasad a-mach) [gloo-əsh ə-maK (ə gloo-əsət ...)]
◊ **move up: could you move up a bit?** an gluaiseadh tu suas rud beag? [ən gloo-ushəG too soo-əz root behk]
**movie** *am* film [filəm]
**MPV (=multi-purpose vehicle)** *an* carbad ioma-adhbhair [karəpət imə-urvər]
**Mr: Mr Macleod** Mgr MacLeòid [mYsh-chər maKklyawj]
*(addressing him directly)* a Mhgr MhicLeòid [ə vYsh-chər viKklyawj]
**Mrs: Mrs Macleod** a' Bh-ph NicLeòid [ə ven-fawstə niKklyawj]
*(addressing her directly)* a Bh-ph NicLeòid
**Ms: Ms Macleod** a' Bh-ua NicLeòid [ə ven-oo-əsəl niKklyawj]
*(addressing her directly)* a Bh-ua NicLeòid

Gaelic often uses the English for the above three forms of address.

**MSP (=Member of the Scottish Parliament)** *am* BPA ['BPA']

**much** mòran [mohran]
  **much better** mòran nas fheàrr [... nəs shahr]
  **not much** chan eil mòran [Kan yel ...]
  **that's much too expensive** tha sin *fada* ro dhaor [ha shin fatə roh Gur]
**mud** *am* poll [pōwl]
  **covered in mud** air a ghànrachadh le poll [ehr ə GahnrəKəG leh ...]
**Mull** Muile [moolə]
**multiply** *(arithmetic)* iomadaich (ag iomadachadh) [imədeeK (əg imədəKəG)]
**mum** *a'* m*h*amaidh [ə vamee]
  **my mum** mo mhamaidh [moh ...]
  **mum!** a mhamaidh! [ə ...]
**murder** *(noun) am* murt [moorsht]
**museum** *an* taigh-tasgaidh [tY-taskee]
**mushrooms** *na* balgan-buachair [baləgən-boo-əKər]
**music** *an* ceòl [kyawl]
**musical instrument** *an t*-inneal-ciùil [ən cheenyəl-kyool]
**Musselburgh** Baile nam Feusgan [balə nəm fee-əskan]
**mussels** *na* feusgain [fee-əskan]
**must: I must have a ...** feumaidh ... a bhith agam [faymee ... ə vee akəm]
  **I must have a drink now** feumaidh mi deoch an-dràsta [... joK ən-drahstə]
  **I must not eat ...** chan eil math dhomh ... ithe [Kan yel ma Gŏ ... eeKə]
  **you must do it** feumaidh tu a dhèanamh [... too ə yee-anəv]
  **must I ...?** am feum mi ...? [əm faym mee ...]

**you mustn't ...** chan eil math dhut ... [Kan yel ma Goot ...]

**you mustn't give up** chan eil math dhut a leigeil seachad [... ə leekel shaKət]

**I must have lost it** 's fheudar gun do chaill mi e [shaytər goon doh KYI mee eh]

my mo *(+len)* [moh]

*a* The word **mo** lenites the following word.

**mo mhàthair** my mother

**Mo** becomes **m'** when used before a word that starts with a vowel.

**m' athair** my father

With words starting with an **f** the lenition generates a vowel sound.

**m' fhalt** [malt] my hair

*b* This word **mo** is commonly used to say 'my' when you are talking about family members, friends, parts of your body, something with which you have a close relationship. In other cases you should wrap **an ... agam** [ən ... akəm] around the noun. Of course, **an** can change, as shown in the main translations in this book.

**an sgoil agam** my school
**am fiaclair agam** my dentist
**na brògan agam** my shoes

*c* To stress ownership.

**is leam am baga** it's *my* bag

myself mi fhìn [mee heen]

mystery *an* rùn-dìomhair [roon-jee-əvər]

# N *n*

**nail** *(on finger) an* ìne [eenə]
*(for wood) an* tarrag *(+len adj)* [tarak]

**nail clippers** *am* bearradair ìnean [byarədər eenən]

**Nairn** Inbhir Narann [in-yər narən]

**naked** lomnochd [lōwmnəKk]

**name** *an t-*ainm [ən tenəm]

*dialogues*

*1*

**what's your name?**
dè an t-ainm a th' ort?
[jay ən tenəm ə horsht]

**my name's Karin**
's e Karin a th' orm
[sheh karin ə horəm]

*2*

**what a nice dog! what's his name?**
abair cù laghach! dè an t-ainm a th' air?
[apar koo lə-əK! jay ən tenəm ə hehr]

**'s e galla a th' innte**
[sheh galə ə heenchə]
it's a she

**Kelly a th' oirre**
[Kelly ə horə]
Kelly, she's called Kelly

**napkin** *an* nèapaigin *(+len adj)* [nepigin]

nappy *am* badan [batən]
narrow caol [kurl]
nasty *(person, weather)* mosach [mosəK]
*(cut)* grànda [grantə]
national nàiseanta [nahshəntə]
nationality *an* nàiseantachd *(+len adj)* [nahshəntəKk]
nature *(the natural world)* *an* nàdar [nahtər]
naughty mì-mhodhail [mee-voh-Gal]
**don't be naughty** na bi mì-mhodhail [nə bee ...]
near: **near the ...** faisg air an ... [fashk ehr ən ...]
**is it near?** a bheil e faisg? [ə vel eh ...]
**near here** faisg air an seo [... ən shŏ]
**where's the nearest ...?** càit a bheil an ... as fhaisge? [kahch ə vel ən ... əs ashkə]
nearly: **I nearly missed the boat** *theab* mi am bàta a chall [hehp mee əm bahtə ə Ka-ool]
**I've been doing this for nearly 30 years** tha mi a' dèanamh seo bho chionn *faisg air* 30 bliadhna [ha mee ə jee-anəv shŏ voh Kyoon fashk ehr jehK blee-ən ehr eeKet]
**are you ready? – nearly** a bheil thu deiseil? – an ìre mhath [ə vel oo jeh-shel – ən eerə va]
neat *(tidy)* cuimir [kə-imər]
necessary riatanach [ree-ətənəK]
**it's not necessary** chan eil e riatanach [Kan yel eh ...]
neck *am* muineal [moonyəl]
necklace *an* seud-muineil [shee-at-moonyel]
ned *Scots am* burraidh [booree]
need: **I need a ...** feumaidh mi ... [faymee mee]
**you don't need to pay yet** chan fheum thu pàigheadh fhathast [Kan aym oo pY-əG hahst]

**needle** *(for sewing) an t-*snàthad [ən tnah-ət]
**neeps** *SCOTS na* snèipean [shnaypən]
  **neeps and tatties** snèip is buntàta [shnayp is boon-tahtə]
**neighbour** *an* nàbaidh [nahpee]
**neighbourhood** *(district) an* nàbaidheachd [nahpeeyəKk]
**neither: neither of them was happy** *(males)* cha robh fear seach fear dhiubh toilichte [Ka roh fehr shaK fehr yoo toleeKchə]
  *(females)* cha robh tè seach tè dhiubh toilichte [... chay ...]
  **neither of them came** *(males)* cha tàinig fear seach fear dhiubh [Ka tahniK ...]
  *(females)* cha tàinig tè seach tè dhiubh
  **neither of us wanted to complain** cha robh a h-aon againn ag iarraidh gearan [Ka roh ə hurn akin əg ee-əree geran]
  **that's neither relevant nor interesting** chan eil sin aon chuid buntainneach no inntinneach [Kan yel shin urn Kooj boontinyəK noh eenchinyəK]
  **neither am/do I**

The Gaelic for 'neither do I' or 'neither am I' or 'neither is he' etc is completely dependent on what comes before. Here are some examples.

**chan eil cù agam** I don't have a dog
**chan eil no agam** neither do I

**chan eil mi sgìth** I'm not tired
**chan eil no mise** neither am I, me neither

**cha tèid e dhan phàirc mòran** he doesn't go to the park much
**cha tèid no ise** neither does she

**nephew** *(brother's son) am* mac-bràthar [maKk-brah-hər]

*(sister's son) am* mac-peathar [maKk-peh-hər]
**my nephew** mac mo bhràthar/mac mo pheathar [maKk moh vrah-hər/maKk moh feh-hər]

nervous nearbhasach [nehrvəsəK]

Nessie Niseag [nishak]

nest *an* nead [nyet]

net *(fishing, sport) an* lìon [lee-ən]
**the Net** *an* Lìon

never

1 *(in past)* a-riamh [ə-ree-əv]
**he never got over it** cha d'fhuair i os a chionn a-riamh [Ka too-ər eh os ə Kyoon ...]
**he never saw her again** chan fhaca e a-rithist i a-riamh [Kan aKkə eh ə-reesh-ch ee ...]

2 *(in future)* a-chaoidh [ə-Kur-ee]
**I'll never go there again** cha tèid mi ann a-chaoidh tuilleadh [Ka chayj mi ōwn ... toolyəG]
**never do that again!** na dèan sin a-chaoidh tuilleadh! [nə jee-an shin ə-Kur-ee toolyəG]

3 *(in present)* idir [eejər]
**I never see her these days** cha bhi mi ga faicinn na làithean sa idir [Ka vee mee ga fYKkin nə lYən sə eejər]

new ùr [oor] (**newer/-est** nas/as ùire [nəs/əs oorə])

news *na* naidheachdan [neh-yəKkən]

newspaper *am* pàipear-naidheachd [pehpər-neh-yəKk]

New Year *a'* B*h*liadhn' Ùr [ə vlin oor]
**at New Year** air a' Bhliadhn' Ùr [ehr ...]
**Happy New Year** Bliadhna Mhath Ùr [blee-ənə va oor]

New Year's Day Là *(m)* na Bliadhn' Ùire [lah nə blee-ən oorə]

**New Year's Eve** Oidhche *(f)* na Bliadhn' Ùire [ə-iKə nə blin oorə]

**New Zealand** Sealainn Nuadh [shaleen noo-əG]

**next: the next ...** an ath ... *(+len)* [ən ah]

**when's the next ferry?** cuin a tha an ath bhàt'-aiseig? [koon-yə ha ən ah vaht-ashek]

**we'll win next time** buannaichidh sinn an ath-thuras [boo-əneeKee sheen ən ah-hoorəs]

**next year** an ath-bhliadhna [ən ah-vlee-ənə]

**next week** an ath-sheachdain [ən ah-shaKkin]

**next Tuesday** Dimàirt seo tighinn [jeemarsht shŏ cheeyin]

**next to the hotel** ri taobh an taigh-òsta [ree turv ən tY-awstə]

**next we went to ...** an uair sin chaidh sinn gu ... [ən oo-ər shin KY sheen goo ...]

**nice** snog [snok]

*(nice-looking)* eireachdail [ehrəKkal]

*(pleasant, kind)* còir [kawr]

*(food)* math [ma]

**niece** *(brother's daughter) an* nighean-bhràthar *(+len adj)* [nee-ən-vrah-hər]

*(sister's daughter) an* nighean-pheathar *(+len adj)* [nee-ən-feh-hər]

**my niece** nighean mo bhràthar/nighean mo pheathar

**night** *an* oidhche [ə-iKə]

**good night** oidhche mhath [... va]

**at night** air an oidhche [ehr ən ...]

**Saturday night** oidhche Shathairne [ə-iKə hahərnə]

**nightdress** *an t-*aodach-oidhche [ən turdəK ə-iKə]

## no

Gaelic does not have a single word for 'no' as a reply to a question.

*1* To reply 'no' the verb used in the question is repeated but in the negative form.

**a bheil thu cinnteach?** are you sure?
**chan eil** no, I'm not

**a bheil i a' fuireach an seo fhathast?** does she still live here?
**chan eil** no, she doesn't

**an robh e deiseil?** was he ready?
**cha robh** no, he wasn't

**an do bhruidhinn thu rithe?** did you speak to her?
**cha do bhruidhinn** no, I didn't

**an do phòs e i?** did he marry her?
**cha do phòs** no, he didn't

**am bi thu air ais gu luath?** will you be back soon?
**cha bhi** no, I won't

*2* **there's no water** chan eil uisge ann [Kan yel ooshkə ōwn]
**I've no money** chan eil airgead agam [… ehrəget akəm]
**it's no parking here** chan fhaodar pàirceadh an seo [Kan urdər pahrkəG ən shŏ]

nobody: **nobody saw it** chan fhaca duine e [Kan aKkə doon-yə eh]
**there was nobody at home** cha robh duine a-staigh [Ka roh … ə-stə-ee]
**she has nobody to talk to** chan eil duine ann ris an

urrainn dhi bruidhinn [Kan yel ... ōwn rish ən oorin yee brooyin]
**was there anybody there? – no, nobody** an robh duine ann? – cha robh duine [ən roh ... ōwn – Ka roh ...]

**noisy** faramach [farəməK]

**none** chan eil gin [Kan yel gin]
**there are none left** chan eil gin air fhàgail [Kan yel gin ehr ahkal]
**none of them knew the answer** cha robh fios aig gin aca air an fhreagairt [Ka roh fis ek gin aKkə ehr ən rekarsht]
**none of them was the right size** cha robh a h-aon dhiubh air a' mheudachd cheart [Ka roh ə hurn yoo ehr ə vee-ədəKk Kyarsht]

**nonsense: that's nonsense** 's e faoineas a tha sin [sheh furnyəs ə ha shin]

**non-smoker: we're non-smokers** chan bhi sinn a' smocadh [Kan vee sheen ə smoKkəG]

**no-one** *go to* **nobody**

**nor: nor am/do I** *go to* **neither**

**normal** àbhaisteach [ahvish-chəK]

**normally** *(usually)* mar as àbhaist [mar əs avish-ch]
*(in a normal way)* ann an dòigh àbhaisteach [ōwn ən doy ahvish-chəK]
**we normally eat at 7** 's àbhaist dhuinn ithe aig seachd [sahvish-ch Gə-in eehə ek shaKk]
**he's not normally like this** chan àbhaist dha bhith mar seo [Kan ahvish-ch Ga vee mar shŏ]

**north** tuath [too-ə]

**North Berwick** Bearaig a Tuath [berehk ə too-ə]

**Northern Ireland** Èirinn a Tuath [ayrin ə too-ə]

**North Ronaldsay** Ronaldsay a Tuath [ronəldsay ə too-ə]
**North Uist** Uibhist a Tuath [oo-yish-ch ə too-ə]
**Norway** Nirribhidh [nirivee]
**nose** *an t*-sròn [ən trawn]
**nosy** gobach [goh-pəK]
**not**

1 with verbs

In general you use either **cha** [Ka] or **chan** [Kan]. **Chan** is used before a word which starts with a vowel or with *fh+vowel.*

**it's not easy** chan eil e furasta
**it wasn't easy** cha robh e furasta
**it won't be easy** cha bhi e furasta
**I didn't see it** chan fhaca mi e

In the past tense you use **cha do** (apart from with the irregular verbs as shown on page 344). **Cha do** goes before the past tense form.

**I didn't do much** cha do rinn mi mòran
**he didn't tell me** cha do dh'inns e dhomh

The negative forms of verbs are shown in the tables on pages 343–345.

2 imperatives

For talking to one person the imperative is formed with **na** [nə] together with the root form of the verb (that is the first form of the verb as given in this book).

**don't speak so fast** na bruidhinn cho luath
**don't laugh** na dèan gàire
**don't be late** na bi fadalach

For talking to several people you add **aibh** [iv] or **ibh** [iv] to the root form.

**don't look!** na seallaibh!
**do not walk on the grass** na coisichibh air an fheur

For saying 'let's …' you add **amaid** [əmij] or **eamaid** [əmij] to the root.

**let's not wait any longer** na fuiricheamaid nas fhaide tuilleadh

*3* other uses

**who? – not me** cò? – cha mhì
**was it her? – no, not her** am b' ise a bh' ann? – cha b' ì
**when? – not before Tuesday** cuin? – chan ann ro Dhimàirt
**where shall we leave it? – not here**
càit am fàg sinn e? – chan fhàg an seo
**are you ready now? – not yet**
a bheil thu deiseil a-nis? – chan eil fhathast
**did you like it? – not much**
an do chòrd e riut? – cha do chòrd mòran
**I hope not** tha mi an dòchas nach eil

**note** *(bank note) an* not
*(in music) an* nòta [nawtə]

**notebook** *an* leabhar-nòtaichean [lyaw-ər nawteeKən]

**nothing: nothing for me thanks** chan eil mi ag iarraidh dad, tapadh leat [Kan yel mee əg ee-əree dat, tapə let]
**nothing I do is right!** chan eil dad agam ceart! [Kan yel dat akəm kyarsht]
**did you say something? – no, nothing** an tuirt thu rudeigin? – cha tuirt mi dad [ən toorsht oo rootehgin – Ka toorsht mee dat]

notice *(on noticeboard) an* sanas [sanəs]
**I didn't notice anything** cha do mhothaich mi dad [Ka doh voh-eeK mee dat]
**I didn't notice anything wrong** cha do chuir mi umhail air dad [Ka doh Koor mee oowal ehr dat]

novel *an* nobhail *(+len adj)* ['novel']

November an t-Samhain *(+len adj)* [ən ta-win]
*see* April

now a-nis [ə-nish]]
*(at the moment) an*-dràsta [ən-drahstə]
**now and again, now and then** an-dràsta 's a-rithist [... sə-reesh-ch]
**now, now!** nise, nise! [nishə, nishə]

There is an important distinction between the two Gaelic words for 'now'. If you want to say 'he's dead now', you cannot say **tha e marbh an-dràsta**. That means 'he is dead at the moment'. The correct Gaelic would be **tha e marbh a-nis**.

nowhere: **there was nowhere to sit** cha robh àite suidhe ann [Ka roh ah-chə sooyə ōwn]
**they have nowhere to live** chan eil àite-fuirich aca ann [Kan yel ah-chə-fooreeK aKkə ōwn]

nuisance: **it's a nuisance** tha e na dhragh [ha eh nə GrəG]
**sorry to be a nuisance** duilich airson a bhith nam dhragh [dooleeK ehrson ə vee nəm GrəG]

number *(figure) an* àireamh [ahrəv]

number plate *an* clàr àireimh [klahr ahrev]

nurse *(male/female) an* nurs *m* ['nurse']

nursery school *an* sgoil-àraich *(+len adj)* [skol-ahreeK]

nut *a' chnò* [ə Kraw]

# O *o*

**oak** *(wood, tree) an* darach [darəK]

**oar** *an* ràmh [rahv]

**oatcake** *an t*-aran-coirce [ən taran-korkə]

**Oban** An t-Òban [ən taw-bən]

**obligatory** *(essential)* riatanach [ree-ətənəK]

  **insurance is obligatory** tha àrachas riatanach [ha ahrəKəs ...]

**obvious** *(mistake, reason)* follaiseach [folishəK]

**obviously** gu follaiseach [goo folishəK]

**occasionally** air uairean [ehr oo-ərən]

**o'clock: about 2 o'clock** mu dhà uair [moo Gah oo-ər]

  **at 5 o'clock** aig còig uairean [ek koh-ik oo-ərən]

  *go to* **time**

**October** an Dàmhair *(+len adj)* [ən dahvir]

  *see* **April**

**odd** *(number)* corra [korə]

  *(strange)* annasach [anəsəK]

**of**

> Here are examples of how Gaelic expresses 'of' or possession as shown in English by 's.
>
> *a* With feminine nouns by using **na**.
>
> **ainm na sràide** the name of the street
> **ceann na sgoile** the head of the school
> **mullach na beinne** the top of the mountain
> **muinntir na h-Alba** the people of Scotland

There is no article before the first Gaelic noun in this type of expression. Also a final **e** is sometimes added to the second noun (this is called 'slenderizing' – **sgoil** becomes **sgoile**).

Slenderizing also requires an **i** to be inserted (if not already present).

**làmh** hand
**bas na làimhe** [... lYvə] the palm of the hand

In many cases there is also a vowel change.

**cas** foot
**bonn na coise** [... koshə] the sole of the foot

*b* With masculine nouns by using **a'**.

**ainm a' chaisteil** the name of the castle
**biadh a' chait** [... Kahch] the cat's food
**taigh a' bhàird** the poet's house

The second noun here is lenited. And it is 'slenderized' by the insertion of the letter i – **cat** becomes **chait**.

*c* Possession can also be expressed by using **aig** [ek].

**an coimpiutair aig Johnny** Johnny's computer
**am baidhsagal aig an tidsear** the teacher's bike

*d* **de** [jeh] can be used with the Gaelic for words like 'one' or 'many' or 'some'.

**tè de na sgoiltean** one of the schools
**mòran de na daoine** many of the people
**chaidil i cuid dhen oidhche** she slept for some of the night

**De** can also be used in cases like:

**dealbh-camara de Chaisteal Dhùn Èideann** a photo of Edinburgh Castle

**off: the milk is off** tha am bainne goirt [ha əm ban-yə gorsht]
**it just came off** 's ann a dh'fhalbh e dheth [sōwn ə Galav eh yeh]
**it's time we were off** 's mithich dhuinn togail oirnn [smee-iK Gə-in tohkal orn]
**off you go!, have fun!** siuthad! gabh spòrs! [shoo-ət, gav spawrs]
**10% off** 10 sa cheud dheth [jehK sə Kee-ət yeh]
**office** *an* oifis [ofish]
**officer** *an t-*oifigear [ən tofigər]
**excuse me, officer** gabhaibh mo leisgeul, oifigeir [gaviv moh lehsh-kel ofigər]
**official** *(noun) an t-*oifigeach [ən tofigəK]
*(adjective)* oifigeach [ofigəK]
**off-shore: he's working off-shore** tha e ag obair far-cladaich [ha eh əg ohpər far-kladeeK]
**often** gu tric [goo treeKk]
**how often do you go there? – not often** dè cho tric 's a thèid thu ann? – chan ann tric [jay Koh treeKk sə hayj oo ōwn – Kan ōwn treeKk]
**oil** *an* ola [olə]
**oil rig** *an* crann-ola [krōwn-olə]
**ok** ceart [kyarsht]
**it's ok** *(doesn't matter)* tha e ceart gu leòr [ha eh … goo lyawr]
**are you ok?** a bheil thu ceart gu leòr? [ə vel oo …]
**that's ok by me** tha sin ceart gu leòr dhomhsa [ha shin … Gŏ-sə]
**a little more? – no, I'm ok thanks** beagan a

bharrachd? – chan eil, tha mi ceart gu leòr, tapadh leat
[behkən ə varəKk – Kan yel, ha mee … tapə let]

**old** sean [shehn] (**older/oldest** nas/as sine [nəs/əs sheenə])

The Gaelic word **sean** is one of the small number of adjectives that comes before its noun. When it comes before its noun it is spelled **seann** [shōwn]. It also then lenites following consonants (apart from d, s, t).

**an seann bhoireannach** the old woman
**an seann duine** the old man

*dialogues*

*1*

**how old are you?**
dè an aois a tha thu?
[jay ən ursh ə ha oo]

**bidh mi 27 an ath-mhìos**
[bee mee feeKet sə shaKk ən ah-vee-əs]
I'll be 27 next month

*2*

**how old's your youngest boy?**
dè an aois a tha am balach as òige agad?
[jay ən ursh ə ha əm baləK əs oygə akət]

**just 3 months**
chan eil ach 3 mìosan
[Kan yel aK tree mee-əsən]

**and your oldest girl?**
agus an tè as sine agad?
[agəs ən chay əs shinə akət]

**she was 18 last week**
bha i ochd deug an t-seachdain sa chaidh
[va ee oKk jee-əg ən chaKkin sə KY]

**I thought she was younger than that**
bha mi an dùil gun robh i na b' òige na sin
[va mee ən dool goon roh ee nə boygə nə shin]

**doesn't time fly!**
nach ann a ruitheas an ùine!
[naK ōwn ə rooyəs ən oonyə]

**old-fashioned** sean-fhasanta [shehn-asəntə]
**olives** *na* dearcan ola [jehrkən olə]
**omelette** *an* omaileid [omalij]
**on** air [ehr]
  **on the table** air a' bhòrd [ehr ə vawrd]
  **I haven't got it on me** chan eil e agam an-dràsta [Kan yel eh akəm ən-drahstə]
  **on Friday** Dihaoine [jihurnyə]
  **on television** air an telebhisean [ehr ən televishən]
  **the lights were on** bha na solais air [va nə solish ehr]
**once** *(one time)* aon turas [urn toorəs]
  *(at a previous time)* uair [oo-ər]
  **at once** *(immediately)* air ball [ehr ba-əl]
  **don't all speak at once** nach sibhse a tha balbh [naK sheevshə ə ha balav]
  **once upon a time** uair dha robh saoghal [oo-ər Ga roh sur-əl]
**one** aon *(+len)* [urn]
  **one by one** aon mu seach [urn mə shaK]
  **the red one** *(for a masculine noun)* am fear dearg [əm fehr jereg]

*(for a feminine noun)* an tè dhearg [ən chay yereg]
**it's not that one** chan e am fear/an tè sin [Kan yeh əm fehr/ən chay shin]
**the other one** am fear/an tè eile [... ehlə]
**what can one do?** dè a nithear? [jay ə nee-ər]

**onions** *na h*-uinneanan [nə hoon-yanən]

**online** air-loidhne [ehr-loynyə]
**I found it online** fhuair mi air-loidhne e [hoo-ər mee ... eh]
**I booked tickets online** ghlèidh mi tiogaidean air-loidhne [Glay mee chigijən ...]

**only** chan eil ach [Kañ yel aK]

> The Gaelic construction **chan eil ach ...** is similar to the English 'there is but ...'. But the Gaelic uses a negative verb.

**it's only a short distance** chan eil e ach astar beag air falbh [Kan yel eh aK astər behk ehr falav]
**that's the only one I have** sin an t-aon fhear a th' agam [shin ən turn yehr ə hakəm]
**there are only two left** chan eil ach dà air fhàgail [... dah ehr ah-kal]
**it's not only different, it's weird** chan e a-mhàin gu bheil e eadar-dhealaichte, tha e neònach [Kan yeh ə-vahn goo vel eh ehtər-yaleeKchə, ha eh nyawnəK]
**I was only trying to help** cha robh mi ach a' feuchainn ri cuideachadh [Ka roh mee aK ə fee-əKin ree koojəKəG]
**he's an only child** tha e na aon duine-cloinne [ha eh nə urn doonyə-kloynyə]

**open** *(adjective)* fosgailte [fosgalchə]
**I can't open it** chan urrainn dhomh fhosgladh [Kan oorin Gŏ osgləG]

**when do you open?** cuin a dh'fhosglas sibh? [koonyə Gosgləs shiv]

operation *(surgical) an* opairèisean ['operation']

**when's his operation?** cuin a thèid e fon lannsa? [koonyə hayj eh fon lōwnsə]

opinion *am* beachd [byaKk]

**in my opinion** nam bheachdsa [nəm vyaKk-sə]

**in your opinion** nad bheachdsa [nət ...]

opportunity *an* cothrom [korom]

opposite mu choinneamh [moo Kənyəv]

**opposite the post office** mu choinneamh oifis a' phuist [... ofish ə foosht]

**in the opposite direction** an taobh eile [ən turv ehlə]

**they live opposite** tha iad a' fuireach mar coinneimh [ha ee-at ə fooraK mar kənyev]

optician's bùth *(m)* an fhradhairciche [boo ən rə-ərkeeKə]

or no [noh]

orange *(fruit) an* orainsear [orinshər]

*(colour)* orainds ['orange']

orange juice *an* sùgh orainds [soo 'orange']

orchestra *an* orcastra [orkəstrə]

order *(for goods) an t-*òrdugh [ən tawrdəG]

**I did it in order to help you** rinn mi e *gus* do chuideachadh [rYn mee eh goos doh KoojəKəG]

**do it now, that's an order!** dèan an-dràsta e, sin òrdugh! [jee-an ən-drahstə eh, shin awrdəG]

ordinary cumanta [koomәntə]

Orkney Arcaibh [arkiv]

Oronsay Orasa

other eile [ehlə]

**my other brother** mo bhràthair eile [moh vrah-hər ...]
**the other day** an latha roimhe [ən lah roy-ə]
**do you have any others?** a bheil dad eile agad? [ə vel dat ... akət]
**where are the others?** *(people, things)* càit a bheil an fheadhainn eile? [kahch ə vel ən yəGeen ehlə]

**otherwise** *(if not)* air neo [ehr nyŏ]

**otter** *an* dòbhran [doh-ran]

**ought: I/you ought to go** bu chòir dhomh/dhut dhol ann [boo Kawr Gŏ/Goot Gol ōwn]

**our** ar

*a* **Ar** (our) does not lenite the following word.

**ar màthair** our mother

If the following word starts with a vowel **ar** becomes **ar n-**.

**ar n-ìomhaigh** our image

*b* **Ar** is commonly used to say 'our' when you are talking about family members, friends, something with which you have a close relationship. In other cases you should wrap **an .... againn** [ən ... akin] around the noun. Of course, **an** can change, as shown in the main translations in this book.

**an tidsear againn** our teacher
**am bus againn** our bus

*c* To stress ownership.

**is leinn am baga** it's our bag [... leh-in ...]

**ours: it's ours** 's leinne sin [sleh-inyə shin]
**he's a friend of ours** tha e na charaid dhuinn [ha eh nə Karij Gə-in]

**ourselves** sinn fhìn [sheen heen]

**out: he's out** *(not at home)* tha e a-muigh [ha eh ə-moo-ih]
**he's out in the garden** tha e a-muigh sa ghàrradh [... sə GarəG]
**I went out into the garden** chaidh mi a-mach dhan ghàrradh [KY mee ə-maK Gan GarəG]
**get out!** mach à seo! [maK ah shŏ]
**we're out of bread** tha an t-aran air teireachdainn oirnn [ha ən taran ehr cherəKkin orn]
**I looked out of the window** choimhead mi a-mach air an uinneag [Koy-yet mee ... ehr ən oon-yak]

**outboard (motor)** *an t-*einnsean for-bhùird [ən tenshen for-voorsht]

**outdoors** *(be)* a-muigh [ə-moo-ih]
*(go)* a-mach [ə-maK]
**in the great outdoors** air a' bhlàr mhòr a-muigh [ehr ə vlahr vohr ...]

**Outer Hebrides** Na h-Eileanan A-muigh [nə haylanən ə-moo-ih]

**outside** *(be)* a-muigh [ə-moo-ih]
*(go)* a-mach [ə-maK]

**outwith** *Scots (beyond)* thar [har]
**it is outwith his powers** tha e thar a chomais [ha eh har ə Komish]

**over: over here** a-bhos [ə-vos]
**over there** thall [hōwl]
**he's over 40** tha e os cionn dà fhichead [ha eh os kyoon dah eeKet]
**there were over 100 people there** bha còrr is ceud duine ann [va kawr is kee-ət doonyə ōwn]
**it's all over** *(finished)* tha e seachad [ha eh shaKət]

**overcoat** *an* còta uachdair [kawtə oo-əKkər]

**overnight** *(travel)* tron oidhche [trohn ə-iKə]
  **we stayed overnight** rinn sinn fuireach na h-oidhche ann [rYn sheen foorəK nə hə-iKə ōwn]
  **it's not going to happen overnight!** cha tachair e ri linn oidhche ! [Ka taKir eh ree leen ə-iKə]

**oversleep: she overslept** chaidil i tuilleadh 's anmoch [Kajil ee toolyəG sanəməK]

**overtake** *(a car)* beir* air *(+prep obj)* (a' breith air) [behr ehr (ə breh ehr)]
  **don't overtake on a bend** na beir air càr air lùb [nə behr ehr kahr ehr loop]

**overtime** *(at work) a'* c*h*òrr-ùine [ə Kawr-oonyə]

**owl** *an* cailleach-oidhche *(+len adj)* [kalyəK-ə-iKə]

**own: my own ...** an ... agam fhìn [ən akəm heen]

> You use **fhìn** with the first person (I or we)
>
> **an ... agam fhìn/an ... againn fhìn** [... akin ...]
> my own .../our own ...
>
> and **fhèin** with all others.

  **his own ...** an ... aige fhèin [ən ekə hayn]
  **I'm on my own** tha mi nam aonar [ha mee nəm urnər]
  **are you on your own?** a bheil thu nad aonar? [ə vel oo nət ...]

◊ **own up** aidich (ag aideachadh) [ajeeK (əg ajəKəG)]

◊ **own up to** aidich (ag aideachadh) [ajeeK (əg ajəKəG)]

**owner** *an* sealbhadair [sheləvədər]

**oxter** *Scots an* achlais [aKlish]

**oyster catcher** *an* gille-brìghde [geelyə-breejə]

# P *p*

packet *a' phacaid* [ə faKkij]

page *(of book) an* duilleag *(+len adj)* [doolyak]

pain *a' phian* [ə fee-ən]

**I've got a pain in my ...** tha pian nam ... [ha pee-ən nəm ...]

**it's a real pain** tha e leamh dha-rìribh [ha eh lef Ga-reeriv]

paint *(verb)* peant (a' peantadh) [pent (ə pentəG)]

*(noun) am* peant

painting *(picture) an* dealbh [jeləv]

pair *am* paidhir [pY-yir]

**a pair of socks** paidhir stocainnean [... stoKkinyən]

Paisley Pàislig [pahsh-lik]

pale bàn [bahn]

pan *(for cooking) am* pana [panə]

panties *na* pantaichean [panteeKən]

pants *(underpants) an* drathais *(+len adj)* [drah-ish]

paper *(also newspaper) am* pàipear [pehpər]

parcel *am* parsail [parsal]

pardon ? *(didn't understand)* b' àill leat? [bahl let]

**I beg your pardon** *(apologizing)* gabh mo leisgeul [gav moh lesh-kel]

parent *am* pàrant [pah-rant]

**my parents** mo phàrantan [moh fahrantən]

parents evening oidhche *(f)* nam pàrant [ə-iKə nəm pahrant]

**park** *(garden) a'* p*h*àirc [ə fahrk]
**where can I park?** càit am faod mi pàirceadh? [kahch əm furt mee pahrkəG]

**parking: parking is a problem here** tha pàirceadh na thrioblaid an seo [ha pahrkəG nə hriplij ən shŏ]

**Parliament: the Scottish Parliament** Pàrlamaid *(f)* na h-Alba [pahrləmij na h-aləpə]

**parrot** *a'* p*h*itheid [ə fee-hej]

**part** *a'* p*h*àirt [ə fahrsht]
**a (spare) part** pàirt-càraidh [pahrsht-kahree]

**partner** *(boyfriend etc) an* companach [kōwmpənəK]
*(in business) an* com-pàirtiche [kom-pahrsh-cheeKə]
*(in game, tennis) an* co-chluicheadair [koh-Klə-iKədər]

**party** *(group) an* còmhlan [kawlan]
*(celebration, also political) am* pàrtaidh [pahrtee]
**I'm having a party tonight** bidh pàrtaidh agam a-nochd [bee … akəm ə-noKk]

**pass** *(in mountain) am* bealach [byaləK]
**a pass is 45%** 's e 45% a th' ann am pas [sheh kerət sə koh-ik 'percent' ə hōwn əm pas]

◊ **pass away** caochail (a' caochladh) [kurKal (ə kurKləG)]

**passable** *(road)* fosgailte [fosgalchə]
*(in quality)* meadhanach [mee-anəK]

**passenger** *am* pasaidear [pasijər]

**passing place** *an t*-àite-seachnaidh [ən tah-chə-shaKnee]

**pass mark** *an* comharra pas [kŏ-wərə …]

**passport** *an* cead-siubhail [keht-shoowal]

**password** *am* facal-faire [faKkəl-farə]

**password-protected** fo dhìon facail-fhaire [foh yee-ən faKkil-arə]

**past: in the past** san àm a dh'fhalbh [sən ōwm ə Galav]
**it's just past the traffic lights** tha e rud beag *seachad air* na solais-trafaig [ha eh root behk shakət ehr nə solish-trafek]

*the past tense*

There are just eleven irregular Gaelic verbs and the past tense of these is shown on page 344.
The past tense of regular verbs is formed as follows.

a By leniting the first letter of the root (the first form given in this book). For example:

**pòs** marry → **phòs** [faws] married
**cadail** sleep → **chadail** [Kadal] slept

b By putting **dh'** in front of the root form if the verb begins with a vowel.

**òl** drink → **dh'òl** [Gawl] drank
**ith** eat → **dh'ith** [yeeK] ate

c By putting **dh'** in front of the root form if the verb begins with a lenited **f**.

**falbh** leave → **dh'fhalbh** [Galav] left
**fòn** phone → **dh'fhòn** [Gawn] phoned

d Some verbs do not change in the past positive (because they start with letters that do not lenite: l, n, r).

**leugh** read → **leugh** read
**nigh** wash → **nigh** washed
**ruith** run → **ruith** ran

see also **questions**, **not** and **have 4b**.

*go to* **time**

**path** *an* staran [starən]
*(longer) an* ceum [kaym]
**patient: be patient** gabh foighidinn [gav fə-yijin]
**pattern** *am* pàtran [pahtran]
**pavement** *an* cabhsair-sràide [kōwsər-strahjə]
**pay** pàigh (a' pàigheadh) [pY (ə pY-yəG)]
**can I pay by card?** am faod mi pàigheadh le cairt? [əm furt mee ... leh karsht]
**pay attention!** thoir an aire! [hor ən arə]
◊ **pay back** *(money)* pàigh air ais (a' pàigheadh air ais) [pY ehr ash (ə pYyəG ...)]
**I'll pay you back tomorrow** pàighidh mi air ais thu a-màireach [pY-ee mee ehr ash oo ə-mahrəK]
**PE (=physical education)** foghlam corporra [furləm ...]
**peace** *(calm) an* sàmhchair [sahv-chər]
*(not war) an t-*sìth [ən chee]
**peach** *a'* p*h*eitseag [ə fechshak]
**peak** *(of mountain) an* stùc *(+len adj)* [stooKk]
**peanuts** *na* cnòthan-talmhainn [kraw-ən-taləvin]
**pear** *a'* p*h*eur [ə fayr]
**peas** *na* peasraichean [pesreeKən]
**peat** *a'* mhòine [ə vawnyə]
**pedestrian** *an* coisiche [kosheeKə]
**pedestrian crossing** *an* trast-rathad coise [trast-rah-ət koshə]
**pee: I need a pee** tha mo mhùn agam [ha moh voon akəm]
**Peebles** Na Puballan [nə poobalan]
**pen** *am* peann [pyōwn]

**have you got a pen I can use?** a bheil peann agad as urrainn dhomh cleachdadh? [ə vel … akət əs oorin Gŏ kleKkəG]

**penalty** *(in sport) am* peanas [penəs]

**pence: 50 pence** 50 sgillinn [leh-Kət skilin]

**pencil** *am* peansail [pensal]

**penny** *an* sgillinn *(+len adj)* [skilin]

**pensioner** *am* peinnseanair [peh-in-shənər]

**people** *na* daoine [durn-yə]

**how many people?** cia mheud duine? [kih vee-ət doon-yə]

**people say that …** bidh daoine ag ràdh gu bheil … [bee … əg rah goo vel]

**the people of Scotland** muinntir na h-Alba [mə-inchir nə haləpə]

Gaelic has special words for the numbers 2 to 10 when counting people. These words can also be used on their own.

**bha dithis ann**
[va jee-ish ōwn]
there were two (people) there

**bha triùir ann** [va tr-yoor ōwn]
there were three (people) there

| | | |
|---|---|---|
| **ceathrar** | kerər | four (people) |
| **còignear** | koh-iknər | five (people) |
| **sianar** | shee-anər | six (people) |
| **seachdnar** | shaKknər | seven (people) |
| **ochdnar** | oKknər | eight (people) |
| **naoinear** | nurnər | nine (people) |
| **deichnear** | jehKnər | ten (people) |

**a bheil clann agaibh?** do you have any children?
**tha, triùir, dithis mhac agus nighean** – yes, three, two sons and a daughter

**cò dhen cheathrar aca a tha a' tighinn?** out of the four of them, who's coming?

**people carrier** *an* carbad-giùlain [karəpət-gyoolan]
**pepper** *am* piobar [pipər]
**green/red pepper** piobar dearg/uaine [... jereg/oo-ənyə]
**peppermint** *(sweet, flavour)* meannt *(m)* a' phiobair [myōwnt ə fipər]
**per: per night** an oidhche [ən ə-iKə]
**per person** an duine [ən doon-yə]
**per cent: 10 percent** deich às a' cheud [jehK ahs ə Kee-ət]
**percentage** *an* ceudad [kee-ədət]
**perfect** iomlan [imilan]
*(error-free, fault-free)* foirfe [firəfə]
**no one's perfect, least of all you** chan eil duine sam bith iomlan, 's tu a bu lugha a tha [Kan yel doonyə səm bee ..., is too ə boo looGə ə hah]
**we want everything to be perfect** tha sinn airson a h-uile rud a bhith dìreach ceart [ha sheen ehrson ə hoolə root ə vee jeerəK kyarsht]
**perfume** *a' ch*ùbhrachd [ə KoorəKk]
**perhaps** ma dh'fhaoidte [ma Gurjə]
**perhaps it will rain** dh'fhaoidte gum bi an t-uisge ann [... goom bee ən tooshkə ōwn]
**period** *(of time) a' gh*reis [ə Grehsh]
*(menstruation) an* sileadh-mìos [sheeləG-mee-əs]
**permanent** maireannach [marənəK]

**person** *an* neach [nyaK]
  **in person** sa chraiceann [sə KraKkən]
**personally** gu pearsanta [goo pehrsəntə]
**Perth** Peairt [pyarsht]
**pet** *am* peata [petə]
  **a pet rabbit** peata coineanaich [... konəneeK]
**Peterhead** Ceann Phàdraig [kyōwn fahdrehk]
**petrol** *am* peatrail [petral]
**petrol station** *an* stèisean-peatrail [stayshen-petral]
**pharmacy** bùth *(m)* a' cheimigeir [boo ə Kemigər]
**pheasant** *an* easag [esək]
**phone** fòn (a' fònadh) [fohn (ə foh-nəG]
  *(somebody)* fòn gu (a' fònadh gu) [... goo]
  **I'll phone you** fònaidh mi thugad [fohnee mee hookət]
◊ **phone back** fòn air ais (a' fònadh air ais) [fohn ehr ash (ə fohnəG ...)]
  *(somebody)* fòn air ais gu (a' fònadh air ais gu) [... goo]
  **can you phone back in five minutes?** am fòn thu air ais ann an còig mionaidean? [əm fohn oo ... ōwn ən koh-ik minajən]
  **I'll phone you back** fònaidh mi air ais thugad [fohnee mee ... hookət]

*dialogues*

*1*

**can I speak to Chris?**
am faod mi bruidhinn ri Chris?
[əm furt mee brooyin ree ...]

**cò tha bruidhinn?**
[koh ha brooyin]
who's speaking?

**'s e seo Fiona NicLeòid**
[sheh shŏ 'fiona' neeKklyawj]
this is Fiona Macleod

**fuirich ort mionaid**
[fooreeK orsht minaj]
hold on a minute

**chan eil e ann**
[Kan yel e ōwn]
he's not here

**a bheil thu airson's gum fòn e air ais thugad?**
[ə vel oo ehrson sgoom fohn eh ehr ash hookət]
do you want him to call you back?

**chan eil, 's aithne dhomh àireamh fòn-làimhe**
[Kan yel, sanyə Gŏ ahrəv fohn-lYvə]
that's ok, I've got his mobile number

*2*

**hallo, seo post-gutha ...**
[hallo, shŏ post-goo-ə ...]
hello, you have reached the voicemail of ...

**fàgaibh teachdaireachd an dèidh an fhuinn**
[fahkiv chaKkirəKk ən jay ən oo-in]
please leave a message after the tone

phonebox *am* bogsa-fòn [boksə-fohn]
phonecall *a' gh*airm-fòn [ə Gerəm-fohn]

**phone charger** *an* neartaiche-fòn [nyarshteeKə-fohn]

**photo** *an* dealbh-camara [jeləv-kamərа]

**photocopier** *an* lethbhreacadair [lehvreKkədər]

**photocopy** *(verb)* dèan* lethbhreac de *(+prep obj)* (a' dèanamh lethbhreac de) [jee-an lehvreKk jeh (ə jee-anəv ...)]

**can I have a photocopy of this?** am faigh mi lethbhreac de seo? [əm fY mee ... jeh shŏ]

**photograph** *an* dealbh-camara [jeləv-kamərа]

**photographer** *an* dealbhadair [jeləv-ədər]

**physics** fiosaigs ['physics']

**physiotherapist** *an* teiripiche-cuirp [cheripeeKə-koorp]

**piano** *am* piàna [pee-ahnə]

**pibroch** *an* ceòl-mòr [kyawl-mohr]

◊ **pick up** *(something fallen, also language)* tog (a' togail) [tohk (ə tohkal)]

*(habit, disease)* gabh (a' gabhail) [gav (ə gahl)]

**I'll pick you up from the airport** togaidh mi aig a' phort-adhair thu [tohkee mee ek ə fohrst-ahr oo]

**picnic** *a' chuirm-chnuic* [ə Koorəm-Krə-iKk]

**Pict: the Picts** na Cruithnich [krə-inyeeK]

**Pictish** Cruithneach [krə-inyəK]

**picture** *an* dealbh [jeləv]

**pie** *(meat, fruit)* *am* pàidh ['pie']

**piece** *(also* SCOTS: *sandwich)* *am* pìos ['piece']

**a piece of cheese/wood** pìos càise/fiodha [... kah-shə/fyiGə]

**pig** *a' mhuc* [ə vooKk]

**pigeon** *an* calman [kaləman]
**pill** *am* pile [pilə]
**I'm on the pill** tha mi a' gabhail a' phile an-dràsta [ha mee ə gahl ə filə ən-drahstə]
**pillow** *a' ch*luasag [ə Kloo-əsak]
**pilot** *(of plane) am* pìleat [peelet]
**pin** *am* prìne [preenə]
**PIN (number)** *an* àireamh PIN [ahrəv PIN]
**pineapple** *an t-*anann [ən tanən]
**pine furniture** *an* àirneis giuthais [ahrnesh gyoo-ish]
**pine (tree)** *an* giuthas [gyoo-əs]
**pink** pinc
**pinkie** *SCOTS an* lùdag *(+len adj)* [loodak]
**pint** *am* pinnt [peench]
**fancy a pint?** a bheil sannt agad air pinnt? [ə vel sōwnt akət ehr …]
**pipe** *(for water, to smoke) a' p*hìob [ə feep]
**piper** *am* pìobaire [peebərə]
**Pitlochry** Baile Chloichridh [balə KloyKree]
**pity: it's a pity** 's bochd sin [sboKk shin]
**it's a pity you can't come too** 's bochd nach urrainn dhutsa tighinn cuideachd [… naK oorin Gootsə cheeyin koojəKk]
**pizza** *am* piotsa ['pizza']
**place** *an t-*àite [ən tah-chə]
**is this place free?** a bheil an t-àite sa saor? [ə vel … sə sur]
**at my place** aig an taigh agamsa [ek ən tY akəmsə]
**at your place** aig an taigh agadsa [… akətsə]

**to his place** dhan taigh aige [Gan ... ekə]
**in the first place** sa chiad dol a-mach [sə Kee-at dol ə-maK]

plain *(evident)* soilleir [səl-yər]
*(not patterned)* plèan [plehn]
**a plain omelette** omaileid phlèan [omalej flehn]

plan *am* plana [planə]

plane *(aircraft) an t-*itealan [ən cheechələn]
**we went by plane** chaidh sinn air an itealan [KY sheen ehr ən ...]

planet *a'* p*h*lanaid [ə flanij]

plant *an* lus [loos]

plaster *(cast) an* còmhdach plàsta [kawdəK plahstə]
*(sticking) am* plàst [plahst]

plastic *a'* p*h*lastaig [ə flastek]

plastic bag *am* poca plastaig [poKkə plastek]

plate *an* truinnsear [troonshər]

platform *(station) an t-*ùrlar [ən toorlər]
*(in hall) an t-*àrd-ùrlar [ən tarsht-oorlər]
*(oil-) an* clàr ola

play *(verb)* cluich (a' cluich) [klə-iK]
*(noun, also theatrical) a'* c*h*luich [ə Klə-iK]

◊ play up: **the photocopier is playing up again** tha an lethbhreacadair ri miastadh a-rithist [ha ən lehvreKkədər ree mee-əstəG ə-reesh-ch]

playground *an* raon-cluiche [rurn-klə-iKə]

playgroup *an* cròileagan [krawləgən]

play park *a'* p*h*àirc cluiche [ə fahrk klə-iKə]

playtime *an* ùine cluiche [oon-yə klə-iKə]

**pleasant** taitneach [tachnəK]
**please** mas e do thoil e [mash eh doh hol eh]
*(polite, plural)* mas e ur toil e [mas eh oor tol eh]
**could you please ... ?** am b' urrainn dhut ... [əm boorin Goot]
**(yes) please** tha gu dearbh, tapadh leat [ha goo jerəv, tapə let]
**pleasure** *an* tlachd *(+len adj)* [tlaKk]
**my pleasure** tha thu di-beathte [ha oo jee-bechə]
**plenty: plenty of ...** gu leòr de ... [goo lyawr jeh]
**thank you, that's plenty** tha sin gu leòr, tapadh leat [ha shin ..., tapə let]
**pliers** *an* greimire [grə-imərə]
**Plockton** Am Ploc [əm ploKk]
**plook** *Scots am* pluc [plooKk]
**plough** *an* crann(-treabhaidh) [krōwn(-tr-yōwee)]
**plug** *(electrical) am* pluga [pləgə]
*(for sink) am* plucan [plooKkən]
**plumber** *am* plumair [ploomər]
**plus: 7 plus 5** 7 ri 5 [shaKk ree koh-ik]
**p.m.** f [feskər]
**1 p.m.** 1f [oo-ər ...]
**7 p.m.** 7f [shaKk ...]
**pocket** *a'* p*h*òcaid [ə fawKkij]
**it was in my pocket** 's ann a bha e nam phòcaid [sōwn a va e nəm fawkij]
**poem** *an* dàn [dahn]
**poet** *am* bàrd [bahrsht]
**poetic** bàrdail [bahrshtal]
**poetry** *a'* b*h*àrdachd [ə varshtəKk]

**point: 4 point 6** 4 puing 6 [kehir pə-ing shee-ə]
  **there's no point** chan eil feum ann [Kan yel faym ōwn]
  **that's a good point** 's e deagh phuing a tha sin [sheh joh fə-ing ə ha shin]
**poke of chips** *SCOTS am* poca tiops [poKkə 'chips']
**poison** *am* puinnsean [pə-inshen]
**Poland** a' Phòlainn [ə fohlin]
**police** *am* poileas [poləs]
**policeman** *am* poileasman [poləsman]
**police station** *an* stèisean poilis [stayshen polish]
**policewoman** *a'* b*h*an-phoileas [ə van-foləs]
**polish** *an* lìomh *(+len adj)* [lee-əv]
**polite** modhail [moh-Gal]
**political** poilitigeach [politigəK]
**politician** *an* neach-poilitigs [nyaK-'politics']
**politics** poilitigs ['politics']
**Polmont** Poll-Mhonadh [pōwl-vonəG]
**polluted** truaillte [troo-əlchə]
**pond** *am* poll(-uisge) [pōwl(-ooshkə)]
**pool** *(swimming) an t-*amar-snàimh [ən tamər-snYv]
**poor** bochd [boKk]
  **poor quality** droch chàileachd [droK KahləKk]
  **poor you!** a bhròinein bhochd! [ə vrawnen voKk]
**popular** *(person)* measail [mesal]
  *(product, colour, fashion etc)* fèillmhor [faylvohr]
  **he's popular with …** tha e measail aig … [ha eh … ek]
  **these are very popular** tha fèill mhòr orra seo [ha fayl vohr orə shŏ]

**pork** *a'* m*h*uicfheoil [ə voo-iKk-yawl]
**porridge** *an* lite *(+len adj)* [leechə]
**port** *(harbour) am* port [porsht]
  **to port** *(not starboard)* taobh a' bhùird-chùlaibh [turv ə voorsht-Kooliv]
**portrait** *a'* p*h*ortraid [ə fortrej]
**Portree** Port Rìgh [pohrsht ree]
**Portugal** a' Phortagail [ə fortəgal]
**posh** *(hotel etc)* spaideil [spajel]
  *(people, accent)* leòmach [lyawməK]
**possibility** *an* comas [koh-məs]
**possible** comasach [koh-məsəK]
  **we tried everything possible** dh'fheuch sinn a h-uile rud a b' urrainn dhuinn [yee-əK sheen ə hoolə root ə boorin Gə-in]
  **as ... as possible** cho ... 's a ghabhas [Koh ... sə Gahs]
  *(after verb in past tense)* cho ... 's a ghabhadh [Koh ... sə Gah-əG]
**possibly: could you possibly ... ?** am b' urrainn dhut ...idir? [əm boorin Goot ... eejir]
**post** *(mail) am* post
**postbox** *(on street) am* bogsa-puist [boksə-poo-isht]
**postcard** *a'* c*h*airt-phuist [ə Karsht-foo-isht]
**postman** *am* posta
**post office** oifis *(f)* a' phuist [ofish ə foo-isht]
**pot** *a'* p*h*oit [ə fotch]
**potatoes** *am* buntàta [boontahtə]

> The Gaelic word **buntàta** is used to translate both 'potato' and the plural 'potatoes'.

**pound** *(weight) am* punnd [poont]
*(money) an* not
**8 pounds** ochd notaichean [oKk noteeKən]
**pour: it's pouring** tha dìle ann [ha jeelə ōwn]
**power cut** *an* gearradh cumhachd [gyarəG koowəKk]
**powerful** cumhachdach [koo-əKkəK]
**power point** *am* bun-dealain [boon-jalən]
**practise: I should practise more** bu chòir dhomh *feuchainn* barrachd [boo Kawr Gŏ fee-əKin barəKk]
**prefer: I prefer this one** 's fheàrr leam am fear/an tè seo [shahr ləm əm fehr/ən chay shŏ]
**I'd prefer a ...** b' fheàrr leam ... [byahr ləm]
**I'd prefer to stay here** b' fheàrr leam a bhith a' fuireach an seo [... ə vee ə fooryəK ən shŏ]
**pregnant** trom [trōwm]
**prelims** *na* fo-dheuchainnean [foh-yee-əKinyən]
**prepare** ullaich (ag ullachadh) [ooleeK (əg ooləK-əG)]
**prescription** *an t*-òrdugh-cungaidh [ən tawrdəG-koongee]
**present: at present** san àm a tha an làthair [sən ōwm ə hah ən lah-hər]
**here's a present for you** seo prèasant dhut [shŏ praysant Goot]
**president** *an* ceann-suidhe [kyōwn-sooyə]
**Prestwick** Preastabhaig [prestavek]
**pretend: he/she is only pretending** chan eil e/i ach a' leigeil air/oirre [Kan yel eh/ee aK ə lehjel ehr/orə]
**pretty** bòidheach [boy-yəK]
**pretty good** math gu leòr [ma goo lyawr]
**pretty expensive** gu math daor [goo ma dur]

**is it ready? – pretty much** a bheil e deiseil? – an ìre mhath [ə vel eh jeh-shel – ən eerə va]

previous: **the previous day** air an latha *roimhe* [ehr ən lah roy-ə]

**on a previous occasion** turas roimhe [toorəs ...]

**the previous manager** an seann mhanaidsear [ən shōwn vanijshər]

price *a'* p*h*rìs [ə freesh]

priest *an* sagart [sagərsht]

prime minister *am* prìomhaire [pree-əvərə]

prince *am* prionnsa [pryoonsə]

princess *a'* b*h*ana-phrionnsa [ə vanə-fryoonsə]

print *(verb)* clò-bhuail (a' clò-bhualadh) [klaw-voo-əl (ə klaw-voo-ələG)]

printer *(machine) an* clò-bhualadair [klaw-voo-ələdər]

printout: **can I have a printout of this?** an urrainn dhut seo a chlò-bhualadh dhomh? [ən oorin Goot shŏ ə Klaw-voo-ələG Gŏ]

prison *am* prìosan [pree-san]

**in prison** sa phrìosan [sə free-san]

private *(adjective)* prìobhaideach [preevijəK]

prize *an* duais *(+len adj)* [doo-ish]

prize-giving cuirm *(f)* nan duaisean [koorəm nən doo-əshən]

prize-winner *am* buannaiche duais [boo-əneeKə doo-əsh]

probably 's dòcha [sdawKə]

**they are probably hers** 's dòcha gur ann leatha a tha iad [... goor ōwn leh-ə ə ha ee-at]

problem *an* trioblaid *(+len adj)* [triblij]

**no problem!** gun trioblaid! [goon ...]

**produce** *(verb: goods)* dèan* (a' dèanamh) [jee-an (ə jee-anəv)]

**product** *am* bathar [bahər]

**productive** torrach [torəK]

**professor** *an t-*ollamh [ən toləv]

**profit** *a' p*hrothaid [ə frohij]

**program: computer program** *am* prògram coimpiutaireachd [prohgram kompyootərəKk]

**programme: television programme** *am* prògram telebhisein [... televishən]

**progammer** *am* prògramair [prohgrəmər]

**progress** *an t-*adhartas [ən turtəs]

**they are making good progress** tha iad a' dèanamh adhartas math [ha ee-at ə jee-anəv urtəs ma]

**prom** *am* prom

**promise: do you promise?** an toir thu gealladh? [ən tor oo gyaləG]

**I promise** geallaidh mi [gyalee mee]

**that's a promise** bheir mi dhut gealladh [vehr mee Goot ...]

**pronounce: how do you pronounce this?** dè am fuaimneachadh air seo? [jay əm foo-əm-nəKəG ehr shŏ]

**pronunciation** *am* fuaimneachadh [foo-əm-nəKəG]

**Gaelic pronunciation** fuaimneachadh na Gàidhlig [... nə gahlik]

**properly** gu dòigheil [goo doy-yel]

**protect** dìon (a' dìon) [jee-ən]

**proud** moiteil [mochel]

**I'm proud of you/him** tha mi moiteil asad/às [ha mee ... asət/ahs]

**proverb** *an* sean-fhacal [shen-aKkəl]
**psychology** saidhceòlas [sYk-yawləs]
**pub** *an* taigh-seinnse [tY-sheh-inshə]
**he's gone to the pub** dh'fhalbh e dhan taigh-seinnse
[Galav eh Gan ...]

*dialogues*

**what'll you have?**
dè ghabhas tu?
[jay Gahs too]

**pinnt MhicAonghais**
[peench vikə-nursh]
a pint of Guinness

**and a pint of Tennents and a glass of red wine**
agus pinnt Tennents is glainne fìon dheirg
[agəs peench Tennents is glanyə fee-ən yereg]

**no, let me get this**
cha ghabh, faigheam seo
[Ka Gav, fYyəm shŏ]

**it's my round**
's e seo mo tharraing-sa
[sheh shŏ moh haring-sə]

**ok, on you go**
ceart ma-thà, siuthad
[kyarsht mə-hah, shyoo-ət]

**cheers**
slàinte
[slahnchə]

**slàinte mhath**
[slahnchə va]
cheers

**tè eile?**
[chay ehlə]
another one?

**gabhaidh, tapadh leat**
[gavee, tapə let]
why not, thanks

**public: the public** *am* poball [pohpəl]
**public holiday** *an* latha-fèille [lah-fayl-yə]
**pudding** *a'* m*h*arag [ə varak]
*(dessert) am* mìlsean [meelshen]
**puffin** *a'* b*h*uthaid [ə voo-hij]
**pull** tarraing (a' tarraing) [taring]
**pump** *am* pump ['pump']
**puncture** *am* priogadh [prikəG]
**punishment** *am* peanas [penəs]
**pupil** *an* sgoilear [skolehr]
**puppy** *an* cuilean [koolen]
**pure** glan
**purple** purpaidh [poorpee]
**purpose: what is the purpose of this?** dè as adhbhar dha seo? [jay əs urvər Ga shŏ]
**I didn't do it on purpose** cha do rinn mi dham dheòin e [Ka doh rYn mee Gam yawn eh]
**purse** *an* sporan [sporən]
**push** put (a' putadh) [poot (ə pootəG)]

**pushchair** *an* carbad-leanaibh [karəbət-lyeniv]
**put** cuir (a' cur) [koor (ə koor)]
**where did you put it?** càit an do chuir thu e? [kahch ən doh Koor oo eh]
◊ **put away** *(in cupboard etc)* cuir air falbh (a' cur air falbh) [koor ehr falav (ə koor ...)]
◊ **put back** *(in its place)* cuir air ais (a' cur air ais) [koor ehr ash (ə koor ...)]
**did you put the clocks back?** an do chuir thu na gleocan air ais? [ən doh Koor oo nə glyoKkən ...]
◊ **put off** *(light, TV etc)* cuir dheth (a' cur dheth) [koor yeh (ə koor ...)]
**that put me off going** chuir sin dheth mi bho bhith a dhol ann [Koor shin yeh mee voh vee ə Gol ōwn]
◊ **put on** *(light, TV etc)* cuir air (a' cur air) [koor ehr (ə koor ehr)]
**she put her coat on** chuir i oirre an còta aice [Koor ee orə ən kawtə ekə]
**put some music on** cuir ceòl gu dol [... kyol goo dol]
**he has put on weight** chuir e feòil air [Koor eh fyawl ehr]
◊ **put up** *(poster etc)* cuir an àird (a' cur an àird) [koor ən ahrsht (ə koor ...)]
**put your hand up** cuir suas do làmh [... soo-əz doh lahv]
**we can put you up at our place** fuirichidh sibh aig an taigh againne [fooriKee shiv ek ən tY akeenyə]
**pyjamas** *na* 'pyjamas'

# Q *q*

**quaich** *a'* c*h*uach [ə Koo-əK]

**qualification** *(in a subject) an* teisteanas [chestənəs]

**quality** *am* mathas [ma-həs]

**quantity** *am* meud [mee-ət]

**quarter** *an* cairteal [karshtal]

**a quarter of an hour** cairteal na h-uarach [… nə hoo-ərəK]

*go to* **time**

**queen** *a'* b*h*an-rìgh [ə van-ree]

**question** *a'* c*h*eist [ə Kehsht]

**may I ask you a question?** am faod mi ceist a chur ort? [əm furt mee kehsht ə Koor orsht]

**that's out of the question** chan eil dòigh air thalamh [Kan yel doy ehr haləv]

*questions*

Verb forms are shown in the tables on pages 343–345. Here is a breakdown of how to ask a question in Gaelic.

*1* With the verb 'to be' in the present tense

*a* **tha** becomes **a bheil … ?** [ə vel]

**tha mi deiseil** I'm ready
**a bheil thu deiseil?** are you ready?
**a bheil i deiseil?** is she ready?
**a bheil iad deiseil?** are they ready?

*b* **is** or **'s** becomes **an e** [ən yeh]

**'s e Albannach a th' annam** I am Scottish

**are you Scottish?** an e Albannach a th' annad?
**is that Mull?** an e Muile a th' ann?

2 With the verb 'to be' in the past tense

*a* **bha** becomes **an robh** [ən roh]

**bha mi glè thoilichte** I was very happy
**an robh thu toilichte cuideachd?** were you happy too?
**an robh iad deiseil?** were they ready?
**an robh e ann am Muile?** was it/he on Mull?

*b* **were they Scottish?** an e Albannaich a bh' annta?

3 With the verb 'to be' in the future tense
**bidh** becomes **am bi?**

**am bi esan ann?** will he be there?

4 Other verbs in the present and future tenses

*a* Put **an** in front of the root form of the verb (that is the first form of the verb as given in this book). If the root begins with the letter m, b, f or p **an** becomes **am**.

**an snàmh thu gach latha?** do you swim every day?
**am pòs e i?** will he marry her?

*b* For the past tense put **an do** in front of the positive past form.

**an do shnàmh** [hnahv] **thu san loch a-raoir?** did you go swimming in the loch last night?
**an do phòs e i?** did he marry her?

But check the irregular verbs on page 344.

**queue** *a' chiudha* [ə Kyoo-ə]
**there was a big queue** bha sreath mòr dhaoine ann
[va streh mohr Gurnyə ōwn]

◊ **queue up** dèan* ciudha (a' dèanamh ciudha) [jee-an kyoo-ə (ə jee-anəv ...)]

**quick** luath [loo-ə]

**that was quick** bha siud luath [va shit ...]

**quickly** gu luath [goo loo-ə]

**how quickly can you do it?** dè cho luath as urrainn dhut a dhèanamh? [jay Koh ... əs oorin Goot ə yee-anəv]

**quiet** *(person, street)* sàmhach [sahvəK]

**be quiet!** bi sàmhach! [bee ...]

**quite** *(completely)* buileach [booləK]

*(fairly)* caran [karan]

**he drank quite a lot** dh'òl e gu lèor [Gawl eh goo lyawr]

**there were quite a lot of people there** bha sluagh gu lèor ann [va sloo-əG ... ōwn]

**I like it quite a lot** tha mi *gu math* dèidheil air [ha mee goo ma jay-yel ehr]

**we're not quite ready** chan eil sinn buileach deiseil [Kan yel sheen ... jeh-shel]

**that's quite right!** tha sin glè cheart! [ha shin glay Kyarsht]

**quiz** *an* ceisteachan [kehsh-chəKan]

**a quiz show** prògram ceisteachain [prohgram kehsh-chəKen]

# R *r*

rabbit *an* coineanach [konənəK]
race *(sport) an* rèis *(+len adj)* [raysh]
radiator *(of car, heater) an* rèididheatar ['radiator']
radio *an* rèidio ['radio']
  **on the radio** air an rèidio [ehr ən ...]
rag *(for cleaning) an* clobhd [klōwt]
rail: **by rail** le rèile [leh raylə]
railway *an* rathad-iarainn [rah-ət-ee-əreen]
railway station *an* stèisean-rèile [stayshen-raylə]
rain *(noun) an t-*uisge [ən tooshkə]
  **it's raining** tha an t-uisge ann [ha ən ... ōwn]

*dialogue*

**is it still raining?**
a bheil an t-uisge ann fhathast?
[ə vel ən tooshkə ōwn hahst]

**chan eil ach smùidrich mhìn**
[Kan yel aK smoojriK veen]
no, it's just drizzling

**tha an dìle-bhàit ann**
[ha ən jeelə-vahch ōwn]
it's absolutely pouring down

**thèid drùidheadh orm**
[hayj drooyəG orəm]
I'm going to get soaked

**rainbow** *am* bogha-froise [boh-ə-froshə]
**raincoat** *an* còta-froise [kawtə-froshə]
**rainy: a rainy day** latha fliuch [lah flooK]
**rake** *(for garden) an* ràc [rahK]
**random: at random** *(choose etc)* air thuaiream [ehr hoo-ərəm]
**rare** tearc [chehrk]
*(steak)* fuileach [fooləK]
**raspberry** *an* sùbh-craoibhe [soo-krur-ivə]
**rat** *an* radan [ratan]
**rather**
1 **I'd rather have a ...** b' fheàrr leam ... [byahr ləm]
**I'd rather sit here** b' fheàrr leam suidhe an seo [... sooyə ən shŏ]
**I'd rather not do that** b' fheàrr leam gun sin a dhèanamh [... goon shin ə yee-anəv]
**I'd rather you didn't do that** b' fheàrr leam nach dèanadh tu sin [... naK jee-ənəG too ...]
**would you like to go to ...? – I'd rather not** am bu toil leat a dhol gu ...? – cha bu toil [əm boo təl let ə Gol goo ... – Ka ...]
2 **it's rather hot** tha e caran teth [ha eh karan cheh]
**raw** amh [af]
**razor** *an* ràsar [rasər]
**RE (=religious education)** foghlam creideimh [furləm krehjiv]
**reach** ruig* (a' ruigsinn) [rik (ə rikshin)]
**when we reached the top of the hill** nuair a ràinig sinn mullach na beinne [noo-ər ə rahnik sheen mooləK nə beh-in-yə]

**we'll reach Dumfries by midday** ruigidh sinn Dùn Phrìs ro mheadhan-latha [rikee sheen doon freesh roh vee-an-lah]

**I can't reach it** cha ruig mi air [Ka ... mee ehr]

read leugh (a' leughadh) [layv (ə layvəG)]

**have you read ... ?** an do leugh thu ...? [ən doh layv oo]

◊read out *(aloud)* leugh os àrd (a' leughadh os àrd) [layv os ahrsht (ə layvəG ...)]

ready: **when will it be ready?** cuin a bhios e ullamh? [koon-yə vis eh ooləv]

**I'm not ready yet** chan eil mi deiseil fhathast [Kan yel mee jeh-shel hahst]

real fìor [feer]

really gu fìrinneach [goo feerinyəK]

*(very)* fìor [feer]

reason *(cause) an t-*adhbhar [ən turvər]

**what is the reason for that?** dè as adhbhar dha sin? [jay əs urvər Ga shin]

reasonable *(person)* reusanta [raysəntə]

recent cuimseach ùr [kə-imshəK oor]

recently o chionn ghoirid [oh Kyoon Gərij]

**have you seen her recently?** am faca tu i o chionn ghoirid? [əm faKkə too ee ...]

reception *(welcome) am* fàilteachas [fahlchəKəs]

*(area in school, hotel etc) an t-*ionad-fàilte [ən chinət-fahlchə]

recipe *an* reasabaidh ['recipe']

recognize aithnich (ag aithneachadh) [anyeeK (əg anyəKəG)]

**I didn't recognize him** cha do dh'aithnich mi e [Ka doh GanyeeK mee eh]

**recommend: can you recommend ...?** an urrainn dhut ... a mholadh? [ən oorin Goot ... ə voləG]

**record** *(of music) an* clàr [klahr]

*(in sport etc) an* clàr-euchdan [klahr-ayKkən]

**did you keep a record of the games?** an do chùm thu cunntas air na geamaichean? [ən doh Koom oo koontəs ehr nə gemeeKən]

**record-holder** glèidheadair a' chlàir-euchd [glay-yədər ə Klahr-ayKk]

**recording** *an* clàradh [klahrəG]

**recycle** ath-chuairtich (ag ath-chuartachadh) [ah-Koo-ərshcheeK (əg ah-Koo-ərshtəKəG)]

**recycling** *an t*-ath-chuartachadh [ən tah-Koo-ərshtəKəG]

**put it in the recycling** cuir san ath-chuartachadh e [koor sən ah-Koo-ərshtəKəG eh]

**red** dearg [jereg]

*(hair)* ruadh [roo-əG]

**reduction** *(in price) an* lùghdachadh [loodəKəG]

**reel** *(dance) an* ruidhle *(+len adj)* [roo-ilə]

**referee** *(sport) an* rèitire [raychirə]

**refuse: I refuse** tha mi a' diùltadh [ha mee ə jooltəG]

**region** *an* sgìre *(+len adj)* [skeerə]

**register** *(of names) an* clàr [klahr]

**related: are you related to them?** a bheil thu càirdeach dhaibh? [ə vel oo kahrjəK GYv]

**they are related by marriage** tha cleamhnas eatorra [ha klyōwnəs ehtorə]

**these two issues are not related** chan eil co-cheangal sam bith aig an dà chùis seo [Kan yel koh-kyeh-al səm bee ek ən dah Koosh shŏ]

**relationship** *an* dàimh *m or f* [dYv]
*(between ideas etc) an* ceangal [kyeh-əl]
**she's in a relationship with him** tha i a' falbh leis [ha ee ə falav lehsh]
**relative: my relatives** mo chàirdean [moh Kahrsh-jən]
**relax!** leig leat! [lik let]
**relevant** iomchaidh [iməKee]
**relief** *am* faochadh [furKəG]
**what a relief!** abair faochadh! [apar ...]
**religion** *an* creideamh [krehjəv]
**religious** *(pious)* cràbhach [krahvəK]
◊ **rely on** cuir earbsa ann an (a' cur earbsa ann an) [koor erəpsə ōwn ən (ə koor ...)]
**remember: do you remember?** a bheil cuimhne agad? [ə vel kə-inyə akət]
**I don't remember** chan eil cuimhne agam [Kan yel ... akəm]
**I don't remember that** chan eil cuimhne agam air sin [... ehr shin]
**don't you remember me?** nach eil cuimhn' agad orm? [naK ehl kə-inyə akət orəm]
**remote** *(village etc)* iomallach [imələK]
**Renfrew** Rinn Friù [rə-een fryoo]
**rent: the monthly rent** am *màl* mìosail [əm mahl meesal]
**repair** càirich (a' càradh) [kahreeK (ə kahrəG)]
**repeat: could you repeat that?** an canadh tu sin a-rithist? [ən kanəG too shin ə-reesh-ch]
**he had to repeat a year at school** thàinig air bliadhna sgoile ath-dhèanamh [hahnik ehr blee-ənə skolə ah-yee-anəv]

**report** *(at school) an* aithisg [ahishk]
**reputation** *an* cliù [klyoo]
**research** *an* rannsachadh [rōwnsəKəG]
**research assistant** *an* leas-rannsaiche [lehs-rōwnseeKə]
**responsible** *(attitude etc)* cùramach [koorəməK]
**I am responsible for you** *(have to look after)* tha cùram agam dhutsa [ha koorəm akəm Gootsə]
**who is responsible for this mess?** cò as *coireach* don bhùrach seo? [koh əs korəK don voorəK shŏ]
**respect** *an* spèis *(+len adj)* [spaysh]
**show a bit more respect** seall beagan a bharrachd spèis [shal behkən ə varəKk ...]
**they have no respect for them** chan eil suim aca dhaibh [Kan yel sə-im aKkə GYv]
**rest: the rest** *(other people, things)* an còrr [kawr]
**I need a rest** tha fois a dhìth orm [ha fosh ə yee orəm]
**we'll take a rest here** leigidh sinn anail an seo [likee sheen a-nal ən shŏ]
**restaurant** *an* taigh-bìdh [tY-bee]
**result** *(of exam) an* toradh [torəG]
**when do we get the results?** cuin a gheibh sinn na toraidhean? [koonyə yehv sheen nə toreeyən]
**retired** air chluaineas [ehr Kloo-anəs]
**return** *(come back)* till (a' tilleadh) [cheel (ə cheelyəG)]
*(give back)* thoir* air ais (a' toirt air ais) [hor ehr ash (ə torsht ...)]
*(send back)* cuir air ais (a' cur air ais) [koor ...]
**revision** *an t*-ath-leughadh [ən tah-layvəG]
**I need to do some revision** feumaidh mi beagan ath-leughadh a dhèanamh [faymee mee behkən ... ə yee-anəv]

rheumatism *an* lòinidh *(+len adj)* [lawnyee]

rib *an* asna [asnə]

rice *an* rus [roos]

rich *(person)* beartach [byarshtəK]

rid: **we got rid of the problem** fhuair sinn cuidhteas an trioblaid [hoo-ər sheen kə-i-chəs ən triplij]

**I can't get rid of this cough** chan fhaigh mi cuidhteas an casad seo [Kan Y mee … ən kasət shŏ]

ridiculous gòrach [gawrəK]

right

1 **that's right** tha sin ceart [ha shin kyarsht]
**you're right** tha thu ceart [ha oo …]
**right!** *(understood)* ceart!
**right, let's get started** ceart ma-thà, tòisicheamaid [… mə-hah, tawsheeKəmij]

2 **on the right** air an làimh dheis [ehr ə lYv yehsh]
**my right hand** mo làmh dheas [moh lahv yehs]

**Ceart** is used by some people for 'right' in the sense of 'not left'.

righthand deas [jehs]

**on the righthand side of the road** air taobh deas an rathaid [ehr turv jehs ə rah-ij]

ring *(on finger) an* fhàinne [ən ahnyə]

ripe abaich [apeeK]

rip-off: **it's a rip-off** *(price)* tha a' phrìs às an rathad [ha ə freesh ahs ən rah-ət]

risky: **it's risky** tha e cunnartach [ha eh koonərshtəK]

river *an* abhainn [awin]

**road** *an* rathad [rah-ət]
**which is the road to ...?** cò an rathad gu ...? [koh ən ... goo]
**roast beef** *a'* mhairt-fheòil ròsta [ə vahrsht-yawl rawstə]
**roast potatoes** *am* buntàta ròsta [boontahtə rawstə]
**rock** *a'* c*h*reag [ə Krehk]
**roe deer** *an* earb [ehrəp]
**roll** *(bread) an* rola-arain [rolə-aran]
**romantic** romansach [roh-mansəK]
**roof** *an* druim [drəm]
**room** *an* rùm [room]
*(especially larger) an* seòmar [shawmər]
**is there room for me?** a bheil rùm ann dhomhsa? [ə vel ... ōwn Gŏ-sə]
**rope** *an* ròpa [rawpə]
**rose** *an* ròs [raws]
**Rosyth** Ros Fhìobh [ros eev]
**rough** *(person, surface)* garbh [garav]
*(sea also)* droch [droK]
*(approximate: figure etc)* tuairmseach [too-ərm-shəK]
**roughly** *(approx)* an ìre mhath [ən eerə va]
**round** *(circular)* cruinn [krə-in]
**it's my round** 's e mo thuras-sa deoch a cheannach [sheh moh hoorəsə joK ə KyanəK]
**roundabout** *(on road) an* timcheallan [chiməKələn]
**Rousay** Robhsaigh [rosay]
**route** *an t*-slighe [ən tleeyə]
**rowing boat** *am* bàta-ràmh [bahtə-rahv]

**rubber** *(material) an* rubair [roopar]
*(eraser) an* suathan [soo-ə-hən]
**rubbish** *(waste) an* sgudal [skootəl]
*(poor quality goods) an* trealaich *(+len adj)* [tryaleeK]
**rubbish!** abair troc! [apar troKk]
**rucksack** *a'* m*h*àileid-droma [ə vahlej-drohmə]
**rudder** *am* falmadair [falamədər]
**rude** mìomhail [meeval]
**rugby** rugbaidh [rugbee]
**rugby team** *an* sgioba-rugbaidh *(+len adj)* [skipə-rugbee]
**ruin** *an* tobhta *(+len adj)* [tawtə]
**that's ruined everything!** mhill sin a h-uile càil! [veel shin ə hoolə kahl]
**rule** *(of game, grammar) an* riaghailt *(+len adj)* [ree-əlch]
**ruler** *(for measuring) an* rùilear ['ruler']
**Rum** Eilean Rùim [aylan room]
**run** ruith (a' ruith) [roo-ee]
**hurry, run!** cuir cabhag ort 's dèan ruith! [koor kavak orsht sjee-an roo-ee]
**he ran as fast as he could** ruith e cho luath 's a bh' aige [... eh Koh loo-ə sə vekə]
◊ **run away** *(also from home)* ruith air falbh (a' ruith air falbh) [roo-ee ehr falav]
◊ **run down** *(criticize)* cuir sìos air (a' cur sìos air) [koor shee-əz ehr (ə koor ...)]
**the battery runs down very quickly** tha am bataraidh a' ruith sìos ro luath [ha əm batəree ə roo-ee shee-əz roh loo-ə]
◊ **run out** *(time, patience)* teirig (a' teireachdainn) [chehrik (ə chehrəKkin)]

**his patience finally ran out** theirig fhoighidinn aig a' cheann thall [hehrik ə-yijin ek ə Kyōwn ha-əl]
**time is running out** tha an ùine a' ruith [ha ən oonyə ə roo-ee]

◊ run out of: **they've/we've run out of time** ruith an ùine orra/oirnn [roo-ee ən oonyə orə/orn]

◊ run over: **he has been run over** chaidh a leagail [KY ə lehkal]
**can we run over that again?** am faod sinn ruith a thoirt air sin a-rithist? [əm furt sheen roo-ee ə horsht ehr shin ə-reesh-ch]

running: **she does a lot of running** bidh i a' dèanamh mòran ruith [bee ee ə jee-anəv mohran roo-ee]

Russia an Ruis *(+len adj)* [ən roosh]

rusty *(nail etc)* meirgeach [merəgəK]
**I'm a bit rusty** tha mi beagan lapach [ha mee behkən lapəK]

# S *s*

sad *(person, situation)* brònach [brawnəK]

saddle *(of bike, horse)* *an* dìollaid *(+len adj)* [jee-əlij]

safe *(not dangerous, not in danger)* sàbhailte [sahvalchə]
**will it be safe here?** am bi e sàbhailte an seo? [əm bee eh ... ən shŏ]

safety *an t-*sàbhailteachd [ən tahvalchəKk]

safety pin *am* prìne-banaltraim [preenə-banaltram]

sailor *an* seòladair [shawlədər]

sake: **I did it for your sake** rinn mi air do *shon* e [rYn mee ehr doh hon eh]

salad *an* sailead [saled]

salary *an* tuarastal [too-ərəstəl]

sale: **is it for sale?** an ann ri reic a tha e? [ən ōwn ree rehKk ə ha eh]

sales rep *an* neach-reic [nyaK-rehKk]

salmon *am* bradan [bratən]

salt *an* salann [salən]

same: **the same ...** an aon ... *(+len)* [ən urn]
**it's the same tune they played before** 's e an aon fhonn is a bh' aca roimhe [sheh ən urn ōwn is ə vaKkə roy-ə]
**we went to the same school** chaidh sinn dhan aon sgoil [KY sheen Gan urn skol]
**they are the same** tha iad an aon rud [ha ee-at ən urn root]
**it means the same** tha e a' ciallachadh an aon rud [ha eh ə kee-ələKəG ...]

**they taste the same** tha an aon bhlas orra [ha ən urn vlas orə]
**they look the same to me** tha an aon choltas orra dhomhsa [ha ən urn Koltəs orə Gŏ-sə]
**she hasn't been the same since** tha i air dol bhuaipe bhon uair sin [ha ee ehr dol voo-ehpə von oo-ər shin]
**the same again, please** an aon rud a-rithist, tapadh leat [... ə-reesh-ch, tapə let]
**it's all the same to me** chan eil e gu diofar dhomhsa [Kan yel eh goo jifər Gŏ-sə]

An aon meaning 'the same' lenites the following noun.

**they have the same shoes**
tha na h-aon bhrògan aca

But if the following noun starts with d, t or s there is no lenition.

**they have the same teacher**
tha an aon tidsear aca

**sand** *a' ghainmheach* [GenevəK]

**sandals** *na* cuaranan [koo-ərənən]

**sandwich** *an* ceapaire [kehpərə]
**a ham/cheese sandwich** ceapaire hama/càise [... hamə/kah-shə]

For 'sandwich' you can also use the Gaelic word **pìos,** which is pronounced 'piece' and which bears an uncanny resemblance to the Scots word for sandwich.

**satisfactory** iomchaidh [iməKee]
**are the arrangements satisfactory?** a bheil na h-ullachaidhean iomchaidh? [ə vel nə hooləKeeyən ...]

**Saturday** Disathairne [jisahərnə]

**sauce** *an* sabhs [sas]

**saucepan** *am* pana [panə]

**sausage** *an t*-isbean [ən cheespen]

**save** *(noun: in football) an* sàbhaladh [sahvələG]
  **good save!** deagh shàbhaladh! [joh hahvələG]

**say** abair* (ag ràdh) [apar (əg rah)]
  **how do you say ... in Gaelic?** ciamar a chanas tu ... sa Ghàidhlig? [kyimmər ə Kanəs too ... sə Gahlik]
  **what did he say?** dè a thuirt e? [jay ə hoorsht eh]
  **I'll only say this once** cha chan mi seo ach aon turas [Ka Kan mee shŏ aK urn toorəs]
  **could you say that again?** an canadh tu sin a-rithist? [ən kanəG too shin ə-reesh-ch]
  **they said we could leave early** thuirt iad gum faodamaid falbh tràth [hoorsht ee-at goom furdəmij falav trah]

**scan** *(verb: document, brain etc)* sganaich (a' sganadh) [skaneeK (ə skanəG)]

**scanner** *an* sganair [skanar]

**scarf** *(for head) a'* bheannag [ə vyōwnak]
  *(for neck) an* stoc [stoKk]

**scenery** *an* sealladh-tìre [shaləG-cheerə]

**schedule** *an* clàr-ama [klahr-amə]
  *(programme of events) an* clàr-phrògraman [klahr-frohgramən]
  **it's a tight schedule** 's e clàr-ama teann a tha sin [sheh ... chōwn ə hah shin]
  **it's a very demanding work schedule** 's e clàr-obrach cruaidh a tha sin [sheh klahr-oprəK kroo-Y ...]
  **on schedule** a rèir a' chlàir-ama [ə rayr ə Klahr-amə]
  **behind schedule** air dheireadh [ehr yehrəG]

**school** *an* sgoil *(+len adj)* [skol]
**that's where I went to school** sin far an deach mi dhan sgoil [shin far ən jaK mee Gan ...]
**in school** anns an sgoil [ōwns ən ...]
**school choir** còisir *(f)* na sgoile [kawshir nə skolə]
**school dinner** dìnnear *(f)* na sgoile [jeen-yər nə skolə]
**schoolfriend** *an* caraid-sgoile [karij-skolə]
**school holidays** saor-làithean *(mpl)* na sgoile [sur-lY-ən nə skolə]
**school library** leabharlann *(f)* na sgoile [lyawərlən nə skolə]
**school meals** *na* diathadan sgoile [nə jee-ə-hədən skolə]
**school orchestra** orcastra *(f)* na sgoile [... nə skolə]
**school play** dealbh-chluich *(m)* na sgoile [jelev-Kloo-iK nə skolə]
**school trip** *an* turas-sgoile [toorəs-skolə]
**science** saidheans ['science']
**scientist** *an* neach-saidheans [nyaK-'science']
**scissors: a pair of scissors** *an* siosar [shisər]
**Scot** *an t-*Albannach [ən taləpənəK]
**Scotch pie** *am* pàidh muiltfheòil [pY moolch-yawl]
**Scotland** Alba [aləpə]
**Scots** *(language)* Beurla-Ghallta *(+len adj)* [bayrlə-Gōwltə]
**Scots pine** *an* giuthas Albannach [gyoo-əs aləpənəK]
**Scottish** Albannach [aləpənəK]
**Scottish Borders: the Scottish Borders** na Crìochan [nə kree-əKən]
**Scottish National Party** Pàrtaidh *(m)* Nàiseanta na h-Alba [pahrtee nahshəntə nə h-aləpə]

**Scottish Parliament** Pàrlamaid *(f)* na h-Alba [pahrləmij nə h-aləpə]

**scream** *(verb)* sgreuch (a' sgreuchail) [skree-əK (ə skree-əKal)] *(noun) an* sgreuch

**screen** *(of computer) an* sgrìn ['screen']

**screw** *(noun) an* sgriubha [skryoo-ə]

**screwdriver** *an* sgriubhaire [skryoo-ərə]

**scunnert** *Scots (fed-up, disgusted)* air a ghràineachadh [ehr ə GrahnəKəG]

**sea** *a'* mhuir [ə voor]

**by the sea** ri taobh na mara [ree turv nə marə]

**seafood** maorach is iasg [mur-rəK is ee-əsk]

**seagull** *an* fhaoileag [ən urlak]

**seal** *(animal) an* ròn [rawn]

**search** *(verb)* rannsaich (a' rannsachadh) [rōwnseeK (ə rōwnsəKəG)]

◊ **search for** lorg (a' lorg) [lorəg]

**seasick: I get seasick** bidh cur na mara orm [bee koor nə marə orəm]

**I was seasick** bha cur na mara orm [va ...]

**seaside** *an* cladach [kladəK]

**at the seaside** aig a' chladach [ek ə KladəK]

**season** *an* ràith *(+len adj)* [rY]

**seat** *an* suidheachan [sooyəKan]

**is this somebody's seat?** a bheil an t-àite-suidhe seo aig cuideigin? [ə vel ən tah-chə-sooyə shŏ ek koojehgin]

**take a seat** dèan suidhe [jee-an ...]

**seat belt** *an* crios-sàbhailteachd [kris-sahvalchəKk]

**seaweed** *an* fheamainn [ən yehmin]
**second** *(adjective)* dàrna [dahrnə]
*(of time) an* diog *(+len adj)* [jik]
**the second of ...** *(date)* an dàrna latha dhen ... [dahrnə lah yen ...]
**wait a second!** fuirich diog! [fooriK jik]
**secondhand** air ath-reic [ehr ah-rehKk]
**second sight: the second sight** an dà shealladh [ən dah hyaləG]
**she has the second sight** tha an dà shealladh aice [... eKkə]
**secret** *(noun) an* rùn-dìomhair [roon-jee-əvər]
**secretary** *an* rùnaire [roonərə]
**see** faic* (a' faicinn) [fYKk (ə fYKkin)]
**have you seen ... ?** am faca tu ...? [əm faKkə too]
**can I see the headmaster?** am faod mi bruidhinn ri ceann na sgoile? [əm furt mee brooyin ree kyōwn nə skolə]
**I saw that film last year** chunnaic mi am film sin an-uiridh [Koonik mee əm filəm shin ən-ooree]
**I didn't see you there** chan fhaca mi an sin thu [Kan aKkə mee ən shin oo]
**I'll see you later then** chì mi a-rithist thu ma-thà [Kee mee ə-reesh-ch oo mə-hah]
**hmm, we'll see** uill, chì sinn [wel, Kee sheen]
**see you!** bidh mi gad fhaicinn! [bee mee gat Ykkin]
**see you tonight** chì mi a-nochd thu [Kee mee ə-noKk oo]
**oh, I see** ò, seadh [oh, shəG]
◊**see off** *(at airport etc)* fàg beannachd le (a' fàgail beannachd le) [fahg byanəKk leh (ə fahkal ...)]

**self-confident** fèin-mhisneachail [fayn-vishnəKal]
**self-employed** fèin-fhastaichte [fayn-asteeKchə]
**selfie** *an fh*èineag [ən aynak]
**selfish** fèineil [faynel]
**Selkirk** Selkirk
**sell** reic (a' reic) [rehKk (ə ...)]
◊ **sell out: we've sold out** reic sinn iad uile [rehKk sheen ee-at oolə]
**send** cuir (a' cur) [koor (ə koor)]
◊ **send back** *(faulty goods)* cuir air ais (a' cur air ais) [koor ehr ash (ə koor ...)]
**sense** *(of a word) a' ch*iall [ə Kee-əl]
**the senses** *(hearing, sight etc)* na ceudfàthan [nə kee-ətfah-hən]
**sensible** *(person, clothes)* ciallach [kee-ələK]
**sensitive** *(skin, part of body etc)* maoth [mur]
*(emotionally)* tiom-chridheach [chim-Kree-yəK]
*(easily upset)* frionasach [frinəsəK]
*(topic)* connspaideach [kōwnspajəK]
*(markets, exchange rate etc)* cugallach [koogələK]
**sentence** *(in writing) an* seantans ['sentence']
**separate** *(adjective)* leth [leh]
**keep them separate from each other** cùm *air leth* bho chèile iad [koom ehr leh voh Kaylə ee-at]
**they have separate rooms** tha rùmannan fa leth aca [ha roomənən fa leh aKkə]
**that's a separate matter** 's e cùis fa leth a tha sin [sheh koosh fa leh ə ha shin]
**on two separate occasions** air dà turas eadar-dhealaichte [ehr dah hoorəs ehdər-yaleeKchə]

**separated: I'm separated** tha mi fhìn 's mo chèile air dealachadh [ha mee heen smoh Kaylə ehr jaləKəG]

**September** an t-Sultain [ən toolten]
*see* **April**

**serious** *(sort of person)* cùiseach [kooshəK]
*(mistake, problem)* mòr [mohr] (**more/most serious** nas/as motha [nəs/əs maw])
*(matter)* trom-chùiseach [trōwm-KooshəK]
**she's quite a serious girl** 's e caileag car cùiseach a th' innte [sheh kalak kar kooshəK ə heenchə]
**I'm serious** *(not joking)* tha mi an dà-rìribh [ha mi ən da-reeriv]

**serve** *(in tennis) an* dìoladh [jee-ələG]

**service** *(in restaurant etc) am* frithealadh [freehələG]
*(in tennis) an* dìoladh [jee-ələG]

**services** *(on motorway) na* seirbheisean [nə sherəvishən]

**serviette** *an* nèapaigin [nepigin]

◊ **set off** *(on journey)* falbh (a' falbh) [falav]
**she set off to the station** thog i oirre don stèisean [hohk ee orə dohn 'station']
**who set off the alarm?** cò a chuir an rabhadh dheth? [koh ə Koor ən ravəG yeh]

◊ **settle down: settle down!** socair ort! [soKkir orsht]

**several** grunn [groon]

**sew** fuaigh (a' fuaigheal) [foo-Y (ə foo-Y-el)]

**sex** *(act) an* fheis(e) [ən esh(ə)]
*(gender) a'* ghnè [ə Greh]

**sexy** pìosail [peesal]

**shade: in the shade** fon dubhar [fon doo-ər]

**shadow** *am* faileas [faləs]

**shake** crath (a' crathadh) [kra (ə kra-həG)]
**they shook hands** rug iad air làmhan a chèile [rook ee-at ehr lahvən ə Kaylə]
**let's shake (hands) on it** biodh crathadh-làimhe againn air [biG kra-həG-lYvə akin ehr]
**shallow** tana [tanə]
**shame: what a shame!** 's truagh sin! [stroo-əG shin]
**shame on you!** nàire ort! [nahrə orsht]
**shampoo** *an* siampù ['shampoo']
**shape** *(noun) an* cumadh [koomaG]
**he's in good shape** tha e ann an deagh chothrom [ha eh ōwn ən joh Korom]
**share** *(room, table)* gabh co-roinn de *(+prep obj)* (a' gabhail co-roinn de) [gav koh-royn jeh (ə gahl ...)]
**sharp** *(knife, taste, pain)* geur [gee-ar]
**shave** beàrr (a' bearradh) [byahr (ə byarəG)]
◊ **shave off** *(beard)* beàrr dheth (a' bearradh dheth) [byahr yeh (ə byarəG yeh)]
**shaver** *am* bearradair [byarədər]
**she** i [ee]

Gaelic also has the so-called emphatic form **ise** [eeshə]. This is used to make a contrast or to show that 'she' is the important word.

**cò thuirt sin? – ise** who said that? – she did, *her*
**'s ise a rinn e** *she* did it, it was her

**sheep** *a'* chaora [ə Kurə] (*plural*: caoraich [kur-reeK])
**sheet** *(of paper) an* duilleag *(+len adj)* [doolyak]
*(for bed) an* lìon-anart [lee-ən-anarsht]
**shelf** *an* sgeilp *(+len adj)* [skelp]

**shell** *(sea-) an t-*slige [ən tleegə]
**shellfish** *am* maorach [mur-əK]
**sheriff** *an* siorram [shirəm]
**Shetland Islands: the Shetland Islands** Sealtainn [shyalteen]
**shine** deàrrsaich (a' deàrrsadh) [jahrseeK (ə jahrsəG)]
  **the sun was shining** bha a' ghrian a' deàrrsadh [va ə Gree-an ...]
**shinty** *an* iomain [imen]
**shinty stick** *an* caman
**ship** *an* long *(+len adj)*
**shirt** *an* lèine *(+len adj)* [laynə]
**shit!** cac! [kaKk]
**shiver** *(of cold) a'* c*h*rith [ə Kree]
  *(of fear) a'* g*h*aoir [ə Gur-ir]
**shock** *an* crathadh [kra-həG]
  **he's still in shock** tha deisinn air fhathast [ha jehsheen ehr hahst]
  **he's suffering from shock since the accident** tha dèisinn air bhon tubaist [... von toopish-ch]
  **she got a terrible shock** *(grief)* fhuair i crathadh a bha cianail [hoo-ər ee ... ə va kee-ənel]
  **the referendum result came as a shock for many people** thug toradh an reifreinn crathadh air mòran dhaoine [hook torəG ən refren ... ehr mohran Gurnyə]
**shocking** sgreataidh [skrehtee]
**shoelaces** *na* baraillean [barəlyən]
**shoes** *na* brògan [brawkən]
**shop** *am* bùth [boo]

**he's gone to the shop** tha e air falbh dhan bhùth [ha eh ehr falav Gan voo]

**Am bùth** is generally masculine apart from in Uist, where it is feminine.

shop-keeper *an* neach-bùtha [nyaK-boo-ə]

shopping a' dol dha na bùthan [ə dol Ga nə boo-ən]

*(things bought) na* gnothaichean [grŏ-eeKən]

**I've some shopping to do** tha agam ri dhol dha na bùthan [ha akəm ree Gol ...]

short *(time)* goirid [gərij] (**shorter/-est** nas/as giorra nəs/əs girə])

*(person)* beag [behk] (nas/as lugha [nəs/əs looGə])

**in a short time** ann an ùine ghoirid [ōwn ən oonyə Gərij]

short cut *an* ath-ghoirid [ah-Gərij]

shorts *a'* b*h*riogais ghoirid [ə vrikish Gərij]

should

For 'should' you can use ***bu chòir*** [bu Kawr] + ***do*** + *subject +verbal noun* (the second verb form given in this book, minus the **a'** or **ag**).

**you should try**
bu chòir dhut feuchainn

**you should get more exercise**
bu chòir dhut barrachd eacarsaich a dhèanamh

**Dad should get more exercise**
bu chòir do dhadaidh barrachd eacarsaich a dhèanamh

**they shouldn't laugh at them**
cha bu chòir dhaibh fanaid orra

shoulder *a'* g*h*ualann [ə Goo-ələn]

shout èigh (ag èigheachd) [ayv (əg ayvəKk)]

**show: please show me** nach seall thu dhomh? [naK shal oo Gŏ]

**shower** *(of rain) an* fhras [ən ras]

*(in bathroom) am* frasair [frasehr]

**I need a shower** feumaidh mi dhol fon fhrasair [faymee mee Gol fon rasehr]

**shut** dùin (a' dùnadh) [doon (ə doonəG)]

**they're shut** tha iad dùinte [ha ee-at doon-chə]

**when do you shut?** cuin a dhùineas sibh? [koon-yə Goonəs shiv]

**shut it!, shut your face!** dùin do chab! [doon doh Kap]

◊ **shut up** *(be quiet)* fan sàmhach (a' fantainn sàmhach) [fan sahvəK (ə fantin ...)]

**they shut up after that** dh'fhan iad sàmhach an dèidh sin [Gan ee-at ... ən jay shin]

**shut up!** dùin do bheul! [doon doh vee-al]

**shy** *(person)* diùid [jooj]

**sick** tinn [cheen]

**I feel sick** tha mi a' faireachdainn tinn [ha mee ə farəKkin ...]

**he's been sick** *(has vomited)* tha e air cur a-mach [ha eh ehr koor ə-maK]

**sick line** *SCOTS an* nòta bhon dotair [nawtə von dotər]

**sick note** *an* nòta-tinneis [nawtə-cheenyish]

**side** *an* taobh [turv]

*(of boat, person's body) a'* chliathaich [ə Klee-ə-eeK]

**by the side of the road** ri taobh an rathaid [ree ... ən rah-ij]

**I'm on your side** *(support you)* tha mi air do thaobh [ha mee ehr doh hurv]

**side street** *an* fho-shràid [ən oh-hrahj]

**sigh** *(verb: give a sigh)* dèan* osann (a' dèanamh osann) [jee-an osən (ə jee-anəv ...)]

**sign** *(notice) an* sanas [sanəs]
*(road-) an* soidhne [soyn-yə]

**signature** *an t-*ainm-sgrìobhte [ən tenəm-skreev-chə]

**silence** *an* tost

**silent** tostach [tostəK]

**silk** *an* sìoda [sheedə]

**silly** gòrach [gawrəK]

**silver** *(made of)* airgid [ehrigij]
*(colour)* liath-ghlas [lee-ə-Glas]
*(noun) an t-*airgead [ən terəget]

**SIM card** *a' ch*airt SIM [ə Karsht SIM]

**similar** coltach [koltəK]
**it's similar to that one** tha e coltach ris an fhear sin [ha eh koltəK rish ən yehr shin]

**simple** sìmplidh [sheemplee]

**sin** *(noun) am* peacadh [peKkəG]

**since**

1 **since last week** bhon t-seachdain sa chaidh [von chaKkin sə KY]
**since we arrived** bhon a ràinig sinn [von ə rahnik sheen]
**I haven't seen her since** chan fhaca mi i bhuaithe sin [Kan aKkə mee ee voo-Y-yə shin]

2 *(because)* bho [voh]
**since it was getting late** bhon a bha e a' fàs anmoch [von ə va eh ə fahs anəməK]

**sincere** dùrachdach [doorəKkəK]

**sincerely** gu dùrachdach [goo doorəKkəK]
**yours sincerely** le dùrachd [leh doorəKk]

**sing** seinn (a' seinn) [sheh-in]
**singer** *an* seinneadair [sheh-inədər]
**single: I'm single** chan eil mi pòsta [Kan yel mee pawstə]
**single malt** mac *(m)* na bracha [maKk nə braKə] (*plural*: mic na bracha [meek ...])
**sink** *(in kitchen) an t*-sinc [ən tink]
**the boat sank** chaidh am bàta fodha [KY əm bahtə foh-ə]
**sister** *a'* p*h*iuthar [ə fyoo-ər] (*plural*: peathraichean [pereeKen])
**my sister** mo phiuthar [moh ...]
**sister-in-law** *a'* p*h*iuthar-chèile [ə fyoo-ər-Kaylə]
**sit: can I sit here?** am faod mi suidhe an seo? [əm furt mee sooyə ən shŏ]
◊ **sit down** suidh (a' suidhe) [soo-ee (ə sooyə)]
**please sit down** *(to more than one person)* dèanaibh suidhe [jee-aniv sooyə]
**situation** *an* suidheachadh [sooyəKəG]
**size** *am* meud [mee-ət]
*(of shoes) a'* m*h*eudachd [ə vee-ədəKk]
**skelf** *Scots an* spealg *(+len adj)* [sp-yalag]
**ski** *(noun) an* sgì *(+len adj)* [skee]
*(verb)* sgì (a' sgìtheadh) [skee (ə skee-əG)]
**skid** *(verb)* grad-shleamhnaich (a' grad-shleamhnachadh) [grat-hlyōwneeK (ə grat-hlyōwnəKəG)]
**skiing** *an* sgìtheadh [skee-əG]
**skilful** sgileil [skilel]
**ski lift** *an t*-àrdaichear sgìthidh [ən tardeeKehr skee-ee]
**skin** *an* craiceann [kraKkən]
**skinny** caol [kurl]

**skip** *(with rope)* sgiobaig (a' sgiobaigeadh) [skipak (ə skipigəG)]
**you can skip the next chapter** bheir thu *leum thairis air* an ath chaibideil [vehr oo laym harish ehr ən ah Kapijel]
**ski pole** *am* maide sgìthidh [majə skee-ee]
**skipper** *(of boat) an* sgiobair [skipar]
**skirt** *an* sgiort *(+len adj)* [ski-rt]
**ski slope** *an* leathad sgìthidh [lyeh-ət skee-ee]
**skull** *an* claigeann [klakən]
**sky** *an t*-adhar [ən tahr]
**in the sky** anns an adhar [ōwns ən ahr]
**Skye** An t-Eilean Sgitheanach [ən chaylan skee-ənoK]
**slater** *Scots a' ch*orra-chòsag [ə Korə-Kawsak]
**sledge** *an* slaod [slurt]
**sleep: I can't sleep** cha tig an cadal orm [Ka chik ən katəl orəm]
**they went to sleep** chaidh iad nan cadal [KY ee-at nən ...]
◊ **sleep in** *(have a long lie)* dèan* laighe fhada (a' dèanamh laighe fhada) [jee-an lY-yə atə (ə jee-anəv ...)]
**I slept in today** rinn mi laighe fhada an-diugh [rYn mee ... ən-joo]
*(overslept)* chaidil mi tuilleadh is fada an-diugh [Kajil mee toolyəG is fatə ...]
**sleeping bag** *am* poca-cadail [poKkə-katal]
**sleepover** *a' ch*èilidh-chadail [ə Kaylee-Katal]
**sleepy: I'm so sleepy** tha mi cho cadalach [ha mee Koh katələK]
**sleeve** *am* muilicheann [mooləKən]
**slide** *(in playground) an t*-slaighd [ən tlYt]

**slight** *(difference etc)* beag [behk]
**is that a problem? – no, not in the slightest** a bheil sin na thrioblaid? – chan eil a bheag [ə vel shin nə hriplij – Kan yel ə vehk]
**slightly** rud beag [root behk]
**slim** *(person)* seang [sheng]
**slip** sleamhnaich (a' sleamhnachadh) [shlyōwneeK (ə shlyōwnəKəG)]
**he slipped on the ice** shleamhnaich e air an deigh [hlyōwneeK eh ehr ən jə-ee]
**slippers** *na* slapagan [slapəgən]
**slope** *(of hill) am* bruthach [broo-əK]
**sloppy** *(work)* robach [ropəK]
**slow** mall [ma-əl]
**could you speak a little slower?** am bruidhinn thu nas maille? [əm brooyin oo nəs mYl-yə]
◊ **slow down** *(in walking, speaking)* cuir maille ann (a' cur maille ann) [koor mYl-yə ōwn (ə koor ...)]
**slowcoach** *an* slaodanach [slurdənəK]
**slowly** gu mall [goo ma-əl]
**slug** *an t-*seilcheag [ən cheleKak]
**small** beag [behk]
**smaller** nas lugha [nəs looGə]
**smart** *(in appearance)* spaideil [spajel]
*(clever)* glic [gleeKk]
**smartphone** *am* fòn tapaidh [fohn tapee]
**smell: there's a funny smell** tha fàileadh neònach ann [ha fahləG nyawnəK ōwn]
**it smells** tha fàileadh dheth [... yeh]
**it smells of whisky** tha fàileadh uisge-bheatha dheth

[... ooshkə-veh-hə yeh]

**smelly** fàileanta [fahləntə]

**smile** *(verb)* dèan* snodha-gàire (a' dèanamh snodha-gàire) [jee-an snohGə-gahrə (ə jee-anəv ...)]

**smoke** *(noun) an* toit *(+len adj)* [totch]

**do you smoke?** am bi thu a' smocadh? [əm bee oo ə smoKkəG]

**smooth** *(surface)* rèidh [ray]

**snack** *an* greim-bìdh [grə-im-bee]

**snail** *an t*-seilcheag [ən cheleKak]

**snake** *an* nathair *(+len adj)* [nahir]

**sneeze** *(verb)* dèan* sreothart (a' dèanamh sreothart) [jee-an str-yŏ-arsht (ə jee-anəv ...)]

**I can't stop sneezing** chan urrainn dhomh sgur a sreothartaich [Kan oorin Gŏ skoor ə str-yŏ-ərshteeK]

**snore** dèan* srann (a' dèanamh srann) [jee-an strōwn (ə jee-anəv ...)]

**he's/she's snoring** tha srann aige/aice [ha ... ekə/eKkə]

**snoring** *(alcohol-induced)* srann *(m)* na dibhe [strōwn nə deevə]

**snow** *(noun) an* sneachda [shnyaKkə]

**it's snowing** tha e a' cur an t-sneachda [ha eh ə koor ən ch-nYaKkə]

**snowman** *am* bodach-sneachda [bodəK-shnyaKkə]

**SNP** *am* PNA ['PNA']

**so**

1 **it's so easy** tha e *cho* furasta [ha eh Koh foorəstə]

**it's not so easy as all that** chan eil e cho furasta (ri) sin [Kan yel eh Koh ... (ree) shin]

**not so much (as that)** chan eil na h-uibhir (sin) [Kan yel nə hooyir (shin)]
**not so much for me** na toir dhomh na h-uibhir sin [nə tor Gŏ nə ...]
**I have so much to do!** tha na h-uibhir agam ri dhèanamh! [ha nə ... akəm ree yee-anəv]

As well as **cho** you can also use this Gaelic expression for exclamations.

**it's so hot today!**
abair gu bheil i teth an-diugh!
[apar goo vel ee cheh ən-joo]

In the past tense this becomes

**it was so hot!**
abair gun robh i teth!
[apar goon roh ee cheh]

2 **and so we bought it** agus mar sin, cheannaich sinn e [agəs mar shin, KyaneeK sheen eh]
**and so on** agus mar sin air adhart [agəs mar shin ehr ərsht]

3 **so am I, so do I**

The Gaelic for 'so do I' or 'so am I' or 'so is he' etc is completely dependent on what comes before. Here are some examples.

**tha cù aca** they have a dog
**tha agus agamsa** so do I

**tha e à Glaschu** he's from Glasgow
**tha agus ise** so is she

**tha iad daonnan a' gearan** they're always complaining
**tha agus iadsan** so are they

4 **that's not right – it is so!** chan eil sin ceart – thà e!

**soaking wet** bog fliuch [bohk flooK]
**soap** *(also programme, serial) an* siabann [shee-əpan]
**soap powder** *am* pùdar siabainn [poodər shee-əpin]
**sober** sòbarra [sawbərə]
**sociology** sòiseo-eòlas [sohshee-oh-yawləs]
**socket** *(electric) am* bun-dealain [boon-jalan]
**socks** *na* stocainnean [stoKkinyən]
**sofa** *an t-*sèis [ən chaysh]
**sofabed** *an t-*sèis-leapa [ən chaysh-lyepə]
**soft** *(ground, material)* bog [bohk]
**soft drink** *an* deoch-lag *(+len adj)* [joK-lak]
**software** *am* bathar-bog [bahər-bohk]
**software designer** *an* dealbhaiche bathair-bhuig [jaləveeKə bahər-voo-ik]
**soldier** *an* saighdear [sYjər]
**solicitor** *an* neach-lagha [nyaK-ləGə]
**solid** *(object)* cruaidh [kroo-Y]
*(support)* daingeann [dang-ən]
**solo** *(sung) an t-*òran aon-neach [ən tawrən urn-nyaK]
*(instrumental) an* ceòl aon-neach [kyawl ...]
**she sang a solo** sheinn i òran aon-neach [sheh-in ee awrən ...]
**he played a solo** chluich e ceòl aon-neach [Kloo-iK eh ...]
**some: can I have some bananas/some bread?** am faigh mi bananathan/aran? [əm fY mee bənah-nə-ən/aran]
**some beer/crisps** beagan leanna/chriospan [behkən lyōwnə/Krispən]

**can I have some?** *(of that)* am faigh mi beagan? [əm fY mee ...]
*(of those)* am faigh mi feadhainn? [... fyəGin]
**some of the people** cuid dhe na daoine [kooj yeh nə durnyə]
somebody, someone cuideigin [koojehgin]
somersault *an* car a' mhuiltein [kar ə voolchen]
**he did a somersault** rinn e car a' mhuiltein [rYn eh ...]
something rudeigin [rootehgin]
**something new** rudeigin ùr [... oor]
sometime uaireigin [oo-ər-ehgin]
**sometime last year** uaireigin an-uiridh [... ən-ooree]
sometimes uaireannan [oo-ər-ənən]
somewhere àiteigin [ah-chehgin]
son *am* mac [maKk] (*plural*: mic [meeKk])
**my son** mo mhac [moh vaKk]
son-in-law *an* cliamhainn [klee-əvin]
song *an t-*òran [ən t-awran] (*plural*: òrain [awren])
soon a dh'aithghearr [ə GYhər]
**as soon as possible** cho luath 's a ghabhas [Koh loo-ə sə Gahs]
**can you come sooner?** an urrainn dhut tighinn nas luaithe? [ən oorin Goot cheeyin nəs looY-yə]
soprano 'soprano'
sore: **it's sore** tha e goirt [ha eh gorsht]
**my leg's sore** tha mo chas goirt [ha moh Kas ...]
sore throat: **I have a sore throat** tha m'amhach goirt [ha mavəK gorsht]
sorry: **(I'm) sorry** tha mi duilich [ha mee dooleeK]
**sorry?** *(didn't understand)* b' àill leat? [bahl let]

*(polite form)* b' àill leibh? [bahl liv]

**sort: this sort** an seòrsa seo [ən shawrsə shŏ]

**what sort of … ?** dè an seòrsa … ? [jay …]

**it's sort of sad** tha e *caran* brònach [ha eh karan brawnəK]

◊ **sort out** *(papers)* seòrsaich (a' seòrsachadh) [shawrseeK (ə shawrsəKəG)]

*(problem)* rèitich (a' rèiteachadh) [raycheeK (ə raychəKəG)]

**so-so: how are you? – so-so** ciamar a tha thu? – meadhanach [kyimmər ə ha oo – mee-ah-nəK]

**the weather was just so-so** cha robh an aimsir ach mu làimh [Ka roh ən amishər aK moo lYv]

**sound** *(noise) am* fuaim [foo-Ym]

**don't make a sound** na leig bìg às [nə lik beek ahs]

**that sounds a good idea** tha deagh choltas air a' bharail sin [ha joh Koltəs ehr ə varel shin]

**soup** *am* brot

**sour** *(taste)* searbh [sherəv]

**south** *an* taobh a deas [turv ə jehs]

**in the south** san taobh a deas [sən …]

**south of the border** deas air a' chrìoch [jehs ehr ə Kree-əK]

**South Ronaldsay** Ronaldsay a Deas [ronəldsay ə jes]

**South Uist** Uibhist a Deas [oo-ish-ch ə jes]

**space** *(room)* àite [ah-chə]

*(gap) a'* bheàrn [ə v-yahrn]

**in space** *(outer space)* ann am fànas [ōwn əm fahnəs]

**spade** *an* spaid *(+len adj)* [spaj]

**Spain** an Spàinn [ən spahn]

**Spanish** *(adjective)* Spàinnteach [spahn-chəK]
*(language)* Spàinntis *(+len adj)* [spahn-chish]

**spanner** *an* spanair ['spanner']

**spare: we have two to spare** tha dà a chòrr againn [ha dah ə Kawr akin]

**spare room** *an* seòmar bàn [shawmər bahn]

**spare time: in my/your spare time** nam/nad ùine shaor [nəm/nət oon-yə hur]

**spare wheel** *a' chuibhle-chàiridh* [ə Kə-ilə-Kahree]

**sparrow** *an* gealbhonn [gyalavən]

**speak** bruidhinn (a' bruidhinn) [brooyin]
**did you speak to her?** an do bhruidhinn thu rithe? [ən doh vrooyin oo ree-yə]
**I wasn't speaking to you** cha robh mi a' bruidhinn riutsa [Ka roh mee ə … rootsə]
**speaking** *(on phone)* a' bruidhinn [ə brooyin]
**Calum speaking** Calum a' bruidhinn
**I don't speak Gaelic** chan eil Gàidhlig agam [Kan yel gahlik akəm]
**do you speak … ?** a bheil … agad? [ə vel … akət]
**do you speak Gaelic?** a bheil Gàidhlig agad? [ə vel gahlik akət]

*you may hear*

**beagan**
[behkən]
a little

**tha mi ga h-ionnsachadh**
[ha mee ga hyoonsəKəG]
I'm learning

**duilich, ach chan eil mòran Gàidhlig agam**
[dooleeK, aK Kan yel mohran gahlik akəm]
sorry but I don't speak much Gaelic

**chan eil mi ro fhileanta**
[Kan yel mee roh eeləntə]
I'm not very fluent

**tha, bhon ghlùin**
[ha, von Gloon]
aye, I grew up speaking it

**tha aig mo sheanmhair; agus beagan aig mo mhàthair**
[ha ek moh henəvər; agəs behkən ek moh vah-hər]
my gran does; and my mum can speak a little

speaker *(for hifi) an* labhradair [lōwrədər]
**are they Gaelic speakers?** an e fileantaich a th' annta? [ən yeh feeləntееK ə həntə]

special sònraichte [sawnreeKchə]

specialist *(noun) an* speisealach [spehshələK]

spectacles *na* speuclairean [spee-aKklərən]

speech *an* òraid [awrij]
**will you make a speech?** an dèan thu òraid? [ən jee-an oo ...]

speed *(noun) an* luaths [loo-əs]
**they were speeding** *(drivers)* bha iad a' dol ro luath [va ee-at ə dol roh loo-ə]

speed bump *am* meall astair [myal astər]

speed limit *an* casg astair [kask astər]

spell: **how do you spell that?** ciamar a litricheas tu sin? [kyimmər ə leetriKəs too shin]

**spelling test** *an* dearbhadh litreachaidh [jerəvəG leetrəKee]

**spend** *(money, time)* cosg (a' cosg) [kosk]

**spider** *an* damhan-allaidh [davan-alee]

**spite: in spite of that** a dh'aindeoin sin [ə Gan-yən shin]

**splash** *an* steall *(+len adj)* [shtyal]

**splinter** *an* spealg *(+len adj)* [sp-yalag]

◊ **split up** *(of group)* sgaoil (a' sgaoileadh) [sgurl (ə sgurləG)]

**they split up** *(of couple)* sgar iad o chèile [skar ee-at oh Kaylə]

**spoil** *(event, party)* mill (a' milleadh) [meel (ə meelyəG)]

**spoon** *an* spàin *(+len adj)* [spahn]

**sporran** *an* sporan ['sporran']

**sport** *an* spòrs *(+len adj)* [spawrs]

**sporting** *(fair)* cothromach [korəməK]

**sports day** *an* latha spòrs [lah spawrs]

**spot** *(on skin) an* spot

**well spotted!** 's math a lorg do shùil e! [sma ə lorəG doh hool eh]

**sprain: he's sprained his ankle** shnìomh e adhbrann [hnee-əv eh urbrən]

**spreadsheet** *a' ch*liath-dhuilleag [ə Klee-ə-Goolyak]

**spring** *(of car, seat) an* sprionga [sprin-gə]

*(season) an t-*earrach [ən charəK]

**square** *(in town, shape) a' ch*eàrnag [ə Kyahrnak]

**two square metres** dà mheatair cheàrnagach [dah vehtər KyarnəgəK]

**squeak** *(of hinge)* dìosg (a' dìosgail) [jeeshk (ə jeesgal)] *(of animals)* bìog (a' bìogail) [beek (ə beekal)]

**squeeze** *(toothpaste tube etc)* fàisg (a' fàsgadh) [fashk (ə fahsgəG)]

◊ **squeeze in: there's room for one more to squeeze in here** tha rùm ann airson aonan eile dinneadh a-steach an seo [ha room ōwn ehrson urnən ehlə jeen-yəG ə-shtyaK ən shŏ]

**squirrel** *an* fheòrag *(+len adj)* [ən yawrak]

**St Andrews** Cill Rìmhinn [keel reeveen]

**stadium** *an* lann-cluiche *(+len adj)* [lōwn-kloo-iKə]

**staff** *(workforce) an* luchd-obrach [looKk-oprəK]

*(teachers) an* luchd-teagaisg [looKk-chegishk]

**Staffa** Stafa [stafə]

**stag** *an* damh [daf]

**stage** *(in theatre) an t*-àrd-ùrlar [ən tahrt-oorlər]

**at this stage** aig an ìre seo [ek ən eerə shŏ]

**stain** *(on material) an* smal

**stairs** *an* staidhre *(+len adj)* [stYrə]

**stamp** *(for letter) an* stampa *(+len adj)* [stōwmpə]

**stand** *(get to one's feet)* seas (a' seasamh) [shes (ə shesəv)]

**he was standing at the bar** bha e na sheasamh aig a' chunntair [va eh nə hesəv ek ə Koontar]

**I/she can't stand him** 's beag orm/oirre e [sbehk orəm/orə eh]

◊ **stand for** *(tolerate)* fuiling (a' fulang) [fooling (ə foolang)]

**I won't stand for this** chan fhuiling mi seo [Kan ooling mee shŏ]

**what does this symbol stand for?** dè a tha an samhla seo a' riochdachadh? [jay ə ha ən sōwlə shŏ ə riKkəKəG]

◊ **stand out** *(be exceptionally good)* seas air leth (a' seasamh air leth) [shehs ehr leh (ə shehsəv ...)]

◊ **stand up** seas (a' seasamh) [shehs (ə shehsəv)]
  **stand up straight!** seas dìreach! [... jeerəK]

**standard** *(of achievement) an* inbhe [eenəvə]
  **a very high standard of results** inbhe àrd thoraidhean [... ahrsht horeeyən]

**standard of living** *an* cor-beatha [kor-beh-hə]

**standing stones** *na* tursachan [toorsəKən]

**stapler** *an* steiplear ['stapler']

**star** *an* rionnag *(+len adj)* [roonak]
  **you're a star!** sin thu fhèin! [shin oo hayn]

**starboard: to starboard** taobh a' bhùird-bheulaibh [turv ə voorsht-vee-əliv]

**stare: don't stare!** na bi spleuchdadh! [nə bee splee-əKkəG]
  **he was staring at us** bha e a' spleuchdadh oirnn [va eh ə ... orn]

**start: when does it start?** cuin a thòisicheas e? [koon-yə hawsheeKəs eh]
  **to start with** an toiseach [ən toshəK]
  **my car won't start** cha tòisich an càr agam [Ka tawsheek ən kahr akəm]
  **that's a good start** sin deagh thoiseach-tòiseachaidh [shin joh hosəK-tawshəKee]
  **starting from today** a' tòiseachadh bho an-diugh [ə tawshəKəG voh ən-joo]

**starter** *(food) an* truinnsear toisich [troonshər tosheeK]

**starving: I'm starving** tha an t-acras gam tholladh [ha ən taKkrəs gam holəG]

**state: what a state of affairs!** abair cùis-nàire! [apar

koosh-nahrə]

**station** *an* stèisean ['station']

**status symbol** *an* comharradh inbhe [kōwərəG eenəvə]

**stay** fuirich (a' fuireach) [fooreeK (ə foorəK)]

**stay there** fuirich an sin [... ən shin]

**I'm staying with ...** tha mi a' fuireach aig ... [ha mee ... ek]

**where do you stay?** *SCOTS* càit a bheil thu a' fuireach? [kahch ə vel oo ...]

**I stay at number 9** *SCOTS* tha mi a' fuireach aig àireamh a naoi [ha mee ... ek ahrəv ə nur-ee]

**we enjoyed our stay** chòrd an turas rinn [Kawrd ən toorəs rYn]

◊ **stay behind** *(after school etc)* fuirich ann (a' fuireach ann) [fooreeK ōwn (ə foorəK ōwn)]

◊ **stay up** *(not go to bed)* fuirich air chois anmoch (a' fuireach air chois anmoch) [fooreeK ehr Kosh anəmoK (ə foorəK ...)]

**steady** *(progress)* rèidh [ray]

**steak** *an* staoig *(+len adj)* [stur-ik]

**steal** goid (a' goid) [gəj]

**my wallet's been stolen** chaidh an sporan agam a ghoid [KY ən sporən akəm ə Gəj]

**steep** cas [kas]

**steering wheel** *a' chuibhle-stiùiridh* [ə Kə-ilə-shtyooree]

**step** *(noun: of stairs) an* ceum [kaym]

**stew** *an* stiubha *(+len adj)* [shtyoo-ə]

**sticking plaster** *am* plàst [plahst]

**sticky** steigeach [stikəK]

**stiff** *(drawer, limbs)* rag [rak]

**we were bored stiff** bha sinn air ar sàrachadh [va sheen ehr ar sahrəKəG]

**still: keep still** fuirich sìtheil [fooreeK sheeyel]
**I'm still here** tha mi ann fhathast [ha mee ōwn hahst]
**I'm still waiting** tha mi a' feitheamh fhathast [ha mee ə feh-həv …]

**sting: I've been stung** chaidh mo sgobadh [KY moh skobəG]

**stink** *(noun) an* samh [saf]
**it stinks** tha samh dheth [tha saf yeh]

**Stirling** Sruighlea [streelə]

**stomach** *an* stamag *(+len adj)* [stamak]
**he has an upset stomach** tha a stamag luaisgeach [ha ə … loo-eshgəK]

**stomach-ache: I have a stomach-ache** tha mo stamag goirt [ha moh stamak gorsht]

**stone** *(also weight) a' ch*lach [ə KlaK]

**Stonehaven** Stonehaven

**stonemason** *an* clachair [klaKər]

**stookie** *Scots an* ceirean [kehren]

**stool** *an* stòl [stawl]

**stop** *(for buses) an* stad [stat]
*(verb: desist)* sguir (a' sgur) [skoor (ə skoor)]
*(verb: desist from)* sguir de (a' sgur de) [… jeh …]
**stop there!** stad an sin! [stat ən shin]
**stop that!** sguir dhen sin! [skoor yenə …]
**do you stop near … ?** am bi thu a' stad faisg air …? [əm bee oo ə stat fashk ehr]
**could you stop here?** an stadadh tu an seo? [ən stadəG too ən shŏ]

**has the rain stopped?** a bheil an t-uisge air stad? [ə vel ən tooshkə ehr ...]
**I stopped to speak to her** stad mi a bhruidhinn rithe [stat mee ə vrooyin ree-yə]
**I've stopped speaking to her** sguir mi de bhith a' bruidhinn rithe [skoor mi jeh vee ə brooyin ree-yə]
**storeroom** *an* seòmar-stòir [shawmər-stawr]
**storm** *an* stoirm *(+len adj)* [storəm]
**storm doors** *na* còmhlachan stoirme [kawləKən storəmə]
**Stornoway** Steòrnabhagh [shtornavaG]
**story** *an* sgeulachd *(+len adj)* [skee-aloKk]
**straight** *(also not gay)* dìreach [jeerəK]
**go straight on** rach gu dìreach air adhart [raK goo jeerəK ehr ərsht]
**straightaway** anns a' bhad [ōwns ə vat]
**strange** *(odd)* neònach [nyawnəK]
*(unknown)* coimheach [koy-yəK]
**stranger** *an* coigreach [koh-igrəK]
**Stranraer** An t-Sròn Reamhar [ən trawn ryafar]
**strategy** *an* ro-innleachd *(+len adj)* [roh-eenləKk]
**strawberry** *an* sùbh-làir [soo-lahr]
**streaks** *(in hair)* *na* stiallan [shtee-alən]
**stream** *an* sruth [stroo]
**street** *an t*-sràid [ən trahj]
**on the street** air an t-sràid [ehr ...]
**street map** *am* mapa sràide [mapə strahjə]
**strength** *an* neart [nyarsht]
**stress** *(mental)* *an t*-uallach [ən t-oo-ələK]
**stressed out** riaslach [ree-əsləK]

**I'm completely stressed out today** chan eil mi ach riaslach an-diugh [Kan yel mee aK … ən-joo]

**stressful** riaslach [ree-əsləK]

**I've had a stressful morning** tha madainn riaslach air a bhith agam [ha matin … ehr ə vee akəm]

**strict** *(teacher)* cruaidh [kroo-Y]

**strictly: strictly speaking** le ceartas [leh kyarshtəs]

**it is strictly forbidden** tha e tur toirmisgte [ha eh toor torəmishk-chə]

**strike** *(industrial) an* stailc *(+len adj)* [stalKk]

**string** *an* sreang *(+len adj)* [streng]

*(of violin etc) an* teud [chayt]

**the strings** *(in orchestra)* na teudan [chaydən]

**strong** *(person, drink, wind, accent)* làidir [lahjir]

**strongly: I don't feel strongly about it** chan eil faireachdainn làidir agam mu dheidhinn [Kan yel farəKkin lahjir akəm moo yay-in]

**stubborn** danarra [danərə]

**stuck** *(drawer etc)* an sàs [ən sahs]

**I can't do it, I'm stuck** chan tèid agam air, tha mi stuicte [Kan chayj akəm ehr, ha mee stəkchə]

**student** *an t-*oileanach [ən tolənəK]

**studio** *(TV, recording) an* stiùidio *(+len adj)* ['studio']

**study** *(room) an* seòmar-rannsachaidh [shawmər-rōwnsəKee]

**I have studied the report in detail** tha mi air an aithisg a mhion-sgrùdadh [ha mee ehr ən ahishk ə vin-skrootəG]

**study period** *an* ùine ath-leughaidh [oon-yə ah-layvee]

**stuff: my stuff** an stuth agam [ən stoo akəm]

**stupid** faoin [furn]

**style** *(fashion etc) an* stoidhle *(+len adj)* [stoylə]
*(of singing) an* nòs [naws]
**stylish** fasanta [fasəntə]
**subject** *an* cuspair [koospər]
**submarine** *am* bàta-aigeil [bahtə-akel]
**subtitles** *na* fo-thiotalan [foh-hitələn]
**subtle** *(distinction)* beag [behk]
*(mind, argument)* eagnaidh [eknee]
**that wasn't a very subtle way of saying it** cha b' e dòigh ghlic a bha sin air an rud a ràdh [Ka beh doy GleeKk ə va shin ehr ən root ə rah]
**subtract** *(arithmetic)* thoir* air falbh (a' toirt air falbh) [hor ehr falav (ə torsht ...)]
**subzero: subzero temperatures** ìrean-teothachd fo neoni [eerən-chaw-əK foh nyonee]
**succeed** *(work out)* soirbhich (a' soirbheachadh) [sərəveeK (ə sərəv-əKəG)]
**the plan didn't succeed** cha do shoirbhich leis a' phlana [Ka doh hərəveeK lehsh ə flanə]
**success** *an* soirbheachas [sərəv-əKəs]
**successful** soirbheachail [sərəv-əKal]
**such: such a lot** na h-uibhir [nə hooyir]
**there is such a lot of food left** tha na h-uibhir de bhiadh air fhàgail ann [ha ... jeh vee-əG ehr ah-kal ōwn]
**she's such a good pianist** tha i cho math air a' phiàna [ha ee Ko ma ehr ə fee-ahnə]
**it's such a shame!** 's bochd an gnothach e! [sboKk ən grŏ-əK eh]
*see also note at* **so**

**suddenly** gu h-obann [goo hoh-pan]
**sugar** *an* siùcar [shooKkər]
**suggestion** *am* moladh [moləG]
**any suggestions?** molaidhean sam bith? [moleeyən səm bee]
**suicide** *am* fèin-mhurt [fayn-voorsht]
**he committed suicide** chuir e làmh na bheatha fhèin [Koor eh lahv nə veh-hə hayn]
**suit** *(clothing) an* deise *(+len adj)* [jehshə]
**it suits you/her** tha e a' tighinn dhut/dhi [ha eh ə cheeyin Goot/yee]
**suitable** freagarrach [fregərəK]
**suitcase** *a' mh*àileid-thurais [ə vahlej-hoorish]
**sulk: he's sulking** tha bus air [ha boos ehr]
**stop sulking!** sguir dhed bhus! [skoor yehdoh voos]
**sum** *(arithmetic) an t-*suim [ən t-ə-im]
**a large sum of money** suim mhòr airgid [sə-im vohr erəgij]
**summer** *an* samhradh [sōwrəG]
**in the summer** as t-samhradh [as tōwrəG]
**summer holidays** saor-làithean an t-samhraidh [sur-lYən ən tōwree]
**sun** *a' gh*rian [ə Gree-an]
**in the sun** fon ghrèin [fon Grayn]
**out of the sun** às a' ghrèin [ahs ə ...]
**sun cream** *an* cè-grèine [keh-graynə]
**Sunday** Didòmhnaich [jee-dawneeK]
**sunglasses** *na* speuclairean-grèine [spee-aKklərən-graynə]
**sunny** grianach [gree-anəK]
**sunrise** èirigh *(f)* na grèine [ayree nə graynə]

**sunset** dol fodha *(m)* na grèine [dol foh-ə nə grayna]

**super** barraichte [bareeKchə]

**superior** *(quality)* feabhas [fyoh-əs]
*(attitude)* àrdanach [ahrdənəK]
**its superior taste** am feabhas blas a th' air [əm fyoh-əs blas ə hehr]

**supermarket** *am* mòr-bhùth [mohr-voo]

**superstition** *an* saobh-chràbhadh [surv-KrahvəG]

**superstitious** saobh-chràbhach [surv-KrahvəK]

**supper** *an t-*suipear [ən too-ipər]

**supplier** *an* solaraiche [solәreeKә]

**support** *(roof, family, team)* cùm taic ri (a' cumail taic ri) [koom tYKk ree (ə koomal ...)]

**supporter** *(of team) an* neach-leantainn [nyaK-lenteen]
**Rangers supporters** luchd-leantainn Rangers [looKk-lenteen 'Rangers']

**suppose: I suppose so** shaoilinn gu bheil [hurlin goo vel]

**sure: I'm not sure** chan eil mi cinnteach [Kan yel mee keenchəK]
**are you sure?** a bheil thu cinnteach? [ə vel oo ...]
**sure!** gu cinnteach! [goo ...]

**surely: surely you remember** 's cinnteach gu bheil cuimhn' agad? [skeenchəK goo vel kə-in akət]

**surface** *an t-*uachdar [ən t-oo-əKkər]

**surgeon** *an* lèigh [lay]

**surgery** *(place) an* lèigh-lann *(+len adj)* [lay-lōwn]
**he needed surgery** bha e feumach air obair-lannsa [va eh faymәK ehr ohpәr-lōwnsә]

**surname** *an* sloinneadh [sloyn-yəG]

**surprise** *(noun) an t-*iongnadh [an chee-ənəG]
  **what a lovely surprise!** tha siud snog! [ha shit snok]
  **I'm not surprised** chan eil sin na iongnadh [Kan yel shin nə ee-ənəG]

**surprising** iongantach [ingəntəK]

**surprisingly** gu h-iongantach [goo hingəntəK]
  **it was surprisingly easy** bha e gu h-iongantach furasta [va eh ... foorəstə]

**surround: surrounded by trees** air a chuairteachadh le craobhan [ehr ə Koo-ərshtə-KəG leh krurvan]

**survive** *(crash)* tàrr às (a' tàrsainn às) [tahr ahs (ə tahrsin ahs)]
  **I can't survive on £30 a week!** cha tig mi beò air £30 san t-seachdain! [Ka chik mee byaw ehr tree-het not sən chaKkin]

**survivor** *an* neach-tàrsainn [nyaK-tahrsin]

**suspicious** amharasach [avərəsəK]
  **there's something suspicious about this** tha rudeigin amharasach mu dheidhinn seo [ha rootehgin ... moo yay-in shŏ]

**swallow**[1] *(bird) an* gòbhlan-gaoithe [goh-lən-gur-yə]

**swallow**[2] *(verb)* slug (a' slugadh) [slook (ə slookəG)]

**swan** *an* eala [yalə]

**swearword** *am* mionnan [m-yoonan]

**sweat** *(noun) am* fallas [faləs]
  **I'm/he's sweating** tha fallas orm/air [ha ... orəm/ehr]
  **my hands are sweating** tha mo làmhan nam fallas [ha moh lahvən nəm ...]

**sweater** *an* geansaidh [gyensee]

**sweaty** *(hands etc)* fallasach [faləsəK]

**Sweden** an t-Suain [ən t-oo-en]
**sweet** *(taste)* milis [milish]
*(person)* laghach [lur-əK]
**it's too sweet** tha e ro mhilis [ha eh roh vilish]
**sweet(ie)** *an* suiteas [soo-i-tish]
**swim** *(verb)* snàmh (a' snàmh) [snahv]
**I'm going for a swim** tha mi a' falbh gu snàmh [ha mee ə falav goo …]
**I can't swim** chan urrainn dhomh snàmh [Kan oorin Gŏ …]
**swimming costume** *an* deise-shnàimh *(+len adj)* [jehshə-hnYv]
**swimming pool** *an t*-amar-snàimh [ən t-amər-snYv]
**swings** *(in playpark) na* dreallagan [dr-yaləgən]
**switch** *(noun) an t*-suidse [ən toochə]
◊ **switch off** *(light, TV)* cuir dheth (a' cur dheth) [koor yeh (ə koor yeh)]
◊ **switch on** *(light, TV)* cuir air (a' cur air) [koor ehr (ə koor ehr)]
**Switzerland** an Eilbheis [ən ehləvesh]
**swollen** *(gland etc)* air at [ehr at]
**sword** *an* claidheamh [klY-yəv]
**syllabus** *an* clàr-oideachaidh [klahr-əjəKee]
**on the syllabus** air a' chlàr-oideachaidh [ehr ə Klahr-əjəKee]
**symbol** *an* samhla [sōwlə]
**sympathy** *a'* cho-fhaireachdainn [ə Koh-arəKkin]
**synonym** *an* co-fhacal [koh-aKkəl]
**system** *an* siostam ['system']

# T *t*

**table** *am* bòrd [bawrsht] (*plural*: bùird [boorshj])
*(of figures) an* clàr [klahr]

**tablet** *(computer) an* tablaid *(+len adj)* [tablij]

**tail** *an t*-earball [ən cherəbal]

**tailback** *an t*-snàithle chàraichean [ən tnYlə KahreeKən]

**Tain** Baile Dhubhthaich [balə Goo-weeK]

**take** thoir* (a' toirt) [hor (ə torsht)]
**can I take this (with me)?** am faod mi seo a thoirt (leam)? [əm furt mee shŏ ə horsht (ləm)]
**can you take my son home?** an toir thu mo mhac dhachaigh? [ən tor oo moh vaKk GaKee]
**how long will it take?** dè cho fada 's a bheir e? [jay Koh fatə sə vehr eh]
**somebody has taken my bags** *ghoid* cuideigin na bagaichean agam [Gəj koojehgin nə bageeKən akəm]
**is this place taken?** a bheil an t-àite seo gabhte? [ə vel ən tah-chə shŏ gavchə]
**take the first on the left** gabh a' chiad rathad air an làimh chlì [gav ə Kee-at rah-ət ehr ən lYv Klee]
**I'll take it** *(buy it)* gabhaidh mi e [gavee mee eh]

◊ **take after: he takes after his dad** tha e a' dol ri athair [ha eh ə dol ree a-hər]
*(in appearance)* tha suaip aige ri athair [ha soo-ehp ekə ri a-hər]

◊ **take off** *(jacket etc)* cuir dheth (a' cur dheth) [koor yeh (ə koor yeh)]
**I'd like to take a day off** bu toil leam latha a

ghabhail dheth [boo təl ləm lah ə Gahl yeh]
**the plane takes off at 9.00am** tha am plèan a' togail air aig 9m [ha əm playn ə tohkal ehr ek nur-ee sə vateen]

◊**take up: she has taken up golf/French** tha i air tòiseachadh air goilf/Fraingis ionnsachadh [ha ee ehr tawshəKəG ehr golf/frangish yoonsəKəG]
**it takes up a lot of time** tha e a' toirt mòran ùine [ha eh ə torsht mohran oon-yə]

**take-off** *(of plane) an* togail-air *(+len adj)* [tohkal-ehr]
**he does a good take-off of Hugh Grant** nì e deagh atharrais air Hugh Grant [nee eh joh a-hərish ehr Hugh Grant]

**talk** *(verb)* bruidhinn (a' bruidhinn) [brooyin]

**talkative** bruidhneach [brə-inyəK]

**tall** àrd [ahrsht] (**taller/-est** nas/as àirde [nəs/əs ahrsh-jə])
**how tall are you?** dè an àirde a tha annad? [jay ən ahrsh-jə ə ha ənət]

*you may hear*

**còig troigh deich òirleach**
[koh-ik troy jehK awrləK]
five foot ten

**tha mi an aon àird riutsa**
[ha mee ən urn ahrsht rootsə]
I'm the same height as you

**tha thu nas àirde na d' athair a-nis**
[ha oo nəs ahrsh-jə nə ta-hər ə-nish]
you're taller than your dad now

**tantrum** *a'* b*h*radhag [ə vrah-ak]
**he threw a tantrum** ghabh e bradhag [Gav eh brah-ak]

**tap** *an* goc [goKk]
**tape-measure** *an* rioban-tomhais [ripan-toh-ish]
**Tarbert** An Tairbeart [ən terəpehrsht]
**target** *(at work etc) an* targaid *(+len adj)* [tarəgij]
**tartan** *an* tartan [tarshtan]
  **a tartan scarf** stoc tartain [stoKk tarshten]
**taste** *(noun: of food) am* blas
  *(in clothes etc) a'* chàil [ə Kahl]
**tasty** blasta [blastə]
**taxi** *an* tagsaidh ['taxi']
**taxi-driver** *an* dràibhear-tagsaidh [drYvər-'taxi']
**Tay: the (River) Tay** Uisge Tatha [ooshkə tah]
**tea** *an* tì *(+len adj)* ['tea']
  **a cup of tea** cupa teatha [koopə teh-ə]
**teabag** *am* poca-teatha [poKkə-teh-ə]
**teach** *(subject, person)* teagaisg (a' teagasg) [chegishk (ə chegəsk)]
  **could you teach me a bit of Gaelic?** *(informally)* an ionnsaicheadh tu dhomh beagan Gàidhlig? [ən yoonseeKəG too Gŏ behkən gahlik]
**teacher** *an* tidsear ['teacher']
  **our maths teacher** an tidsear matamataigs againn [ən … matamatiks akin]
**team** *an* sgioba *(+len adj)* [skipə]
**tear: they were in tears** bha an sùilean a' snigheadh [va ən soolən ə sneeyəG]
  **they burst into tears** thòisich iad air caoineadh [hawsheeK ee-at ehr kurnəG]
◊**tear up** *(piece of paper etc)* reub (a' reubadh) [rayp (ə raypəG)]

**tease** *(verb)* tarraing às (a' tarraing às) [taring ahs]
**I was teasing you** bha mi a' tarraing asad [va mee ə … asət]
**teenager** *an* deugaire [jee-əgirə]
**telephone** *am* fòn [fohn]
*go to* **phone**
**television** *an* telebhisean [televishen]
**on television** air an telebhisean [ehr ən …]
**television programme** *am* prògram telebhisein [… televishen]
**tell** inns (ag innse) [eensh (əg eenshə)]
**could you tell him …?** an innseadh tu dha …? [ən eenshəG too Ga]
**I told him that he was correct** dh'inns mi dha gun robh e ceart [yeensh mee Ga goon roh eh kyarsht]
**I can't tell the difference** chan aithnich mi an diofar ann [Kan anyeeK mee ən jifər ōwn]
**don't tell me you forgot!** na can rium gun do dhìochuimhnich thu! [nə kan room goon doh yee-əKneeK oo]
**temperature** *(weather etc) an* teòthachd *(+len adj)* [chaw-əKk]
**he's/she's got a temperature** tha fiabhras air/oirre [ha fyōwrəs ehr/orə]
**temporary** sealach [shaləK]
**tenant** *an* gabhaltach [gahltəK]
**tenement** *an* teanamant [tenəmant]
**tennis** *an* teanas [tenəs]
**tennis ball** *a' chneutag* teanais [ə Kree-ətak tenish]
**tennis court** *a' chùirt* teanais [ə Koorsht tenish]
**tennis racket** *an* racaid teanais *(+len adj)* [raKkij tenish]

tenor *(music) an* teanor ['tenor']
tent *an* teanta *(+len adj)* [tentə]
term *an* teirm *(+len adj)* [tehrəm]
**next term** an ath theirm [ən ah hehrəm]
**during term time** tron teirm sgoile [trohn … skolə]
**in the long term** anns an fhad-ùine [ōwns ən at-oon-yə]
**in the short term** anns a' gheàrr-ùine [ōwns ə yahr-oon-yə]
terrible mì-chiatach [mee-Kee-ətəK]
terrific sgoinneil [skən-yel]
test *(noun) am* measadh [mesəG]
text *(message, written matter) an* teacsa [teksə]
**I'll text you** cuiridh mi thugad teacsa [kooree mee hookət …]
textbook *an* leabhar-teagaisg [lyaw-ər-chegishk]
than na [nə]
**bigger than …** nas motha na … [nəs maw nə]
thanks, thank you taing, tapadh leat [tang, tapə let]
*(more formal or talking to several people)* tapadh leibh [… liv]
**thank you very much** mòran taing [mohran …]
**no thank you** chan eil, tapadh leat [Kan yel …]
*(more formal or talking to several people* chan eil, tapadh leibh
**it's all thanks to him** tha a thaing sin aigesan airson a h-uile rud [ha ə hang shin ekəsən ehrson ə hoolə root]

*dialogue*

**thank you for your help**
tapadh leat airson do chuideachaidh
[tapə let ehrson doh KoojəKee]

**gun dragh sam bith**
[goon drəG səm bee]
no problem

**'s e do bheatha**
[sheh doh veh-hə]
you're welcome

## that

*a* To express 'that' as an adjective you put **sin** [shin] after the noun and the definite article in front of the noun.

**that man** an duine sin
**that table** am bòrd sin

For something or someone more remote use **ud** [ət].

**that man** an duine ud
**that island** an t-eilean ud

*b* To express 'that' as a pronoun use **sin**.

**how do you pronounce that?** ciamar a chanas tu sin?
**and that?** agus sin?

For something more remote use **siud** [shit].

**what's that over there?** dè tha siud thall?

*c* 'That' before an adjective is **cho** [Koh].

**it's not that difficult** chan eil e cho doirbh sin
**nobody's that stupid!** chan eil duine cho gòrach sin

*d* 'That' as a relative pronoun is **a** [ə]. In Gaelic this cannot be omitted, as it can in English.

**the car (that) I bought** an càr a cheannaich mi

If a negative verb follows then **a** becomes **nach** [naK].

**the car (that) I didn't buy** an càr nach do cheannaich mi

*e* 'That' as a conjunction when introducing reported or indirect speech (eg he said that …, I thought that …) has various equivalents in Gaelic. Here are some of the main ones. The Gaelic equivalent for 'that' can never be omitted.

*i)* With a present tense verb (replacing **tha**) use **gu bheil** [goo vel].

**it's difficult** tha e doirbh

**I think (that) it's difficult** saoilidh mi gu bheil e doirbh
**I don't think (that) it's difficult** cha shaoil mi gu bheil e doirbh

*ii)* With a present tense verb in the negative (replacing **chan eil**) use **nach eil** [naK el].

**it's not easy** chan eil e furasta

**he says (that) it's not easy** tha e ag ràdh nach eil e furasta

*iii)* With a present tense verb (replacing **'s e**) use **gur e** [goor eh].

**he's a teacher** 's e tidsear a th' ann

**I think (that) he's a teacher** saoilidh mi gur e tidsear a th' ann
**I don't think (that) he's a teacher** cha shaoil mi gur e tidsear a th' ann

*iv)* With a present tense verb in the negative (replacing **chan e**) use **nach e**.

**she's not a teacher** chan e tidsear a th' innte

**he says (that) she's not a teacher** tha e ag ràdh nach e tidsear a th' innte

*v)* With a past tense verb (replacing **bha**) use **gun robh** [goon roh].

**it was too late** bha e ro fhadalach

**I thought (that) it was too late** shaoil mi gun robh e ro fhadalach
**I didn't think (that) it was too late** cha do shaoil mi gun robh e ro fhadalach

*vi)* With a past tense verb in the negative (replacing **cha robh**) use **nach robh**.

**it wasn't too late** cha robh e ro fhadalach

**I thought (that) it wasn't too late** shaoil mi nach robh e ro fhadalach

*vii)* Replacing any past tense verb use **gun do**.

**they did a lot** rinn iad mòran

**he said (that) they did a lot** thuirt e gun do rinn iad mòran

*viii)* Replacing any past tense verb in the negative use **nach do**.

**they didn't do a lot** cha do rinn iad mòran

**he said (that) they didn't do a lot** thuirt e nach do rinn iad mòran

*f* Some expressions.

**is that you?** *(are you ready?)* a bheil thu deiseil? [ə vel oo jeh-shel]
*(at the door etc)* an tus' a th' ann? [ən toos ə hōwn]
*(have you finished?)* a bheil thu rèidh? [ə vel oo ray]

**that's you then** *(sorted, dealt with etc)* sin thu ma-thà [shin oo mə-hah], siud thu ma-thà [shit oo …]
**that's it!** sin e! [shin eh]

**thaw: it's thawing** tha aiteamh ann [ha ah-chəv ōwn]
**the** an [ən]

*1*

*a* In this book translations of nouns are given together with their definite article. The Gaelic for the definite article (ie the Gaelic for 'the') is shown in italic.

**hoover** *an* hùbhar
**finger** *am* meur

*b* Sometimes the presence of the Gaelic for 'the' causes lenition. The lenition is also shown by a letter in italic.

**midge** *a'* m*h*eanbh-chuileag

So if you wanted to say 'a midge' the Gaelic would be

meanbh-chuileag

*c* Sometimes a **t** is inserted.

**an t-sròn** the nose

If you wanted to say 'a nose' the Gaelic is

**sròn**

*d* If you know the definite article that is used with a Gaelic noun, then in most cases you will also know the noun's gender. The following patterns apply.

| *definite article pattern* | *gender is always* | *example* | *English* |
|---|---|---|---|
| *an t-+vowel* | *m* | **an t-òran** | the song |
| *am + m* | *m* | **am mapa** | the map |

| | | | |
|---|---|---|---|
| *am + b* | *m* | **am bòrd** | the table |
| *am + f* | *m* | **am fear** | the man |
| *am + p* | *m* | **am pumpa** | the pump |
| *a' + b + lenition* | *f* | **a' bheinn** | the mountain |
| *a' + c + lenition* | *f* | **a' chluas** | the ear |
| *a' + g +lenition* | *f* | **a' ghlainne** | the glass |
| *a' + m +lenition* | *f* | **a' mhustais** | the moustache |
| *a' + p +lenition* | *f* | **a' phòg** | the kiss |
| *an t- +sl* | *f* | **an t-slàinte** | the health |
| *an t- +sn* | *f* | **an t-snèap** | the turnip |
| *an t- +sr* | *f* | **an t-sròn** | the nose |
| *an t- +s+vowel* | *f* | **an t-seanmhair** | the granny |
| *an + vowel* | *f* | **an ite** | the feather |
| *an +f + lenition* | *f* | **an fhàinne** | the ring |

*e* This accounts for a great number of nouns but leaves some which take the definite article **an** with no special pattern following.

Those that are feminine have the characteristic of leniting any following adjective.

**eaglais** *(church)* is feminine. So:

**the church** an eaglais; **the white church** an eaglais bhàn

Masculine nouns do not lenite a following adjective.

**the house** an taigh; **the white house** an taigh bàn

In this book nouns with the definite article **an** that do not come under any of the above patterns are entered with *(+ len adj)* if they are feminine. All other nouns with **an** that do not come under any of the above patterns are masculine.

*2* Gaelic nouns consisting of several words and of the form

**èirigh na grèine** sunrise
**stèisean nam busaichean** bus station

do not take a definite article before the first noun in the noun phrase. For example:

**we watched the sunrise** choimhead sinn air èirigh na grèine
**where is the bus station?** càit a bheil stèisean nam busaichean?

In these cases this book shows the gender of the main noun with *(m)* or *(f)*.

*3* Regional diversity means that there are some gender differences for nouns in different parts of the Gaelic-speaking world.

**theatre** *an* taigh-cluiche [tY-klə-iKə]

**their**

*a* 'Their' is **an**. If the following word starts with m, b, p, f you should use **am**.

**an athair** their father
**am pàrantan** their parents

*b* **An** and **am** are commonly used to say 'their' when you are talking about family members, friends, something with which you have a close relationship. But **an** and **am** can be confused with the definite article (also **an**, **am**). So another way of expressing 'their' is to wrap **an … aca** around the noun.

**am beachd aca** their idea
**na faclairean aca** their dictionaries

*c* To stress ownership you can use:

**is leotha am baga** it's their bag

*d* 'Their' with a singular reference.

**someone has left their bag here**
tha cuideigin air a bhaga fhàgail an seo

**who's parked their car there?**
cò a pharc a chàr aige an seo?

Gaelic uses the third person singular form, the 'his' form.

theirs: **it's theirs** 's leotha e [is loh-ə eh]
**he's a friend of theirs** tha e na charaid dhaibh [ha eh nə Karij GYv]

## them

*a* 'Them' as object of a verb is **iad**.

**chaill mi iad** I've lost them

*b* the so-called emphatic form **iadsan** is often used when 'them' is the important word in a sentence.

**'s iadsan a bh' ann** it was them
**cò? – iadsan** who? – them

**Iadsan** is only used when 'them' refers to people or animals not things.

*c* to them

When a sentence has two pronouns, the order is:

**an toir thu *dhaibh* iad seo?** *(using* **do***)* will you give these to them?, will you give them these?
**chuir mi *thuca* e** *(using* **gu***)* I sent it to them

*d* Gaelic for 'them' as used in a phrase containing a verbal noun (that is the second verb form given in brackets) is

**gan**. Before words starting with m,b,f,p **gan** becomes **gam**. It does not cause lenition.

**chan eil mi gan tuigsinn** I don't understand them
**chan eil mi gam faicinn** I can't see them

*e* With expressions like 'I'd like, I want, they can' etc the possessive adjective **an** (or **am**) (their) is used together with the verbal noun.

**chan urrainn dhomh an tuigsinn** I can't understand them

*f* For the use of 'them' with prepositions see the tables on pages 348–349. Here are some examples.

**that's for them** 's ann *dhaibhsan* a tha e
**with them** còmhla *riutha*
**from them** bhuapasan

*g* singular reference

**if anyone doesn't have a pen with them**
mur tug cuideigin peann leis

**each student should take a calculator with them**
bu chòir do gach sgoilear àireamhair a thoirt leis

Gaelic uses the third person singular here, the 'him' form.

**themselves** iad fhèin [ee-at hayn]

**then** *(at that time)* aig an àm sin [ek ən ōwm shin]
*(after that)* an uair sin [ən oo-ər shin]
**ok then** ceart ma-thà [kyarsht mə-hah]

**there** ann [ōwn]
**how do I get there?** ciamar a ruigeas mi ann? [kyimmər ə rikəs mee ōwn]
**are you there?** a bheil thu ann? [ə vel oo ōwn]

**stand there** seas an sin [shes ən shin]
**stand over there** seas thall an sin [shes hal ...]
**the house over there** an taigh thall an sin [ən tY ...]
**is there/are there ... ?** a bheil ... ann? [ə vel ... ōwn]
**there is/there are ...** tha ... ann [ha ... ōwn]
**there isn't/there aren't ...** chan eil ... ann [Kan yel ... ōwn]
**there you are** *(giving something)* seo dhut [shŏ Goot]
**there, there, never mind** seo a-nis, na gabh dragh [shŏ ə-nish, nə gav drəG]

therefore mar sin dheth [mar shin yeh]

these na ... seo [nə ... shŏ]
**these apples** na h-ùbhlan seo [nə hoolan shŏ]
**can I take these?** am faod mi *iad seo* a thoirt leam? [əm furt mee ee-at shŏ ə horsht ləm]

thesis *(for PhD etc) an* tràchdas [trahKkəs]

they iad [ee-at]

*a* Gaelic also has the so-called emphatic form **iadsan**. This is used to make a contrast or to show that 'they' is the important word.

**'s iadsan a rinn e** they did it, it was them that did it
**cò thuirt sin? – iadsan** who said that? – they did, them

**Iadsan** is only used to refer to people and animals, not to things.

*b* singular reference

**if someone is late, they will have to wait**
ma bhios cuideigin fadalach, bidh aige ri feitheamh

**if any student needs more help, they should ask me**
ma tha cuideachadh a dhìth air oileanach sam bith, bu chòir dha iarraidh ormsa

Gaelic uses the third person singular masculine here, the 'he' form.

*c* **they are going to build a bridge here**
tha iad a' dol a thogail drochaid an seo

**they say that it's good for you**
canar gu bheil e math dhut

**thick** *(cloth, hair)* tiugh [ch-yoo]
*(stupid)* gòrach [gawrəK]

**thief** *am* mèirleach [mayrləK]

**thigh** *an t*-sliasaid [ən tlee-əsij]

**thin** *(cloth, hair)* tana [tanə]

**thing** *an* rud [root]
**can I leave my things at your place?** am faod mi mo nithean fhàgail san taigh agadsa? [əm furt mee moh nee-hən ahkal sən tY akətsə]
**how's things?** ciamar a tha cùisean? [kyimmər ə ha kooshən]

**think** smaoinich (a' smaoineachadh) [smurneeK (ə smurn-yəKəG)]
**ok, I'll think about it** ceart, smaoinichidh mi air [kyarsht, smurneeKee mee ehr]
**what are you thinking about?** dè a tha thu a' smaoineachadh air? [jay ə ha oo ...]
**what do you think about it?** dè do bheachd air? [jay doh vyaKk ehr]
**I think so** cha chreid mi nach eil [Ka Krehj mee naK el]
**I don't think so** cha chreid mi gu bheil [... goo vel]
**I think you've made a mistake** cha chreid mi nach do rinn thu mearachd [Ka Krehj mee naK doh rYn oo merəKk]

The double negative with the verb **creid, a' creidsinn** (believe) is very commonly used in this sense.

**cha chreid mi nach eil** = I think so (i.e. I don't believe that it isn't)

◊ think over: **I'll think it over** nì mi beachdachadh air [nee mee byaKkə-KəG ehr]

thirsty: **I'm thirsty** tha am pathadh orm [ha əm pah-əG orəm]

**they're thirsty** tha am pathadh orra [... orə]

this an ... seo [ən ... shŏ]

*a* To express 'this' as an adjective you put **seo** [shaw] after the noun and the definite article in front of the noun.

**this street** an t-sràid seo
**this tooth** am fiacal seo

*b* To express 'this' as a pronoun use **seo**.

**this is very good** tha seo glè mhath
**this is from me** 's ann bhuamsa a tha seo

*c* 'This' before an adjective.

**it was this long** bha e cho fada ri seo
**when you were about this high** nuair a bha thu cho àrd ri seo

*d* Some common expressions.

**this is my wife** *(introducing her)* seo mo bhean
**this is Craig** *(introducing him)* seo Craig

Note that Gaelic doesn't need a verb here.

**this is Fiona** *(speaking on the phone)* 's e seo Fiona [sheh shŏ ...]

**thistle** *an* cluaran [kloo-ərən]

**those** na ... sin [nə ... shin]

*(further away)* na ... ud [nə ... ət]

**those apples** na h-ùbhlan sin/ud [nə hoolən shin/ət]

**how much are those?** dè na tha iad sin? [jay nə ha ee-at shin]

**no, not these, those!** chan e an fheadhainn seo, ach an fheadhainn sin [Kan yeh ən yəGin shŏ, aK ən yəGin shin]

**thought** *an* smuain *(+len adj)* [smoo-an]

**thread** *(noun) an* snàithlean [snYlan]

**throat** *an* amhach [avəK]

**through** *(across)* tro *(+len)* [troh]

**go straight through the village** rach gu dìreach tron bhaile [raK goo jeerəK trohn valə]

**it's through there** *(in another part of building etc)* tha e aig a' cheann thall [ha eh ek ə Kyōwn hōwl]

**throw** *(verb)* tilg (a' tilgeil) [chiləg (ə chiləgel)]

◊ **throw away** *(rubbish)* sad às (a' sadail às) [sat ahs (ə satal ahs)]

◊ **throw up** *(vomit)* cuir a-mach (a' cur a-mach) [koor ə-maK (ə koor ...)]

**thrush** *an* smeòrach *(+len adj)* [smyawrəK]

**thumb** *an* òrdag mhor [awrdak vohr]

**thunder** *(noun) an* tàirneanach [tahrnən-əK]

**thunder and lightning** tàirneanaich is dealanaich [tahrnən-eeK is jaləneeK]

**thunderstorm** *an* stoirm *(+len adj)* le tàirneanaich [storəm leh tahrən-eeK]

**Thursday** Diardaoin [jee-arshturn]

**Thurso** Inbhir Theòrsa [in-yər hyorsa]

ticket *an* tiogaid *(+len adj)* [tikij]
ticket office *an* oifis-tiogaid [ofish-chikij]
tide *an* tìde-mhara *(+len adj)* [cheejə-varə]
**high tide** muir-làn [moor-lahn]
**low tide** muir-tràigh [moor-trY]
tidy *(room etc)* sgiobalta [skipəltə]
*(person, habits)* snasail [snasal]
◊ tidy up *(room)* sgioblaich (a' sgioblachadh) [skipleeK (ə skipləKəG)]
tie[1] *(verb)* ceangail (a' ceangal) [kyeh-al (ə kyeh-əl)]
**tie it to this post** ceangail ris an stob seo e [… rish ən stop shŏ eh]
**I'm tied to the house all day** tha mi ceangailte ris an taigh fad an latha [ha mee kyeh-əlchə rish ən tY fat ən lah]
tie[2] *(necktie) an* tàidh *(+len adj)* ['tie']
tight *(clothes)* teann [chyōwn]
*(with one's money)* nigeach [nigəK]
**3 o'clock is a bit tight** tha 3 uairean ga ruith caran caol [ha tree oo-ərən ga roo-ee karan kurl]
tights *na* stocainnean-teann [stoKkinyən-chyōwn]
timber *am* fiodhrach [fiGrəK]
time *an* ùine [oon-yə]
1 **I haven't got time** chan eil ùine agam [Kan yel … akəm]
**for a long time** airson ùine mhòir [ehrson … vohr]
2 *(a specific period) an t-*àm [ən tōwm]
**for the time being** san àm a tha an làthair [sən ōwm ə ha ən lah-hər]
**from time to time** bho àm gu àm [voh ōwm goo ōwm]
**right on time** na cheart àm [nə Kyarsht ōwm]

**we got there just in time** ràinig sinn dìreach na àm [rahnik sheen jeerəK nə ōwm]

3 *(repetition) an* uair [oo-ər]
**three times** trì uairean [tree oo-ərən]

4 *(occasion) an* turas [toorəs]
**this time** an turas seo [ən toorəs shŏ]
**last time** an turas mu dheireadh [... moo yeh-rəG]
**next time** an ath-thuras [ən ah-hoorəs]
**have a good time!** turas math leat! [... ma let]

5 *(abstract concept) an* tìm [cheem]
**time is the great enemy** 's e tìm an nàmhaid mhòr [sheh ... ən nahvij vohr]
**it's like going back in time** tha e mar bhith dol air ais ann an tìm [ha eh mar vee dol ehr ash ōwn ən ...]

6 *(some expressions)*
**7 times 4** seachd uiread ceithir [shaKk ooret keh-hir]
**take your time** gabh air do shocair [gav ehr doh hoKkir]
**he was back in no time** cha b' fhada gus an do thill e [Ka batə goos ən doh heel yeh]
**it's time you knew that** tha e thìde dhut fios a bhith agad air sin [ha eh heejə Goot fis ə vee akət ehr shin]

7 **what's the time?** dè an uair a tha e? [jay ən oo-ər ə ha eh]

## *Telling the time in Gaelic*

All the numbers are given on page 350.

*a* o'clock

*i)* o'clock is **uairean** [oo-ərən].

| **it's three o'clock** | **it's seven o'clock** |
|---|---|
| tha e trì uairean<br>[ha eh ...] | tha e seachd uairean |

*ii)* But one and two are different. For one o'clock (afternoon or early morning) you say

**it's one o'clock**
tha e uair
[ha eh oo-ər]

And two takes the singular form.

**it's two o'clock**
tha e dà uair

*iii)* If the context is clear, Gaelic can omit the word for o'clock.

**I'll be there at four**
bidh mi ann aig ceithir

*iv)* With eleven and twelve the number is split around the word **uair**.

**it's eleven o'clock**
tha e aon uair deug

**at twelve o'clock**
aig dà uair dheug *(lenition here)*

The form **dà reug** [dah rayg] is also common for twelve o'clock, especially in spoken Gaelic.

*b* Past is either **às dèidh** [ahs jay] or **an dèidh** [ən jay].

**ten past three, three ten**
deich mionaidean às dèidh trì
[...minajən ...]

When the hour is two o'clock, and you are saying 'past' the Gaelic is **a dhà**.

**ten past two, two ten**
deich mionaidean às dèidh a dhà

The word **mionaidean** (minutes) is not normally omitted in Gaelic.

*c* To is **gu**.

**twenty to nine, eight forty**
fichead mionaid gu naoi

**ten to two, one fifty**
deich mionaidean gu dhà

*d* Quarter is **cairteal** [karshtal]; half is **leth-uair** [leh-hər]

**it's quarter to five, it's four forty-five**
tha e cairteal gu còig

**it's half past seven, it's seven thirty**
tha e leth uair an dèidh seachd

**timetable** *(for trains, in school) an* clàr-ama [klahr-amə]
**tin** *(can) an* tiona [tinə]
**tin-opener** *am* fosglair-tiona [fosglər-tinə]
**tiny** meanbh [menəv]
**tip** *(advice) a'* chomhairle [ə Kŏ-ərlə]
*(money) am* bonn boise [boo-ən boshə]
**tiptoe: on tiptoe** air corra-biod [ehr korə-bit]
**tired** sgìth [skee]
**Tiree** Tiriodh [chiri-əG]
**tiring: it's tiring** tha e sgìtheil [ha eh skee-el]
**tissues** *na* nèapaiginean pàipeir [nepiginən pehpər]
**title** *(of book etc) an* tiotal [chitəl]
**to**

Here is a breakdown of some of the many ways in which Gaelic expresses 'to'. ** after a translation means that the forms of this word are given in the table on page 349.

*a* *(with places)* **Do**** [doh] is used for going into a place. **Dha** [Ga] is a more colloquial version of **do**.

When used with the definite article these become **don** and **dhan**. And, when used with the definite article, both lenite the following word (but not if the word starts with d, s or t).

**I have to go to the toilet**
feumaidh mi a dhol don *or* dhan taigh-bheag

**he didn't go to university**
cha deach e don *or* dhan oilthigh

**they go to church**
bidh iad a' dol don *or* dhan eaglais

**she's gone to the shop**
dh'fhalbh i don *or* dhan bhùth

**we went to his place**
chaidh sinn don *or* dhan taigh aige

When used without a definite article **do** lenites the following word, but **dha** doesn't.

**do thaigh-dhealbh** to a cinema
**dha taigh-dhealbh** to a cinema

*b* *(with places) (up to)* **gu****

**the next boat to ...**
an ath bhàta gu ...

**which is the road to ...?**
cò an rathad gu ...?

**he came up to me**
thàinig e thugam

**he walks to Ardvasar and back again every Sunday**
bidh e a' coiseachd gu Àird a' Bhàsair agus air ais a-rithist gach Didòmhnaich

**I'd like to go to San Francisco**
bu toil leam a dhol gu San Francisco

When used with the definite article **gu** becomes **gun** and lenites the following word (apart from those starting with d, s, and t).

**gun chala** to the harbour

*c* With placenames the word mainly used is **a**. This lenites the following noun.

**when I get back to Glasgow**
nuair a thilleas mi a Ghlaschu

**we flew out to Lewis**
shiubhal sinn a Leòdhas air a' phlèan

**to Dundee** a Dhùn Dè

**to Tighnabruaich** a Thaigh na Bruaich

**to England** a Shasainn

If the following noun starts with a vowel **a** becomes **a dh'**.

**a dh'Inbhir Nis** to Inverness

*d* *(with events)* **gu**

**we went to a party at their place**
chaidh sinn gu pàrtaidh aig an taigh acasan

**we went to a concert** chaidh sinn gu consairt

When the definite article is used the Gaelic is **do** or **dha**.

**are you going to the ceilidh?**
a bheil thu a' dol don *or* dhan chèilidh

*e* *(with verbs like give)* **do****

**I gave it to Kayleigh**
thug mi do Kayleigh e

**I gave it to her**
thug mi dhi e

**give that to me!**
thoir sin dhomhsa!

**don't lie to me**
na h-inns dhomh breug

*f* *(with verbs like send, write)* **gu****

**I sent it back to Amazon**
chuir mi air ais gu Amazon e

**I'll email it to the school**
cuiridh mi e ann am post-dealain gun sgoil

**can you send it to me?**
an cuir thu thugam e?

**I'll write to you/him**
sgrìobhaidh mi thugad/thuige

*g* *(with verbs like listen, speak)* **ri****

**listen to me!**
èist riumsa!

**don't listen to them!**
na h-èist riuthasan!

*h* Some verbal expressions.

**something to drink/eat**
rudeigin ri òl/ithe

**I've got nothing to do**
chan eil dad agam ri dhèanamh

**do you have something to say?**
a bheil rudeigin agad ri ràdh?

*i* 'from … to …' is translated by **o** or **bho**, both of which lenite the following word.

**from Glasgow to Tighnabruaich**
bho Ghlaschu gu Taigh na Bruaich

**from Monday to Friday**
o Dhiluain gu Dihaoine

**from 2.30 to 3.30**
bho 2.30 gu 3.30

**from me to you**
bhuamsa thugadsa

*j* **it's not important to them**
chan eil e cudromach dhaibh

**they look the same to me**
tha an aon choltas orra dhomhsa

*k* *(in toasts)* **le****

**here's to Chrissie!**
seo le Chrissie!

**here's to us!**
seo leinn!

**here's to you!**
seo leat!

**here's to the new company!**
seo leis a' chompanaidh ùr!

*l* go to **time**

toast *(piece of) an* tòst [tawst]
tobacco *an* tombac [tombaKk]
Tobermory Tobar Mhoire [tohpar vorə]
today an-diugh [ən-joo]
toe *an* òrdag-coise [awrdak-koshə]
together còmhla (ri chèile) [kawlə (ree Kaylə)]
 **they both left together** dh'fhalbh iad còmhla (ri chèile) [Galav ee-at ...]
 **we're together** tha sinn còmhla [ha sheen ...]
 **together with the extra cost** leis a' chosgais a bharrachd [lehsh ə Koskish ə varəKk]
toilet *an* taigh-beag [tY-behk]
 **where are the toilets?** càit a bheil na taighean-beaga? [kahch ə vel nə tY-ən-behkə]
 **I have to go to the toilet** feumaidh mi a dhol dhan taigh-bheag [faymee mee ə Gol Gan tY-vehk]
toilet paper *am* pàipear-tòine [pehpər-tawnə]
 **there's no toilet paper!** chan eil pàipear-tòine ann! [Kan yel ... ōwn]
tomato *an* tomàto ['tomato']
tomato ketchup *an* 'ketchup'
tomorrow a-màireach [ə-mahrəK]
 **tomorrow morning** madainn a-màireach [matin ...]
 **tomorrow afternoon** feasgar a-màireach [feskər ...]
 **tomorrow evening** feasgar a-màireach
 **the day after tomorrow** an-earar [ən-yerər]
 **see you tomorrow** chì mi a-màireach thu [Kee mee ... oo]
Tongue Tunga [toong-ə]
tongue *an* teanga *(+len adj)* [chengə]
tonic (water) *an* 'tonic'

**tonight** a-nochd [ə-noKk]

**tonsillitis** 'tonsillitis'

**too** *(excessively)* ro *(+len)* [roh]

*(also)* cuideachd [koojəKk]

**too difficult** ro dhoirbh [... Giriv]

**that's too much** tha sin cus [ha shin koos]

**I ate too much** dh'ith mi cus [yeeK mee ...]

**me too**

The Gaelic for 'me too' or 'you too' etc is completely dependent on what comes before. Here are some examples.

**tha cù aca** they have a dog
**tha agus agamsa** me too

**tha i à Sasainn** she's from England
**tha agus mise** me too

**you should go to bed now, my boy** 's fheàirrde dhut cadal a-nis, a bhalaich
**you too, young lady** 's fheàirrde agus dhutsa, a leadaidh

**tool** *an t-*inneal [ən cheenyəl]

**tooth** *am* fiacal [fee-əKkəl]

**toothache: I've/he's got toothache** tha an dèideadh orm/air [ha ən jayjəG orəm/ehr]

**toothbrush** *a'* b*h*ruis-fhiaclan [ə vroosh-ee-əKklən]

**toothpaste** *an t-*uachdar-fhiaclan [ən too-əKkər-ee-əKklən]

**top** *(of mountain, page, tree)* *am* mullach [mooləK]

*(item of clothing)* *an* 'top'

**on top of the cupboard** air muin a' phreasa [ehr moon ə fresə]

**on the top floor** air an làr àrd [ehr ən lahr ahrsht]

**at the top** aig a' mhullach [ek ə vooləK]
**she's top of the class** 's ise sàr-sgoilear a' chlas [seeshə sahr-skolər ə Klas]

topic *an* cuspair [koospər]

torch *an* toirds ['torch']

total *(noun) an t-*iomlan [ən chiməlan]
**in total** gu h-iomlan [goo himəlan]

totally gu lèir [goo layr]

touch *(verb)* bean (a' beantainn) [ben (ə benteen)]
**don't touch** na bean dha [nə ben Ga]

touchline *an* loidhne-oisein *(+len adj)* [loyn-yə-oshen]

touchy frionasach [frinəsəK]

tough *(meat)* righinn [reeyin]
*(person)* fulangach [foolən-gəK]
*(problem)* doirbh [dirəv] (**tougher/-est** nas/as dorra [nəs/əs dorə])

tourism *an* turasachd *(+len adj)* [toorəsəKk]

tourist *an* neach-turais [nyaK-toorish]

tow *(verb)* tobhaig (a' tobhaigeadh) [toh-eg (ə toh-eegəG)]
*(on water)* slaod (a' slaodadh) [slurt (ə slurdəG)]

towards a dh'ionnsaigh [ə yoonsee]
**he came towards us** thàinig e gar n-ionnsaigh [hahnik eh gar nyoonsee]

towel *an* searbhadair [sherəvədər]

town *am* baile [balə]
**in town** anns a' bhaile [ōwns ə valə]
**we went into town** chaidh sinn dhan bhaile [KY sheen Gan ...]

toy *an* dèideag *(+len adj)* [jayjak]

**track** *(footpath) am* frith-rathad [free-rah-ət]
*(on CD etc) an* traca [traKkə]
**tractor** *an* tractar ['tractor']
**tradition: an old tradition** seann nòs [shōwn naws]
**traditional** traidiseanta [tradishəntə]
**a traditional Gaelic song** òran san t-seann-nòs [awran sən chyōwn-naws]
**traffic** *an* trafaig *(+len adj)* [trafek]
**traffic jam** *an* stopadh trafaig [stopəG trafek]
**traffic lights** *an* solas trafaig [soləs trafek]
**tragic** *(events)* brònach [brawnəK]
**train** *an* trèan *(+len adj)* ['train']
**we went by train** chaidh sinn air an trèan [KY sheen ehr ən ...]
**trainers** *na* brògan-cleasachd [brawkan-klesəKk]
**training** *an* trèanadh [trehnəG]
**there's training on Tuesday** tha trèanadh ann Dimàirt [ha ... ōwn jeemarsht]
**train station** *an* stèisean-trèana [steh-shen-trehnə]
**translate** eadar-theangaich (ag eadar-theangachadh) [ehdər-hengeeK (əg ehdər-hen-gəKəG)]
**would you translate that for me?** an eadar-theangaich thu sin dhomh? [ən ... oo shin Gŏ]
**can you translate that into English for me?** an cuir thu Beurla air seo dhomh? [ən koor oo bayrlə ehr shŏ Gŏ]
**can you translate English into Gaelic?** an urrainn dhut Gàidhlig a chur air Beurla? [ən oorin Goot gahlik ə Koor ehr bayrlə]
**translation** *an t*-eadar-theangachadh [ən chehdər-hen-gəKəG]

**translator** *an t*-eadar-theangair [ən chehdər-hengər]
**transport: public transport** *a' ch*òmhdhail phoblach [ə KawGal fohpləK]
**travel** *(verb)* siubhail (a' siubhal) [shoo-al (ə shoo-əl)]
**treble** *(music) an* treibil *(+len adj)* ['treble']
**tree** *a' ch*raobh [ə Krurv]
**tremendous** *(very good)* eagalach math [ekələK ma]
**trial** *(in court) an* deuchainn *(+len adj)* [jee-əKin]
**triangle** *an* triantan [tree-əntən]
**trip** *(for business, leisure) an* turas [toorəs]
*(for leisure also) a' ch*uairt [ə Koo-ərsht]
**trombone** *an* trombòn ['trombone']
**Troon** An Truthail [ən troohal]
**trouble** *(noun) an* trioblaid *(+len adj)* [triplij]
**I'm having trouble with …** tha mi a' faighinn tàire le … [ha mee ə fY-yin tahrə leh]
**it was no trouble** cha robh e na dhragh [Ka roh eh nə GrəG]
**troublemaker** *an* neach-buairidh [nyaK-boo-əree]
**trousers** *a' bh*riogais [ə vrikish]
**trout** *am* breac [breKk]
**true** fìor [feer]
**it's not true** chan eil e fìor [Kan yel eh …]
**truly: yours truly** le dùrachd [leh doorəKk]
**trumpet** *an* trombaid *(+len adj)* [trōwmbij]
**trunks** *(swimming) a' bh*riogais-shnàimh [ə vrikish-hnYv]
**truth** *an fh*ìrinn [ən eerin]
**to tell the truth, it was …** a dh'innse na fìrinn, b' e … [ə yeenshə nə feerin, beh]

**try** *(verb)* feuch (a' feuchainn) [fee-əK (ə fee-əKin)]
**can I try?** am faod mi feuchainn? [əm furt mee ...]
**I'll try to be there** feuchaidh mi ri bhith ann [fee-əKee mee ree vee ōwn]
**that's what I was trying to say** 's e sin na bha mi a' feuchainn ri ràdh [sheh shin nə va mee ə fee-əKin ree rah]

**T-shirt** *an* lèine-t *(+len adj)* [laynə-tee]

**Tuesday** Dimàirt [jeemarsht]

**tune** *am* fonn [fə-oon]

**tunnel** *an* tunail *(+len adj)* [tənal]

**turn: where do we turn off?** càit an tionndaidh sinn dhen rathad? [kahch ən choondY sheen yen rah-ət]
**it's my turn** 's e mo thuras-sa a th' ann [sheh moh hoorəs-sə ə hōwn]
**whose turn is it now?** cò an turas a tha e a-nis? [koh ən toorəs ə ha eh ə-nish]

◊**turn off** *(light, TV)* cuir dheth (a' cur dheth) [koor yeh (ə koor yeh)]

◊**turn on** *(light, TV)* cuir air (a' cur air) [koor ehr (ə koor ehr)]

**turning** *(in road)* an tionndadh [chyoondəG]

**TV** *an* TBh [tee-vee]
**I saw it on TV** chunnaic mi air an TBh e [Koonik mee ehr ən ... eh]

**tweed** *an* clò mòr [klaw mohr]

**tweet** *(on Twitter)* *an* tweeteadh [tweetəG]

**twice** dà uair [dah oo-ər]
**twice as much** a dhà uimhir [ə Gah ooyir]

**twin beds** dà leabaidh [dah lyeh-pee]

**twins** *na* leth-aonan [leh-urnan]

**twit** *a'* *gh*laoic [ə GlurKk]

**you twit!** a ghlaoic!
Tyndrum Taigh an Droma [tY ən drohmə]
type *an* seòrsa [shawrsə]
**what type of ...?** dè an seòrsa ...? [jay ən ...]
typical coltach [koltəK]
**that's typical of him/her!** tha sin cho coltach ris/rithe! [ha shin Koh ... rish/ree-yə]
tyre *an* taidhir *(+len adj)* ['tyre']

# U *u*

**ugly** grànda [grahntə]

**UK: the UK** an RA [ən 'RA']

**in the UK** san RA [sən 'RA']

**Ullapool** Ulapul [oolapool]

**umbrella** *an* sgàilean [skahlen]

**unable: we are unable to attend** chan eil e comasach dhuinn a bhith an làthair [Kan yel eh koh-məsəK Gə-in ə vee ən lah-hər]

**uncertain** mì-chinnteach [mee-KeenchəK]

**uncle** *an t*-uncail [ən t'uncle']

**my uncle** m' uncail [m'uncle']

**uncomfortable** mì-chofhurtail [mee-Kŏ-ərshtal]

**unconscious** gun mhothachadh [goon vō-əKəG]

**the blow to the head knocked him unconscious** chaidh e ann am paiseanadh le buille don cheann [KY eh ōwn əm pashənəG leh boolyə dohn Kyōwn]

**she was unconscious after the accident** bha i gun mhothachadh an dèidh na tubaiste [va ee … ən jay nə toopishchə]

**under** fo *(+len)* [foh]

**underground** *(rail) am* fo-rèile [foh-raylə]

**underline** *(text, word)* cuir loidhne fo (a' cur loidhne fo) [koor loyn-yə foh (ə koor …)]

**understand** tuig (a' tuigsinn) [tik (ə tikshin)]

**I understand** tha mi a' tuigsinn [ha mee …]

**I don't understand** chan eil mi a' tuigsinn [Kan yel …]

**do you understand?** a bheil thu a' tuigsinn? [ə vel oo ...]

underwear fo-aodach [foh-urdəK]

undress: **get undressed and into your pyjamas** cuir dhìot d'aodach agus cuir ort na 'pyjamas' agad [koor yeet turdəK agəs koor orsht na ... akət]

unemployed gun chosnadh [goon KosnəG]

unexpected: **that was unexpected** cha robhar an dùil ri sin [Ka roh-ər ən dool ree shin]

unfair: **that's unfair** chan eil sin ceart [Kan yel shin kyahrsht]

unfit *(physically)* neo-fhallain [nyŏ-alin]

unfortunate mì-fhortanach [mee-orshtənəK]

unfortunately gu mì-fhortanach [goo mee-orshtənəK]

unfriendly neo-chàirdeil [nyŏ-Kahrjel]

unhappy mì-thoilichte [mee-holeeKchə]

**I'm still unhappy about this** tha mi mì-thoilichte a thaobh seo fhathast [ha mee ... hurv shŏ hahst]

unhealthy mì-fhallain [mee-alin]

uniform *(noun) an t*-èideadh [ən chayjəG]

unique air leth [ehr leh]

United Kingdom: **the United Kingdom** an Rìoghachd Aonaichte [ən ree-əKk urneeKchə]

United States: **the United States** na Stàitean Aonaichte [nə stah-chən urneeKchə]

universe *an* domhan [doh-ən]

university *an t*-oilthigh [ən tol-hY]

**she's at university** tha i san oilthigh [ha ee sən olhY]

**when you go to university** nuair a thèid thu dhan oilthigh [noo-ər ə hayj oo Gan ...]

**unkind** *(person, remark)* mì-choibhneil [mee-Koyn-yel]
**unless** mur(a) [moor(ə)]
*(before a vowel)* mur
**I won't go unless you go** cha tèid mi ann mur(a) tèid thusa [Ka chayj mee ōwn … chayj hoosə]
**unless you drink this** mur òl thu seo [moor ol oo shŏ]
**unlock: I can't unlock the door with this key** chan fhosgail mi glas an dorais leis an iuchair seo [Kan osgal mee glas ən dorish lehsh ən yooKir shŏ]
**unpopular** *(person, decision)* neo-mheasail [nyŏ-vesal]
*(person also)* neo-ionmhainn [nyŏ-inivin]
**unreasonable** mì-reusanta [mee-rehsəntə]
**unruly** *(class)* mì-mhodhail [mee-voh-Gal]
**unsatisfactory** *(state of affairs, conclusion)* mì-shàsail [mee-hah-sal]
**unselfish** neo-fhèineil [nyŏ-aynel]
**untidy** *(room)* mì-sgiobalta [mee-skipəltə]
**untie** *(knot, laces)* fuasgail (a' fuasgladh) [foo-əskal (ə foo-əsgləG)]
**until** gus [goos]
**until next year** gus an ath bhliadhna [… ən ah vlee-ənə]
**not until Tuesday** chan ann gus Dimàirt [Kan ōwn … jeemarsht]
**I'll wait until you're ready** fuirichidh mi gus am bi thu deiseil [fooreeKee mee … əm bee oo jeh-shel]
**unusual** neo-àbhaisteach [nyŏ-ahvishchəK]
**unwell** tinn [cheen]
**unwind** *(relax)* gabh fois (a' gabhail fois) [gav fosh (ə gahl …)]

**up** suas [soo-əz]
**further up the street** *(with motion)* nas fhaide suas an t-sràid [nəs ajə … ən trahj]
*(position)* nas fhaide shuas an t-sràid [… hoo-əz …]
**up north** mu thuath [moo hoo-ə]
**he came up to me** thàinig e thugam [hahnik eh hookəm]
**he's not up yet** *(out of bed)* chan eil e air a chois fhathast [Kan yel eh ehr ə Kosh hahst]
**what's up?** dè a tha ceàrr? [jay ə ha kyahr]
**what are they up to?** dè am miastadh a tha iadsan ris? [jay əm mee-əstəG ə ha ee-atsan rish]
**uplift** *SCOTS (collect)* tog (a' togail) [tohk (ə tohkal)]
**upmarket** *(hotel etc)* leòmach [lyawməK]
**upset: she's upset about it** tha i troimhe-chèile ma dheidhinn [ha ee troh-Kyaylə ma yay-in]
**upside-down** bun-os-cionn [boon-ohs-kyoon]
**upstairs** *(go)* suas an staidhre [soo-əz ən stYrə]
*(be)* shuas an staidhre [hoo-əz …]
**uptight** *(nervous)* iomagaineach [iməganəK]
*(inhibited)* rag [rak]
**up-to-date** *(news etc)* as ùire [əs oorə]
**keep us up-to-date about this** cùm fios rinn mu dheidhinn seo [koom fis rYn moo yay-in shŏ]
**can you bring us up-to-date on this?** an toir thu dhuinn an cunntas as ùr mu seo? [ən tor oo Gə-in ən koontəs əs oor moo shŏ]
**urgent** èiginneach [ayginyəK]
**please hurry, it's urgent** dèan cabhag, tha e èiginneach [jee-an kavak, ha eh …]

**urgently: please do this urgently** an dèan thu seo ann an cabhag? [ən jee-an oo shŏ ōwn ən ...]

**us** sinn [sheen]

*a* 'Us' as object of a verb is **sinn** [sheen].

**chan fhaca iad sinn** they didn't see us

*b* The so-called emphatic form **sinne** [sheenyə] is often used when 'us' is the important word in a sentence.

**cò?, sinne?** who?, us?
**hallo, is sinn' a th' ann** hello, it's us!

*c* to us

When a sentence has two pronouns, the order is:

**an toireadh tu dhuinn e?** [...Gə-in ...] please give it to us, please give us it

*d* Gaelic for 'us' as used in a phrase containing a verbal noun (that is the second verb form given in brackets) is **gar**. The **gar** comes before the verbal noun.

**a bheil thu gar cluinntinn?** can you hear us?
**chan eil iad gar tuigsinn** they don't understand us

If the verbal noun starts with a vowel then **n-** is added.

**chan eil i gar n-ionndrainn** she doesn't miss us

*e* With expressions like 'I'd like, I want, they can' etc the possessive adjective **ar** (our) is used together with the verbal noun.

**chan urrainn dhaibh ar tuigsinn** they can't understand us

> *f* For the use of 'us' with prepositions see the tables on pages 348–349. Here are some examples.
>
> **'s ann dhuinne a tha e** that's for us
> **còmhla rinn** with us
> **'s ann bhuainne a tha seo** this is from us

**use: can I use … ?** am faod mi … a chleachdadh? [əm furt mee … ə KleKkəG]

**used[1]: I'll try to get used to it** feuchaidh mi ri fàs cleachdte ris [fee-əKee mee ree fahs kleKk-chə rish]
**I can't get used to it** chan fhàs mi cleachdte ris [Kan ahs …]
**I'm not used to this sort of behaviour** chan eil mi cleachdte ris an t-seòrsa dol-às seo [Kan yel mee … ən chawrsə dol-ahs shŏ]

**used[2]: I used to live there** b' àbhaist dhomh a bhith fuireach ann [bahvisht Gŏ ə vee foorəK ōwn]
**I don't go there as much as I used to** cha bhi mi a' dol ann uiread 's a b' àbhaist dhomh [Ka vee mee ə dol ōwn ooret sə …]

**useful** feumail [faymal]

**useless** *(person, advice)* gun fheum [goon yaym]

**user name** *an t*-ainm-cleachdaidh [ən tenəm-kleKkee]

**usual** àbhaisteach [ahvishchəK]
**as usual** mar as àbhaist [mar əs ahvisht]

**usually** gu h-àbhaisteach [goo hahvish-chəK]
**we usually eat at 7.00** 's àbhaist dhuinn ithe aig seachd uairean [sahvisht Gə-in ee-hə ek shaKk oo-ərən]

# V *v*

*Loanwords from English that start with v may be found written in Gaelic both with bh and the strictly non-Gaelic v.*

**vacation** *na* saor-làithean [sur-lYən]

**vaccination** *a'* b*h*anachdach [ə vanəK-kəK]

**vague** *(answer)* neo-shoilleir [nyŏ-shəlyər]

**he was rather vague about it** bha e caran neo-shoilleir mu dheidhinn [va eh karan … moo yay-in]

**valid** *(password, reason)* dligheach [dleeyəK]

**valley** *an* gleann [glōwn]

*(wide) an* srath [strah]

**valuable** luachmhor [loo-əKvohr]

**van** *a'* b*h*ana [ə vanə]

**vandalism** *a'* vandalachd [ə vandələKk]

**vanilla** *an* f*h*aoineag [ən urn-yak]

**vanish** rach* às an t-sealladh (a' dol às an t-sealladh) [raK ahs ən chaləG]

**vary: it varies** bidh e ag atharrachadh [bee eh əg ah-ərəKəG]

**vase** *a'* b*h*às [ə vahs]

**VAT** *a'* VAT [ə vee-ay-tee]

**vegetables** *a'* g*h*lasraich [ə GlasreeK]

**vegetarian** *an* glasraichear [glasreeKər]

**venison** *an t-*sitheann [ən chee-ən]

**versatile** *(person, equipment)* iol-chomasach [il-KohməsəK]

**verse** *(of poem) an* rann [rōwn]

**versus** an aghaidh [ən əGee]

**very** glè *(+len)* [glay]
**he doesn't eat very much** cha bhi e ag ithe mòran [Ka vee eh əg eeKə mohran]
**very much easier** gu math nas fhasa [goo ma nəs asə]
**you're the very person I was looking for** 's tusa an dearbh dhuine a bha mi a' lorg [stoosə ən jerəv Goonyə ə va mee ə lorəg]

*a* **Glè** lenites the following word.

**it's very easy** tha e glè fhurasta
**she's coming on very well** tha i a' tighinn air adhart glè mhath

*b* Adjectives can also be repeated to give the force of 'very'.

**a very big tree** craobh mhòr mhòr

*c* with a negative

**was it easy? – not very** an robh e furasta? – cha robh e glè fhurasta

**vest** *an* fho-lèine [ən oh-laynə]
**vet** *(noun) am* bheat ['vet']
**via** taobh [turv]
**vice-chairman** *an* iar-chathraiche [ee-ər-KareeKə]
**video** *am* 'video'
**view: what a view!** abair sealladh! [apar shaləG]
**that's my own point of view** 's e sin mo bharail fhèin [sheh shin moh varal hayn]
**village** *am* baile [balə]
*(with a church) an* clachan [klaKən]
**villager** *an* neach às a' bhaile [nyaK ahs ə valə]
**vinegar** *am* fìon-geur [fee-ən-gee-ar]

**violent** *(person, movie)* fòirneartach [fawrnersh-təK]
*(storm)* gàbhaidh [gahvee]
**violin** *an* fhìdheall [ən eeyəl]
**VIP** *an t-*urra mòr [ən toorə mohr]
**virus** *(medical, computer) a'* vìoras [ə veerəs]
**visibility** *(weather condition) an* fhaicsinneachd [ən YKkshinyəKk]
**visit** *(verb)* tadhail (a' tadhal) [tur-əl (ə turl)]
**visitor** *(to home) an* cèiliche [kayleeKə]
*(tourist) an* cuairtear [koo-ərshtər]
**vitamin** *am* bitheamain [bee-hamin]
**vocabulary** faclan [faKklən]
**vocabulary test** *an* deuchainn fhaclan *(+len adj)* [jee-əKin aKklən]
**vodka** *am* bhodka ['vodka']
**voice** *an* guth [goo]
**voicemail** *am* brath-gutha [bra-goo-ə]
**I left a voicemail** dh'fhàg mi brath-gutha [Gahk mee …]
**volume** *(of sound) am* fuaim [foo-Ym]
**can you turn the volume down?** an cuir thu am fuaim sìos? [ən koor oo əm … shee-əz]
**volunteer** *(noun) an* saor-thoileach [sur-holəK]
**any volunteers?** cò tha deònach? [koh ha jawnəK]
**vomit** *(verb)* dìobhairt (a' dìobhairt) [jeevarsht]
◊ **vote against** bhòt an aghaidh (a' bhòtadh an aghaidh) [vawt ən əGee (ə vawtəG …)]
◊ **vote for** bhòt airson (a' bhòtadh airson) [vawt ehrson (ə vawtəG …)]
**voucher** *(to exchange for goods) an t-*eàrlas [ən chahrləs]

# W *w*

**wabbit** *Scots* claoidhte [klurchə]

**wages** *an* duais *(+len adj)* [doo-ish]

**waist** *am* meadhan [mee-an]

**waistcoat** *am* peitean [peh-chen]

**wait** fuirich (a' fuireach) [fooreeK (ə foorəK)]

**it's ok, I'll wait** ceart gu leòr, fuirichidh mi [kyahrsht goo lyawr, fooreeKee mee]

**wait for me** fuirich rium [... room]

**I'm waiting for a friend/my wife** tha mi a' fuireach ri caraid/mo bhean [ha mee ... ree karij/moh ven]

**waiter** *am* fear-frithealaidh [fehr-free-həlee]

**waitress** *an* tè-fhrithealaidh *(+len adj)* [chay-ree-həlee]

**wake** *(after funeral) a'* chaithris [ə Karish]

*(behind boat) an t-*uisge-stiùireach [ən tooshkə-shtyoorəK]

◊ **wake up** dùisg (a' dùsgadh) [dooshk (ə doosgəG)]

**the noise woke me up** dhùisg am fuaim mi [Gooshk əm foo-Ym mee]

**Wales** a' Chuimrigh [ə Koomree]

**walk** *(verb)* coisich (a' coiseachd) [kosheeK (ə koshəKk)]

**we walked here** choisich sinn an seo [KosheeK sheen ən shŏ]

**we went for a walk in the hills** chaidh sinn cùairt anns a' mhonadh [KY sheen koo-ərsht ōwns ə vonəG]

**walker** *an* coisiche [kosheeKə]

**walking shoes** *na* brògan coiseachd [brawkən koshəKk]

**wall** *am* balla [balə]
*(of a dam, dyke) an* gàradh [gah-rəG]
**wallet** *an* sporan
**want: I want a …** tha mi ag iarraidh … [ha mee əg ee-əree]
**I want to talk to …** tha mi ag iarraidh bruidhinn ri … [… brooyin ree]
**what do you want?** dè tha thu ag iarraidh? [jay ha oo …]
**I don't want to** chan eil mi ag iarraidh a dhèanamh [Kan yel mee … ə yee-anəv]
**he/she wants to …** tha e/i ag iarraidh …
**she wants to be a doctor** tha i ag iarraidh a bhith na dotair [… ə vee nə dotər]
**I want you to listen** tha mi ag iarraidh ort èisteachd [… orsht aysh-chəKk]

Another way of expressing 'want' is by using the construction

***bi airson*** + *verbal noun* (the second of the verb forms given in this book, but minus the **a'** or **ag**)

**I don't want to go out tonight**
chan eil mi airson falbh a-mach a-nochd

**do you want to come with us?**
a bheil thu airson tighinn còmhla rinn?

**I really want to get this finished**
tha mi gu mòr airson a bhith deiseil dhe seo

## *dialogues*

*1*

**we're going to visit Aunty Beth**
tha sinn a' dol a chèilidh air Antaidh Beathag
[ha sheen ə dol ə Kaylee ehr antee beh-hak]

**chan eil mi ag iarraidh a dhol ann**
[Kan yel mee əg ee-əree ə Gol ōwn]
I don't want to (go there)

*2*
**eat your greens**
ith na glasraich agad
[eeK nə glasreeK akət]

**chan ith**
[Kan eeK]
don't want to

**chan eil mi gan iarraidh**
[Kan yel mee gan ee-əree]
I don't want them

**war** *an* cogadh [kogəG]
**wardrobe** *(furniture) am* preas-aodaich [pres-urdeeK]
**warehouse** *an* taigh-bathair [tY-bahir]
**warm** blàth [blah]
**warning** *an* rabhadh [ravəG]
**was**

There are two ways of expressing the past tense of 'to be' in Gaelic.

*1*

*a* If you want to say something like

she was disappointed
they were in the playground

you use the word **bha** [va]. This stays the same for all persons.

| | |
|---|---|
| **I was** bha mi | **we were** bha sinn |
| **you were** *(familiar)* bha thu | **you were** *(singular polite or plural)* bha sibh |
| **he/she was** bha e/i | **they were** bha iad |
| **it was** bha e/i | |

**bha mi toilichte** I was happy

*b* To ask a question you use **an robh** [ən roh].

| | |
|---|---|
| **was I?** an robh mi? | **were we?** an robh sinn? |
| **were you?** *(familiar)* an robh thu? | **were you?** *(singular polite or plural)* an robh sibh? |
| **was he/she?** an robh e/i? | **were they?** an robh iad? |
| **was it?** an robh e/i? | |

**an robh i toilichte?** was she happy?

*c* In the negative you use **cha robh** [Ka roh].

| | |
|---|---|
| **I was not** cha robh mi | **we were not** cha robh sinn |
| **you were not** *(familiar)* cha robh thu | **you were not** *(singular polite or plural)* cha robh sibh |
| **he/she was not** cha robh e/i | **they were not** cha robh iad |
| **it was not** cha robh e/i | |

**cha robh iad toilichte** they weren't happy

*d* To ask a negative question you use **nach robh** [nahK roh].

| | |
|---|---|
| **wasn't I?** nach robh mi? | **weren't we?** nach robh sinn? |
| **weren't you?** *(familiar)* nach robh thu? | **weren't you?** *(singular polite or plural)* nach robh sibh? |
| **wasn't he/she?** nach robh e/i? | **weren't they?** nach robh iad? |
| **wasn't it?** nach robh e/i? | |

**nach robh iad toilichte?** weren't they happy?

*2*

*a* If you want to say something like

he was a teacher
it was a fantastic beach
that was a beautiful day

you use **'s e … a bh' ann** [sheh … ə vōwn]. The **ann** changes like this.

| | | |
|---|---|---|
| **I was** | 's e … a bh' annam | [ə vənəm] |
| **you were** *(familiar)* | 's e … a bh' annad | [ə vənət] |
| **he/it was** | 's e … a bh' ann | [ə vōwn] |
| **she/it was** | 's e … a bh' innte | [ə veenchə] |
| **we were** | 's e … a bh' annainn | [ə vənin] |
| **you were** *(singular polite or plural)* | 's e … a bh' annaibh | [ə vənəv] |
| **they were** | 's e … a bh' annta | [ə vəntə] |

**'s e tidsear a bh' innte** she was a teacher
**'s e tidsear a bh' ann** he was a teacher
**'s e prògram math a bh' ann** it was a good progamme

*b* To ask a question **'s e** becomes **an e** [ən yeh]. The rest stays the same.

**an e tidsear a bh' innte?** was she a teacher?
**an e tidsear a bh' ann?** was he a teacher?
**an e prògram math a bh' ann?** was it a good programme?

*c* To make this negative **'s e** becomes **chan e** [Kan yeh]. The rest stays the same.

**chan e tidsear a bh' innte** she wasn't a teacher
**chan e tidsear a bh' ann** he wasn't a teacher
**chan e prògram math a bh' ann** it wasn't a good programme

*d* To make this a negative question **'s e** become **nach e** [naK eh] The rest stays the same.

**nach e tidsear a bh' innte?** wasn't she a teacher?
**nach e tidsear a bh' ann?** wasn't he a teacher?
**nach e prògram math a bh' ann?** wasn't it a good programme?

*3* As well as using the structure as shown in 2. you can, especially if you are talking about someone's job or nationality, use the following.

**bha i na dotair** she was a doctor
**cha robh i na h-Albannach** she wasn't Scottish

wash nigh (a' nighe) [nee (ə neeyə)]
**have you washed your hands?** an do nigh thu do làmhan? [ən doh nee oo doh lahvən]
**go and wash** thalla is dèan do nighe [halə is jee-an doh ...]

washbasin *an t*-amar-ionnlaid [ən tamər-yoonlij]

washing *an t*-aodach-nighe [ən t-urdəK-neeyə]
**I have a lot of washing to do** tha tòrr aodach agam ri nighe [ha tawr urdəK akəm ree neeyə]

washing machine *an t*-inneal-nigheadaireachd [ən cheenyəl neeyə-dərəKk]

washing powder *am* pùdar-nigheadaireachd [poodər-neeyə-dərəKk]

washing-up liquid *an* lionn nighe [lyoon neeyə]

wasp *an* speach *(+len adj)* [spyaK]

waste: **it's a waste of time** 's e call ùine a th' ann [sheh kal oon-yə ə hōwn]
**it's a waste of money** 's e call airgid a th' ann [... erəgij ...]

**to go to waste** rach a dholaidh [raK ə Golee]
**everything's going to waste** tha a h-uile càil a' dol a dholaidh [ha ə hoolə kahl ə dol ə …]

**wastepaper basket** *a'* b*h*asgaid-truilleis [ə vaskij-troolesh]

**watch**[1] *(wristwatch) an* uaireadair [oo-ərədər]

**watch**[2] *(verb)* coimhead air *(+prep obj)* (a' coimhead air) [koy-yet ehr]
**he was watching TV** bha e a' coimhead air an telebhisean [va eh ə … ən televishen]
**watch me** seall ormsa [shal orəmsə]
**I'll just watch** bidh mi dìreach a' coimhead [bee mee jeerəK …]

◊ **watch out: watch out!** thugad! [hookət]

**water** *an t-*uisge [ən tooshkə]
**can I have a glass of water?** am faigh mi glainne uisge? [əm fY mee glan-yə ooshkə]

**waterfall** *an t-*eas [ən ches]

**waterproof** *(adjective)* dìonach [jee-ənəK]

**waulking** *an* luadhadh [loo-ə-əG]

**waulking song** *an t-*òran-luaidh [ən tawran-loo-Y]

**wave**[1] *(in sea) an* tonn [tōwn]

**wave**[2] *(verb)* smèid (a' smèideadh) [smayj (ə smayjəG)]
**he waved to us** smèid e rinn [smayj eh rYn]

**way: it's this way** tha e an taobh seo [ha eh ən turv shŏ]
**it's that way** tha e an taobh sin [… shin]
**do it this way** dèan air an dòigh seo e [jee-an ehr ən doy shŏ eh]
**is that better? – no way!** a bheil sin nas fheàrr? – chan eil idir! [ə vel shin nəs shahr? – Kan yel eejir]

**do you agree? – no way!** a bheil thu ag aontachadh? – chan eil idir! [ə vel oo əg urntə-KəG ...]
**is it on the way to ...?** an ann air an rathad gu ... a tha e? [ən ōwn ehr ən rah-ət goo ... ə ha eh]
**could you tell me the way to get to ...?** an inns thu dhomh ciamar a ruigeas mi ...? [ən eensh oo Gŏ kyimmər ə rikəs mee ...]

*you may hear*

**tha e dìreach romhad**
[ha e jeerəK roh-ət]
it's straight ahead

**gabh a' chiad rathad air do làimh chlì**
[gav ə Kee-ət rah-ət ehr doh lYv Klee]
take the first left

**gabh an dàrna rathad air do làimh dheis**
[gav ən dahrnə rah-ət ehr doh lYv yehsh]
take the second right

**an uair sin rud beag seachad air an eaglais**
[ən oo-ər shin root behk shaKət ehr ən eklish]
then just past the church

**tionndaidh gu do làimh dheas aig a' bhanca**
[chyoondY goo do lYv yehs ek ə vankə]
turn right at the bank

**tha e air ais an taobh sin**
[ha eh ehr ash ən turv shin]
it's back that way

**cha tèid e iomrall ort**
[Ka chayj eh imirəl orsht]
you can't miss it

**we** sinn [sheen]

> Gaelic also has the so-called emphatic form **sinne** [sheenyə]. This is used to make a contrast or to show that 'we' is the important word.
>
> **chan eil iad sgìth – chan eil no sinne** they're not tired – nor are we

**weak** *(person, tea, argument)* lag [lak]

**wean** *SCOTS (child) am* pàiste [pahsh-chə]

**wear: she was wearing her blue dress** bha i a' caitheamh a dreasa ghorm [va ee ə kehəv ə dresə Gorəm]
**what shall I wear?** dè a chuireas mi orm? [jay ə Koorəs mee orəm]

**weasel** *an* neas *(+len adj)* [nyes]

**weather** *an t-*sìde [ən cheejə]
**what filthy weather!** abair sìde ghrot! [apar sheejə Grot]

*dialogue*

**what was the weather like?**
cò ris a bha an t-sìde coltach
[koh rish ə va ən cheejə koltəK]

**bha i glè theth**
[va ee glay heh]
it was very hot

**bha i dìreach tìorail blàth**
[va ee jeerək cheeral blah]
it was just pleasantly warm

**uabhasach dona**
[oo-əvəsəK donə]
absolutely awful

**rinn e uisge nan seachd sian**
[rYn eh ooshkə nən shaKk shee-an]
it absolutely peed down

**bha i a' sileadh fad na h-ùine**
[va ee ə sheeləG fat nə hoonyə]
it rained all the time

**did you get any snow?**
an do chuir e an sneachda?
[ən doh Koor eh ən shnyaKkə]

**cha do chuir idir**
[Ka doh Koor eejir]
no snow at all

**weather forecast** *an* tuairmse sìde *(+len adj)* [too-ərmshə sheejə]
**what's the weather forecast?** dè an tuairmse sìde? [jay ən ...]

*you may hear*

**tha i gu bhith fliuch**
[ha ee goo vee flooK]
it's going to be wet

**grianach sa mhadainn, an t-uisge nas anmoiche**
[gree-ənəK sə vatin, ən tooshkə nəs anəmeeKə]
sunny in the morning, rain later

**frasan fad an latha**
[frasən fat ən lah]
showers all day

**tha e gu bhith brèagha fad an latha**
[ha e goo vee bree-yə fat ən lah]
it'll be fine all day

**tha i a' fàs nas fhuaire**
[ha ee ə fahs nəs oo-ərə]
it's getting colder

**sneachd air talamh àrd**
[shnyaKk ehr taləv ahrsht]
snow on higher ground

**weaving** *a' bhreabadaireachd* [ə vrepə-dərəKk]
**web: the Web** *an* Lìon [lee-ən]
**website** *an* làrach-lìn *(+len adj)* [lahrəK-leen]
**wedding** *a' bhanais* [ə vanish]
**wedding day: on our wedding day** air latha na bainnse againn [ehr lah nə bYnshə akin]
**wedding ring** *an fhàinne*-phòsta [ən ahnyə-pawstə]
**Wednesday** Diciadain [jeekee-ətan]
**wee** *Scots* beag [behk] (**wee-er/-est** nas/as lugha [nəs/əs looGə])
**just a wee minute now!** fuirich tiota! [fooreeK chitə]
**the wee ones** na big [nə beek]
**week** *an t*-seachdain [ən chaKkin]
**a week today** seachdain an-diugh [shaKkin ən-joo]
**a week tomorrow** seachdain a-màireach [... ə-mahrəK]
**weekend** *an* deireadh-sheachdain [jehrəG-hyaKkin]
**at the weekend** aig an deireadh-sheachdain [ek ən ...]
**weight** *an* cuideam [koojam]
**he's lost weight** chaill e cuideam [KYl eh ...]
**he's put on weight** chuir e feòil air [Koor eh fyawl ehr]
**weird** neònach [nyawnəK]

**weirdo** *an* duine neònach [doon-yə nyawnəK]
**he's a weirdo** 's e duine neònach a th' ann [sheh … ə hōwn]
**welcome: you're welcome** 's e do bheatha [sheh doh veh-hə]
**welcome to Mull** fàilte do Mhuile [fahlchə doh voolə]

**'s e do bheatha** means literally 'it's your life'.

**welfare state** *an* stàit shochairean *(+len adj)* [stahch hoKərən]
**well** gu math [goo ma]
**she sang well** sheinn i gu math [heh-in ee goo ma]
**she sang very well** sheinn i glè mhath [… glay va]
**I'm not feeling well** chan eil mi a' faireachdainn gu math [Kan yel mee ə farəKkin …]
**he's not well** chan eil e gu math [Kan yel eh goo ma]
**how are you? – very well, thanks** ciamar a tha thu? – tha gu math, tapadh leat [kyimmər ə ha oo – ha goo ma tapə let]
**well done!** 's math a rinn thu! [sma ə rYn oo]
**well, well!** faire, faire! [farə, farə]
**well-behaved** modhail [moh-Gal]
**well-earned: a well-earned rest** fois air a deagh chosnadh [fosh ehr ə joh KosnəG]
**wellies** *na* bòtannan [bawtanən]
**well-known** *(person, fact)* aithnichte [anyeeKchə]
**well-off** math dheth [ma yeh]
**Welsh** *(adjective)* Cuimreach [koomrəK]
*(noun: language)* Cuimris *(+len adj)* [koomrish]
**were** *go to* **was**
**west** *an* iar *(+len adj)* [ee-ar]

**out west** a-mach chun an iar [ə-maK Koon ən ...]
**it's west of here** tha e mun iar air an àite seo [ha eh moon ... ehr ən ah-chə shŏ]

West Highland Way Slighe *(f)* na Gàidhealtachd an Iar [shleeyə nə geh-yəltəKk ən ee-ar]

Western Isles: **the Western Isles** na h-Eileanan an Iar [nə hehlanən ən ee-ar]

wet fliuch [flooK] (**wetter/-est** nas/as fhliche [nəs/əs leeKə])

wetsuit *an* deise-fhliuch *(+len adj)* [jehshə-looK]

whale *a'* m*h*uc-mhara [ə vooKk-varə]

what? dè [jay]
**what is that?** dè tha sin? [jay ha shin]
**what for?** airson dè? [ehrson jay]
**I don't know what to do** chan eil fios agam dè nì mi [Kan yel fis akəm jay nee mee]
**what a good idea!** abair deagh bheachd! [apar joh vyaKk]
**what train?** dè an trèan? [jay ən 'train']

whatever ge b' e air bith [geh beh ehr bee]
**you can do whatever you want** nì thu ge b'e air bith a thogras tu [nee oo ... ə hohkrəs too]
**whatever makes you think that?** ge dè a tha cur an smuain sin ort? [geh jay ə ha koor ən smoo-an shin orsht]

wheel *a'* c*h*uibhle [ə Kə-ilə]

wheelchair *a'* c*h*athair-chuibhle [ə Kahir-Kə-ilə]

when? cuine? [koonyə]
**when is he coming?** cuin a thig e? [koonyə hik eh]
**when is the next meeting?** cuin a bhios an ath choinneamh? [koonyə vee-əs ən ah Konyəv]

**when we arrived** nuair a ràinig sinn [noo-ər ə rahnik sheen]
**I don't know when it happened** chan eil fhios agam cuin a thachair e [Kan yel is akəm koonyə haKir eh]

## *dialogues*

*1*

**it was on BBC Alba recently**
bha e air BBC Alba bho chionn ghoirid
[va eh ehr BBC aləpə voh Kyoon Gərij]

**when?**
cuine?
[koonyə]

**an t-seachdain sa chaidh**
[ən chyaKkin sə KY]
last week

**what day?**
dè an latha?
[jay ən lah]

**Dimàirt, tha mi smaoineachadh, ach chan eil mi cinnteach**
[jeemarsht, ha mee smurn-yəKəG, aK Kan yel mee keenchəK]
Tuesday, I think, not quite sure

*2*

**she's coming to stay**
tha i a' tighinn a dh'fhuireach
[ha ee ə cheeyin ə GoorəK]

**cuine?**
[koonyə]
when?

**an ath-sheachdain, Diciadain air neo Diardaoin**
[ən ah-hyaKkin, jeekee-ətan ehr nyŏ jee-arshturn]
next week, either Wednesday or Thursday

**whenever** àm sam bith [ōwm səm bee]
**whenever the light goes on** àm sam bith a thèid an solas air [... ə hayj ən soləs ehr]

**where?** càit? [kahch]
**where is ...?** càit a bheil ...? [kahch ə vel]
**I asked him where he came from** dh'fhaighnich mi dha cò às a bha e [GYneeK mee Ga koh ahs ə va eh]

*dialogue*

**where do they live?**
càit a bheil iad a' fuireach?
[kahch ə vel ee-at ə foorəK]

**faisg air Dail a' Chaolais**
[fashk ehr dahl ə Kurlish]
near Dallachulish

**agus càit dìreach a bheil sin?**
[agəs kahch jeerəK ə vel shin]
and where's that exactly?

**beagan gu tuath air an Òban, air Loch Creurann**
[behkən goo too-ə ehr ən awban, ehr loK kray-rən]
just north of Oban, on Loch Creran

**agus càit a bheil sinne gan coinneachadh?**
[agəs kahch ə vel sheenyə gan konyəKəG]
and where are we meeting them?

**aig an taigh acasan**
[ek ən tY aKkəsən]
at their place

**wherever** ge b' e càit [geh beh kahch]
**he follows me wherever I go** tha e a' leantainn rium ge b' e càit an tèid mi [ha eh ə lentin room ... ən chayj mee]

**whether** co-dhiù [koh-yoo]
**I don't know whether he'll like it** chan eil fhios agam co-dhiù an còrd e ris [Kan yel is akəm ... ən kawrsht eh rish]
**I don't care whether you like me or not** tha mi coma co-dhiù an toil leat mi no nach toil [ha mee kohmə koh-yoo ən təl let mee noh naK təl]

**which?**
1 cò? [koh]
*(when referring to a wider range of options: what?)* dè? [jay]
**which train?** cò an trèan? [koh ən 'train']
**which one?** *(masculine)* cò am fear? [koh əm fehr]
*(feminine)* cò an tè? [koh ən chay]

2 **the car which was behind me** an càr *a* bha air mo chùlaibh [ən kahr ə va ehr moh Kooliv]
**the book (which) I didn't read** an leabhar *nach* do leugh mi [ən lyaw-ər naK doh layv mee]

The Gaelic for 'which' cannot be omitted, as it can in English.

## *dialogues*

*1*

**which room do you want?**
dè an seòmar a tha thu ag iarraidh?
[jay ən shawmər ə ha oo əg ee-əree]

**gabhaidh mi am fear seo**
[gavee mee əm fehr shŏ]
I'll take this one

**agus gabhaidh tusa am fear ud; a bheil sin ceart gu leòr?**
[agəs gavee toosə əm fehr ət; ə vel shin kyarsht goo lyawr]
and you can have that one; is that ok?

**yes, fine, I'm ok with that**
tha, ceart gu leòr, taghta dhomhsa
[ha, kyarsht goo lyawr, tətə Gŏ-sə]

*2*

**which of these rucksacks is yours?**
cò as leatsa dhe na màileidean-droma seo?
[koh is letsə yeh nə mahlejən-drohmə shŏ]

**tha iad uile coltach ri chèile**
[ha ee-at oolə koltəK ree Kaylə]
they all look the same

**tha e doirbh a ràdh cò tè seach tè**
[ha e dirəv ə rah koh chay shaK chay]
it's hard to say which is which

**whisky** *an t-*uisge-beatha [ən tooshkə-beh-hə]

**whisper** *(verb)* cagair (a' cagarsaich) [kagir (ə kagərseeK)]

**whistle** *(device) an* fheadag [ən ehtak]
*(sound) an* fhead [ən eht]

**white** geal [gyal]

**whiteboard** *am* bòrd-geal [bawrsht-gyal]

**who?** cò? [koh]

1 **who are you talking to?** cò a tha thu a' bruidhinn ris? [koh ə ha oo ə brooyin rish]

2 **the man (who) we saw** am fear *a* chunnaic sinn [əm fehr ə Koonik sheen]
**the man (who) we didn't recognize** am fear *nach* do dh'aithnich sinn [... naK doh GanyeeK sheen]

The Gaelic for 'who' cannot be omitted, as it can in English.

**whoever** ge b' e cò [geh beh koh]
**whoever gets the most points** ge b' e cò a gheibh na puingean as motha [... ə yehv nə pə-ingən əs maw]

**whole: the whole day** fad an latha [fat ən lah]
**the whole village** am baile air fad [əm balə ehr fat]
**he ate the whole lot** dh'ìth e an rud air fad [yeeK eh ən root ...]
**whole milk** bainne slàn [ban-yə slahn]

**wholemeal bread** *an t*-aran-cruithneachd [ən tarən-krə-inyəKk]

**whooping cough** *an* triuthach *(+len adj)* [tr-yoo-əK]

**whose: whose is this?** cò leis a tha seo? [koh lehsh ə ha shŏ]

*dialogue*

**is it yours?**
an ann leatsa a tha e?
[ən ōwn letsə ə ha eh]

**chan ann**
[Kan ōwn]
not mine

**is it Anna's?**
an ann le Anna a tha e?
[ən ōwn leh anə ə ha eh]

**no, it's Calum's**
chan ann, 's le Calum e
[Kan ōwn, sleh kaləm eh]

**is this one yours then?**
an leatsa am fear seo ma-thà?
[ən letsə əm fehr shŏ mə-hah]

**tha, is leamsa sin**
[ha, is ləmsə shin]
yes, that's mine

**agus cò leis am fear seo?**
[agəs koh lehsh əm fehr shŏ]
and who does this one belong to?

**chan eil sgot agam**
[Kan yel skot akəm]
I've no idea

**why?** carson? [karson]
**why not?** carson?
**ok, why not?** ceart, glè mhath [kyahrsht, glay va]

Wick Inbhir Ùige [in-yər oo-igə]
wicked *(person, deed)* olc [olKk]
wide leathann [leh-han]
widow *a'* b*h*anntrach [ə vōwntrəK]
**she's a widow** tha i na banntrach [ha ee nə bōwntrəK]
widower *a'* b*h*anntrach [ə vōwntrəK]
**he's a widower** tha e na bhanntrach [ha eh nə ...]

Gaelic uses **banntrach** for both widow and widower, and it's a feminine noun in both instances.

wife *a'* b*h*ean [ə ven] (*plural*: mnathan [mrah-ən])
**my wife** mo bhean [moh ...]
**I went with my wife** chaidh mi ann còmhla rim bhean [KY mee ōwn kawlə rim ven]
**they arrived with their wives** ràinig iad ann còmhla ri am *mnathan* [rahnik ee-at ōwn kawlə ree əm mrah-ən]
Wi-Fi *an* WiFi [wY-fY]
wig *a'* g*h*ruag [ə Groo-ək]
Wigtown Baile na h-Ùige [balə nə hoo-igə]
wild *(storm, sea)* fiadhaich [fee-əyeeK]
**wild animals** fiadh-bheathaichean [fee-əG-veh-heeKən]
**a wild guess** buille air thuaiream [boolyə ehr hoo-ərəm]
**a wild party** hò-rò gheallaidh [hoh-roh yalee]
will: **when will it be finished?** cuin a bhios e deiseil? [koonyə vis eh jeh-shel]
**will you do it?** an dèan thu e? [ən jee-an oo eh]
**I'll come back** tillidh mi [cheelee mee]
**will he be there?** am bi esan ann? [əm bee ehsən ōwn]

See pages 343 and 345 for the formation of the future and the note at **future** for the ways in which the future tense can be used.

win buannaich (a' buannachadh) [boo-ə-aneeK (ə boo-anəKəG)]
**who won?** cò a bhuannaich? [koh ə voo-aneeK]
**the winning team** an sgioba glèidhidh [skipə glay-ee]
wind *(noun) a' gh*aoth [ə Gur]
windfarm *an* tuathanas-gaoithe [too-ənəs-gur-yə]
window *an* uinneag *(+len adj)* [oon-yak]
**near the window** faisg air an uinneag [fashk ehr ən ...]
window seat *an* suidheachan-uinneige [sooyəKan-oonyeh-gə]
windscreen *an* uinneag toisich *(+len adj)* [oon-yak tosheeK]
wind turbine *an* roth-gaoithe [roh-gur-yə]
windy gaothach [gur-əK]
**it's too windy** tha i ro ghaothach [ha ee roh Gur-əK]
wine *am* fìon [fee-ən]
**red wine** fìon dearg [... jereg]
**white wine** fìon geal [... gyal]
wing *(of bird, plane) an* sgiath *(+len adj)* [skee-ə]
winter *an* geamhradh [gyōwrəG]
**in the winter** anns a' gheamhradh [ōwns ə yōwrəG]
wire *an* uèir *(+len adj)* [wayr]
wise *(person, decision)* glic [gleeKk]
wish: **best wishes** deagh dhùrachd [joh GoorəKk]
**I wish I could help** b' fheàrr leam gum b' urrainn dhomh cuideachadh [byahr ləm goom boorin Gŏ KoojəKəG]
with le [leh]
**a girl with blue eyes** caileag le sùilean gorma [kalak leh soolən gorəmə]

**with me** còmhla rium [kawlə room]
**he's staying with his Gran** tha e a' fuireach còmhla ri sheanmhair [ha eh ə foorəK kawlə ree henəvər]

When **le** is used with the definite article (**an**, **am** etc) it becomes **leis** [lehsh].

**dè rinn thu leis an airgead?** what did you do with the money?
**tha e a' dorghadh leis an sgrìoban** he's fishing with the hand-line

**without** gun [goon]
**without sugar** gun siùcar [... shooKkər]
**without saying a word** gun guth a ràdh [... goo ə rah]

**witness** *an* neach-fianais [nyaK-fee-ənish]

**witty** eirmseach [ehrəmshəK]

**wobbly** *(chair etc)* cugallach [koogələK]

**woman** *am* boireannach [borənəK]
**the women** na boireannaich [nə borəneeK]

**wonderful** iongantach [ingəntəK]

**won't: we won't be able to come** cha tèid againn air tighinn [Ka chayj akin ehr cheeyin]
**it won't open** chan fhosgail e [Kan osgal eh]
**the car won't start** cha tòisich an càr [Ka tawsheek ən kahr]

See pages 343 and 345 for the formation of the future and the note at **future** for the ways in which it can be used.

**wood** *am* fiodh [fyiG]
*(forest) a' chοille* [ə Koyl-yə]

**wool** *a' chlòimh* [ə Kloy]

**word** *am* facal [faKkəl]

**I don't know that word** chan eil mi eòlach air an fhacal sin [Kan yel mee yawləK ehr ən aKkəl shin]

**work** *(verb)* obair (ag obair) [ohpər]

**where do you work?** càit a bheil thu ag obair? [kahch ə vel oo əg ...]

**I work in Glasgow** tha mi ag obair an Glaschu [ha mee ...]

**he works for himself** tha e ag obair air a cheann fhèin [ha eh ... ehr ə Kyōwn hayn]

**she works for herself** tha i ag obair air a ceann fhèin [ha ee ... ehr ə kyōwn hayn]

**it's not working** chan eil e ag obrachadh [Kan yel eh əg ohprəKəG]

**when I get home from work** nuair a thilleas mi dhachaigh bhon obair [noo-ər ə heel-yəs mee GaKee von ...]

**Dad's at work** tha m' athair aig an obair [ha ma-hər ek ən ...]

◊ **work out** *(answer, puzzle)* fuasgail (a' fuasgladh) [foo-əsgal (ə foo-əsgləG)]

**it didn't work out between us/them** cha do dh'obraich e a-mach eatorainn/eatorra [Ka doh GohpreeK eh ə-maK ehtorin/ehtorə]

**he works out at the gym** bidh e a' neartachadh a cholann san diom [bee eh ə nyarshtəKəG ə Kohlin sən 'gym']

**world** *an* saoghal [sur-əl]

**the whole world** an saoghal air fad [... ehr fat]

**the best in the world** as fheàrr air an t-saoghal [əs shahr ehr ən tur-əl]

**worry: I'm worried about him** tha uallach orm ma dheidhinn [ha oo-ələK orəm mə yay-in]
**don't worry** na biodh uallach ort [nə biG ... orsht]

**worse: it's worse** tha e nas miosa [ha eh nəs misə]
**to make matters worse** gus an truagh a chur air a' ghnothach [goos ən troo-əG ə Koor ehr ə Grŏ-əK]

**worst** as miosa [əs misə]
**if the worst comes to the worst** ma thig a' chùis gu hù-bhitheil [mə hik ə Koosh goo hoo-vee-hel]

**worst-case scenario: what's the worst-case scenario?** dè an rud as miosa a dh'fhaodadh tachairt? [jay ən root əs misə ə GurdəG taKirsht]

**worth: how much is it worth?** dè a' phrìs a th' air [jay ə freesh ə hehr]
**it's not worth waiting** chan *fhiach* e feitheamh [Kan ee-əK eh feh-həv]
**it's worth at least £100** tha *luach* £100 air aig a' char as lugha [ha loo-əK kee-ət not ehr ek ə Kar əs looGə]
**it's worth more than that** tha barrachd luach air na sin [ha barəKk ... ehr nə shin]

**would: would you help me?** an dèanadh tu mo chuideachadh? [ən jee-anəG too moh KoojəKəG]
**that would be good** bhiodh sin math [viG shin ma]

**wow!** a shaoghail! [ə hur-al]

**wrapping paper** *am* pàipear-pasgaidh [pehpər-paskee]

**wrist** *an* caol-dùirn [kurl-doorn]

**write** sgrìobh (a' sgrìobhadh) [skreev (ə skreevəG)]
**I'll write to you/her** sgrìobhaidh mi thugad/thuice [skreevee mee hookət/heeKkə]

◊ **write down** sgrìobh sìos (a' sgrìobhadh sìos) [skreev

shee-əz (ə skreevəG shee-əz)]
**could you write it down?** an sgrìobhadh tu sìos e? [ən … too shee-əz eh]

writer *an* sgrìobhadair [skreevətər]

wrong ceàrr [kyahr]
**there's something wrong with …** tha rudeigin ceàrr air … [ha rootehgin … ehr]
**you're wrong** tha thu ceàrr [ha oo …]
**that's the wrong key** sin an iuchair cheàrr [shin ən yooKir Kyahr]
**sorry, wrong number** *(I have/you have)* duilich, sin an àireamh cheàrr [dooleeK, shin ən ahrəv …]
**I got the wrong bus** fhuair mi am bus ceàrr [hoo-ər mee əm …]
**what's wrong?** dè a tha ceàrr? [jay ə ha …]

X-ray *(noun) an* x-ghath [eks-Gah]

**yacht** *an* gheat *(+len adj)* [yot]

**yard** *(measurement) an t-*slat [ən tlat]

  **in the school yard** anns an raon-chluiche [ōwns ən rurn-Klə-iKə]

**yawn** *(verb)* mèaranaich (a' mèaranaich) [mee-arəneeK]

  **the whole class were yawning** bha an clas air fad a' mèaranaich [va ən klas ehr fat ...]

**year** *a'* b*h*liadhna [ə vlee-ənə]

  **this year** am-bliadhna [əm-blee-ənə]

  **next year** an ath-bhliadhna [ən ah-vlee-ənə]

  **last year** an-uiridh [ən-ooree]

  **the year before last** a' bhòn-uiridh [ə vawn-ooree]

  **she's five years old** tha i còig bliadhna a dh'aois [ha ee koh-ik blee-ənə ə Gursh]

**yellow** buidhe [booyə]

**yes**

> *a* Gaelic does not have a single word for 'yes'. The verb used in the preceding question is repeated in the positive form.
>
> **a bheil thu cinnteach?** are you sure?
> **tha** yes, I am
>
> **a bheil i deiseil?** is she ready?
> **tha** yes, she is
>
> **a bheil i a' fuireach an seo fhathast?** does she still live here?
> **tha** yes, she does

**an do bhruidhinn thu rithe?** did you speak to her?
**bhruidhinn** yes, I did

**am pòs e i?** will he marry her?
**pòsaidh** yes, he will

**am bi thu air ais gu luath?** will you be back soon?
**bithidh** yes

**chan urrainn dhut sin a dhèanamh!** you can't do that!
**'s urrainn!** oh yes, I can!

*b* **seadh** [shəG]

**Seadh** means 'yes' in the sense of acknowledging what is being said. It is also used as an interjection like 'uh-huh' in English, and can often be heard in combination with **dìreach**, meaning 'yes, sure'.

**nach tuirt mi ris!** didn't I tell him!
**seadh dìreach** you did, yes

**dèan an obair-dachaigh agad!** do your homework
**seadh seadh!** yeah, ok

yesterday an-dè [ən-jay]
**the day before yesterday** a' bhòn-dè [ə vawn-jay]
**yesterday morning** madainn an-dè [matin ...]
**yesterday afternoon** feasgar an-dè [feskər ...]

yet fhathast [hahst]
**is it ready yet? – not yet** a bheil e ullamh fhathast? – chan eil e fhathast [ə vel eh ooləv ... – Kan yel eh ...]

yoghurt *an t*-iògart [yawgart]

## you

*a* Gaelic has two words for 'you'. **Thu** [oo] is used for talking to just one person who is someone you don't feel you have to be formal with. If you are talking to someone who does make you feel you need to be a bit more formal, then use **sibh** [shiv]. But **sibh** is also the plural form of **thu**.

*b* **Thu** and **sibh** can be both subject and object of a verb.

**are you ready?** a bheil thu deiseil
**how do you do?** ciamar a tha sibh?
**is that you, Jack?** an e thus' a th' ann, Jack?
**I like you** 's toil leam thu/sibh

**Thu** takes the form **tu** (emphatic form **tusa**) when used directly with the verb **is**.

**'s tusa am fear mu dheireadh** you are the last one

*c* Gaelic also has the so-called emphatic forms **thusa** [oosə] and **sibhse** [shivsə]. These are used to make a contrast or to show that 'you' is the important word in a sentence.

**who? – you!** cò? – thusa!
**are you guys coming?** a bheil sibhse a' tighinn?

*d* to you

When a sentence has two pronouns, the order is:

**cuiridh mi thugad/thugaibh e** I'll send it to you

*e* Gaelic for 'you' as used in a phrase containing a verbal noun (that is the second verb form given in brackets in this book) is *(thu form)* **gad** or *(sibh form)* **gur** [goor] . **Gad** comes before the verbal noun. And it causes lenition.

**chan eil mi gad thuigsinn** I don't understand you
**chan eil e gad chluinntinn** he can't hear you

**Gur** comes before the verbal noun. But **gur** does not cause lenition.

**chan eil e gur tuigsinn** he doesn't understand you
**chan eil i gur cluinntinn** she can't hear you

With **gur,** if the verbal noun starts with a vowel then **n-** is added.

**tha iad gur n-ionndrainn** they don't miss you

*f* With expressions like 'I'd like, I want, they can' etc the possessive adjectives **do** (your, *thu form*) or **ur** (your, *sibh form*) are used together with the verbal noun. **Do** causes lenition.

**chan urrainn dhaibh do thuigsinn** they can't understand you

**Ur** does not cause lenition.

**chan urrainn dhaibh ur tuigsinn** they can't understand you

*g* For the use of 'you' with prepositions see the tables on pages 348–349. Here are some examples.

**'s ann dhut/dhuibh a tha seo** this is for you
**thig mi ann còmhla riut** I'll come with you
**an ann bhuatsa a tha seo?** is this from you?
**ràinig iad romhadsa** they arrived before you

*h* Some other expressions

**a thruaghain!** poor you!
**amadain a tha thu ann!** you idiot!
**nach e aingeal a th' annad!** oh! you angel you!

**young** òg [awg] (**younger/-est** nas/as òige [nəs/əs oygə])
**my youngest daughter** an nighean as òige agam [ən nee-ən əs … akəm]
**young people** an òigridh [oygree]

**your**

*1*

*a* The familiar form is **do** [doh] This form causes lenition.

**do bhràthair** your brother

Before a word starting with a vowel **do** becomes **d'.**

**d' athair** your father

With words starting with f the lenition will generate a vowel sound.

**d' fhalt** [dalt] your hair

*b* **Do** is commonly used to say 'your' when you are talking about family members, friends, parts of your body, something with which you have a close relationship. In other cases you should wrap **an …. agad** [ən … akət] around the noun. Of course, **an** can change, as shown in the main translations in this book.

**an cliop agad** your haircut
**am beachd agad** your idea

*c* To stress ownership you can use:

**is leat am baga** it's your bag

*2*

*a* The polite or plural form is **ur** [oor] This does not cause lenition.

**ur sròn** your nose
**ur sròinean** your noses

If the following word starts with a vowel **ur** becomes **ur n-**.

**ur n-eisimpleir** your example

*b* When not talking about family members, parts of the body, or things with which you have a close relationship you wrap **an … agaibh** [ən … akiv] around the noun.

**an càr agaibh** your car
**an t-airgead agaibh** your money
**na tiogaidean agaibh** your tickets

*c* To stress ownership you can use:

**is leibh am baga** it's your bag

yours: **it's yours** *(familiar)* 's leatsa e [sletsə eh]
*(plural, formal)* 's leibhse e [sleh-ivshə eh]
**is he a friend of yours?** a bheil e na charaid dhut? [ə vel eh nə Karij Goot]
*(plural, formal)* a bheil e na charaid dhuibh? [… Gə-iv]
**these are yours** is leatsa iad seo [is letsə ee-at shŏ]
yourself thu fhèin [oo hayn]
*(formal)* sibh fhèin [shiv …]
yourselves sibh fhèin [shiv hayn]
youth hostel *an* ostail òigridh [ostal oygree]
yuck! a ghia! [ə yee-ə]

# Z z

**zap** *(delete)* dubh às (a' dubhadh às) [doo ahs (ə doo-əG ahs)]

**zebra crossing** *an* trast-rathad seabra [trast-rah-ət sebrə]

**zero** neoini [nyonee]

**below zero** fo neoini [foh ...]

**we have a zero tolerance approach** tha dòigh-obrach againn far nach ceadaich sinn an cron as lugha [ha doy-ohprəK akin far naK keteeK sheen ən kron əs looGə]

**zip** *an* siop [sip]

**zonked** claoidhte [klurchə]

**zoo** *an* sù [soo]

# *Appendices*

## *Plurals of nouns*

Some irregular plural forms of commonly used Gaelic nouns are given after translations in the AZ section. Here are some general rules which will let you form a great many other Gaelic regular plurals.

*a* add **an** to the singular

an loch *(the loch)* ⟶ na lochan *(the lochs)*

*b* if the last vowel is **i**, add **ean** [ən]

taigh *(house)* ⟶ taighean *(houses)*

*c* if the word starts with a vowel, insert **h-** after **na**

eilean *(island)* ⟶ na h-eileanan *(the islands)*

*d* with short words add **aichean** [eeKən]

càr *(car)* ⟶ càraichean *(cars)*
clas *(class)* ⟶ clasaichean *(classes)*

*e* if the noun is feminine and ends in **ach** insert a final **i** and add **ean**

clàrsach *(harp)* ⟶ clàrsaichean *(harps)*

*f* with nouns ending in **l(e)** or **ne** add **tean** [chən]

baile *(town)* ⟶ bailtean *(towns)*
sgoil *(school)* ⟶ sgoiltean *(schools)*

## *Regular verb forms*

Here are quick-reference tables for Gaelic verb forms, past tense and future. To see these verb forms in use you should go to the sections on Past and Future, Questions and Not.

Past tense of regular verbs

| root | | positive | interrogative | negative |
|---|---|---|---|---|
| pòs | *marry* | phòs | an do phòs? | cha do phòs |
| cuir | *put* | chuir | an do chuir | cha do chuir |
| ruith | *run* | ruith | an do ruith? | cha do ruith |
| verbs starting with a vowel or f+vowel | | | | |
| òl | *drink* | dh'òl | an do dh'òl? | cha do dh'òl |
| falbh | *leave* | dh'fhalbh [Galav] | an do dh'fhalbh? | cha do dh'fhalbh |

Future tense of regular verbs

| root | | positive | interrogative | negative |
|---|---|---|---|---|
| pòs | *marry* | pòsaidh | am pòs? | cha phòs |
| cuir | *put* | cuiridh | an cuir? | cha chuir |
| ruith | *run* | ruithidh | an ruith? | cha ruith |
| òl | *drink* | olaidh | an òl? | chan òl |
| falbh | *leave* | falbhaidh | am falbh? | chan fhalbh [alav] |

Relative future tense of regular verbs

| root | | positive |
|---|---|---|
| pòs | *marry* | phòsas |
| cuir | *put* | chuireas |
| ruith | *run* | ruitheas |
| òl | *drink* | dh'òlas |
| falbh | *leave* | dh'fhalbhas |

## *Irregular verb forms*

Past tense of the eleven irregular verbs

| **root** | | **positive** | **interrogative** | negative |
|---|---|---|---|---|
| abair* | *say* | thuirt [hoorsht] | an tuirt? | cha tuirt |
| beir (air) | *catch* | rug | an do rug? | cha do rug |
| bi | *be* | bha [va] | an robh? [roh] | cha robh |
| cluinn | *hear* | chuala | an cuala? | cha chuala |
| dèan | *do, make* | rinn [rYn] | an do rinn? | cha do rinn |
| faic | *see* | chunnaic | am faca? | chan fhaca [Kan akə] |
| faigh | *get, find* | fhuair [hoo-ər] | an d'fhuair? [too-ər] | cha d'fhuair |
| rach | *go* | chaidh [KY] | an deach? [jaK] | cha deach |
| ruig | *reach* | ràinig | an do ràinig? | cha do ràinig |
| thoir | *give* | thug | an tug? | cha tug |
| thig | *come* | thàinig | an tàinig? | cha tàinig |

* For the past tense of 'say' there is only one option, as shown above. The commonly used regular verb **can**, also meaning 'say', is given in the following two tables; but **can** does not have a past tense form.

Future tense of the eleven irregular verbs

| root | | positive | interrogative | negative |
|---|---|---|---|---|
| abair | *say* | their; canaidh | an abair?; an can? | chan abair; cha chan |
| beir (air) | *catch* | beiridh | am beir? | cha bheir |
| bi | *be* | bidh | am bi? | cha bhi |
| cluinn | *hear* | cluinnidh | an cluinn? | cha chluinn |
| dèan | *do, make* | nì | an dèan? | cha dèan |
| faic | *see* | chì | am faic? | chan fhaic |
| faigh | *get, find* | gheibh | am faigh | chan fhaigh |
| rach | *go* | thèid | an tèid? | cha tèid |
| ruig | *reach* | ruigidh | an ruig? | cha ruig |
| thoir | *give* | bheir | an toir? | cha toir |
| thig | *come* | thig | an tig? | cha tig |

Relative future tense of the eleven irregular verbs

| root | | positive |
|---|---|---|
| abair | *say* | dh'abras; chanas |
| beir | *catch* | bheireas |
| bi | *be* | bhios; bhitheas |
| cluinn | *hear* | chluinneas |
| dèan | *do, make* | nì |
| faic | *see* | chì |
| faigh | *get, find* | gheibh |
| rach | *go* | thèid |
| ruig | *reach, arrive (at)* | ruigeas |
| thoir | *give* | bheir |
| thig | *come* | thig |

## *Imperatives*

1 For talking to one person the imperative is the first form of the verb as given in this book (the root form).

**dèan snodha-gàire!** smile! **dùin an doras!** shut the door!

**sguir dhen sin!** stop that! **seall sin!** look at that!

Be is **bi**.

**bi sàmhach!** be quiet!

2 For talking to several people you add **-aibh** [iv] or **-ibh** [iv] to the root form.

**seallaibh!** look!

**dèanaibh snodha-gàire!** smile!

**dùinibh na dorsan!** shut the doors!

3 For saying 'let's …' you add **-amaid** [əmij] or **-eamaid** [əmij] to the root.

**togamaid oirnn** let's head off

**fuiricheamaid beagan nas fhaide** let's wait a bit longer

An odd man out is

**tiugainn** let's go

4 To say 'don't …' you put **na** before the verb. If the verb begins with a vowel, this becomes **na h-**. For examples of this go to **not** in the dictionary.

**na h-òl sin!** don't drink that!

## *Prepositional pronouns*

By using this table you can make variants on the example phrases given in this book. For example:

> **bho** = from
>
> **chaill mi gairm *bhuat* air a' fòn** I had a missed call from you

Now say: I had a missed call from her

Answer: **chaill mi gairm *bhuaipe* air a' fòn**

> **ri** = to
>
> **tha sin cho coltach ris!** that's typical of him!

Now say: that's typical of her!

Answer: **tha sin cho coltach rithe!**

The frequently used emphatic forms are shown in brackets. The pronunciations of these endings, omitted in the table, are **-sa** [sə] and **-se** [shə]; -san [sən]; **-e** [ə].

These prepositional pronouns are very often used in idiomatic Gaelic expressions in which they have no real correspondence with the English equivalent pronouns at all. For example:

> **tha an t-acras orm**
> I am hungry
>
> **a bheil Gàidhlig agad?**
> do you speak Gaelic?
>
> **cha b' urrainn dhuinn ...**
> we couldn't ...
>
> **'s e neach-lagha a th' innte**
> she's a lawyer

| **mi** (I) | **thu** (you) | **e** (he, it) | **i** (she, it) | **sinn** (we) | **sibh** (you, formal or plural) | **iad** (they) |
|---|---|---|---|---|---|---|
| ***aig*** *(at)* | | | | | | |
| agam(sa) | agad(sa) | aige(san) | aice(se) | againn(e) | agaibh(se) | aca(san) |
| akəm | akət | ekə | eKkə | akin | akiv | aKkə |
| ***air*** *(on)* | | | | | | |
| orm(sa) | ort(sa) | air(san) | oirre(se) | oirnn(e) | oirbh(se) | orra(san) |
| orəm | orsht | ehr | orə | orn | oriv | orə |
| ***ann*** *(in)* | | | | | | |
| annam(sa) | annad(sa) | ann(san) | innte(se) | annainn(e) | annaibh(se) | annta(san) |
| ənəm | ənət | ōwn | eenchə | ənin | əniv | əntə |
| ***às*** *(out of)* | | | | | | |
| asam(sa) | asad(sa) | às(san) | aiste(se) | asainn(e) | asaibh(se) | asta(san) |
| | asət | ahs | ash-chə | asin | asiv | astə |
| ***bho*** *(from)* | | | | | | |
| bhuam(sa) | bhuat(sa) | bhuaithe(san) | bhuaipe(se) | bhuainn(e) | bhuaibh(se) | bhuapa(san) |
| voo-əm | voo-ət | voo-Y-yə | voo-ehpə | voo-in | voo-iv | voo-əpə |

| ***do*** *(to)* | | | | | | |
|---|---|---|---|---|---|---|
| dhomh(sa) | dhut(sa) | dha(san) | dhi(se) | dhuinn(e) | dhuibh(se) | dhaibh(san) |
| Gŏ | Goot | Ga | yee | Gə-in | Gə-iv | GYv |
| ***gu*** *(to)* | | | | | | |
| thugam(sa) | thugad(sa) | thuige(san) | thuice(se) | thugainn(e) | thugaibh(se) | thuca(san) |
| hookəm | hookət | heekə | heeKkə | hookin | hookiv | hooKkə |
| ***le*** *(with)* | | | | | | |
| leam(sa) | leat(sa) | leis(san) | leatha(se) | leinn(e) | leibh(se) | leotha(san) |
| ləm | let | lehsh | leh-ə | leh-in | liv | loh-ə |
| ***ri*** *(to)* | | | | | | |
| rium(sa) | riut(sa) | ris(san) | rithe(se) | ruinn(e) | ribh(se) | riutha(san) |
| room | root | rish | ree-yə | rə-in | riv | roo-ə |
| ***ro*** *(before)* | | | | | | |
| romham(sa) | romhad(sa) | roimhe(san) | roimphe(se) | romhainn(e) | romhaibh(se) | rompha(san) |
| roh-əm | roh-ət | roy-ə | roypə | roh-een | roh-iv | rohpə |

## *Numbers and using numbers*

**1** aon* *(+len)* [urn]
**2** dhà** *(+len)* [Gah]
**3** trì [tree]
**4** ceithir [keh-hir]
**5** còig [koh-ik]
**6** sia [shee-ə]
**7** seachd [shaKk]
**8** ochd [oKk]
**9** naoi [nur-ee]
**10** deich [jehK]
**11** aon deug [urn jee-əg]
**12** dà dheug [dah yee-əg]
**13** trì deug [tree jee-əg]
*etc up to* ***19***
**20** fichead° [feeKet]
**21** fichead 's a h-aon [...sə hurn]
**22** fichead 's a dhà

| | *new system* | | *older system* | |
|---|---|---|---|---|
| **30** | trithead | tree-het | deich air fhichead | jehK ehr eeKet |
| **31** | trithead 's a h-aon | tree-het sə hurn | fichead 's a h-aon deug | |
| **32** | trithead 's a dhà | tree-het sə Gah | fichead 's a dhà dheug | |
| **40** | ceathrad | kerət | dà fhichead | dah eeKet |
| **41** | ceathrad 's a h-aon | | dà fhichead 's a h-aon | |
| **42** | ceathrad 's a dhà | | dà fhichead 's a dhà | |
| **50** | caogad | kurkət | leth-cheud° | leh-Kət |
| **60** | seasgad | sheskət | trì fichead | tree feeKet |
| **70** | seachdad | shaKkət | trì fichead 's a deich | tree feeKet sə jehk |
| **80** | ochdad | oKkət | ceithir fichead | keh-hir feeKet |
| **90** | naochad | nurKət | ceithir fichead 's a deich | keh-hir feeKet sə jehK |

| | | | |
|---|---|---|---|
| **100** | ceud° [kee-ət] | **200** | dà cheud [dah Kee-ət] |
| **101** | ceud 's a h-aon | **300** | trì ceud [tree kee-ət] |
| **102** | ceud 's a dhà | | |

| | *new system* | | *older system* |
|---|---|---|---|
| **672** | sia ceud seachdad 's a dhà | | sia ceud trì fichead 's a dhà dheug |
| **1000** | mìle° | meelə | |
| **2000** | dà mhìle | dah veelə | |
| **10,000** | deich mìle | jehK meelə | |
| **1,000,000** | muillean° | moolyən | |

You will hear both systems. These so-called newer numbers were actually in use in Gaelic schools in the Highlands before the education act effectively banned the teaching of Gaelic in 1872. Gaelic speakers who work regularly with numbers will use the newer system as the words for the numbers are shorter.

*a* * Aon lenites all lenitable consonants except d,s,t.

| **one dog** | **one cat** |
|---|---|
| aon chù | aon chat |

*b* ** When **dhà** is used for counting nouns it changes to **dà**; and **dà** lenites the following word and takes a singular noun.

| **two colours** | **two cats** |
|---|---|
| dà dhath | dà chat |

*c* ° If these numbers (as well as the combinations including these numbers) are used before a noun then that noun goes in the singular not the plural.

| **50 units** | **20 days** | **42 units** |
|---|---|---|
| leth-cheud aonad | fichead latha | dà fhichead aonad 's dhà |

*d* When Gaelic numbers made up of more than one word are used with a noun, then that noun is inserted like this:

**15 islands**
còig eileanan deug

**101 Dalmatians**
ceud dalmatach 's a h-aon

*e* When using numbers just to count the word **a** [ə] is put in front. For example:

**I'll count to 10 then come and find you**
cunntaidh mi gu deich 's an uair sin thèid mi gur lorg

a h-aon, a dhà, a trì, a ceithir *etc*

*f* To say a phone number – each number is said individually, and the first number in each set does not take the **a**.

0172 345 786 is spoken
**neoni, a h-aon, a seachd, a dhà; trì, a ceithir, a còig; seachd, a h-ochd, a sia**

*g* Gaelic has special words for counting people. This is described at the headword 'people'.

*h* Ordinals

| **the 1st** | a' chiad *(+len)* | ə Kee-at |
|---|---|---|
| **2nd** | an dàrna | ən dahrnə |
| **3rd** | an treas | ən tres |
| **4th** | an ceathramh | ən kerəv |
| **5th** | an còigeamh | ən Koh-ikəv |
| **6th** | an siathamh | ən shee-ə-həv |
| **7th** | an seachdamh | ən shaKkəv |
| **8th** | an t-ochdamh | ən toKkəv |
| **9th** | an naoidheamh | ən nuryəv |
| **10th** | an deicheamh | ən jehKəv |